À querida Alexandra

Humana
festa

com meu carinho.

Paz entre os humanos
e os animais!

Regina Rheda

REGINA RHEDA

Humana festa

EDITORA RECORD
RIO DE JANEIRO • SÃO PAULO
2008

CIP-Brasil. Catalogação-na-fonte
Sindicato Nacional dos Editores de Livros, RJ.

R36h
Rheda, Regina, 1957-
      Humana festa: romance / Regina Rheda. – Rio
de Janeiro: Record, 2008.

      ISBN 978-85-01-08116-2

      1. Romance brasileiro. I. Título.

08-5151
                                    CDD – 869.93
                                    CDU – 821.134.3(81)-3

A autora só permite a transposição do romance *Humana Festa* para
formas de arte e comunicação que não usem animais verdadeiros.

Direitos exclusivos desta edição reservados pela
EDITORA RECORD LTDA.
Rua Argentina 171 – Rio de Janeiro, RJ – 20921-380 – Tel.: 2585-2000

Impresso no Brasil

ISBN 978-85-01-08116-2

PEDIDOS PELO REEMBOLSO POSTAL
Caixa Postal 23.052
Rio de Janeiro, RJ – 20922-970

EDITORA AFILIADA

Os animais do mundo existem por razões próprias.
Eles não foram feitos para os humanos, assim como
os negros não foram feitos para os brancos nem as
mulheres para os homens.

Alice Walker

Que nunca mais sangue de ave ou besta
Com seu veneno manche humana festa
Ao puro céu em denúncia fervente.

Percy Bysshe Shelley

Dó

— Fuckin' animal!

Megan lançou a Diogo um olhar de lâminas. Ele acabava de cometer o erro de sempre. Tinha chamado de animal um motorista infrator. Megan fez uma marca no bloquinho:

— Mais um ponto para mim.

— Desculpe, Megan, animal não é insulto, eu sei. Mas, na pressa de xingar, a gente não consegue escolher o vocabulário certo e acaba usando o reacionário.

Megan suavizou a censura dos olhos, apertou-os no sorriso de namorada. Ela entendia. A maioria das pessoas demora para aprender coisas novas. E Diogo ainda tinha de trabalhar dobrado: falar inglês e evitar a linguagem especista ao mesmo tempo.

O infrator ultrapassou à direita, pulverizado nos pneus estridentes.

— Watch out, you stupid hog! — gritou o brasileiro.

Outro corte rápido dos olhos claros. Outro ponto a favor de Megan. Diogo desculpou-se, É a última vez, honey, juro.

Megan aceitou a desculpa num abraço lateral. Tudo bem, por enquanto, o namorado fazer uma referência desrespeitosa a um inocente porco. O mais importante – por enquanto – é que ele não comia mais porco.

– Holy cow! – disse Diogo, e o olhar de Megan, dessa vez, foi complacente como o de uma vaca santa. – Você viu aquele cara caído na calçada?

– Que cara? What guy?

Diogo brecou. Voltaram uns metros a pé. Ele apontou para a calçada:

– Esse cara aí.

Megan não viu nenhum homem caído. Mas viu um passarinho.

– Pobrezinha – cochichou. – Será que está machucada?

– Respira. Deve estar aprendendo a voar. Vamos embora.

– Mas e se ela estiver machucada?

Sair com Megan era isso, preocupar-se com animais desgraçados. Os dois já dividiam a casa com sete gatos e três cães que ela salvara do abandono.

– É ilegal manter pássaros selvagens em casa, Megan. Deixe esse cara em paz. Estamos em cima da hora.

– Não quero mantê-la em casa. Estou pensando em levá-la ao veterinário e depois, se for preciso, a um centro de reabilitação de animais silvestres.

– Está pensando em fazer isso agora? Mas e a cirurgia?

Megan se encolheu na sombra do chapéu de palha. Sua agenda tinha uma dinâmica própria, diferente da comum, que estabelece compromissos com antecedência. Sua agenda decretava obrigatório o auxílio imediato a animais em perigo encontrados em seu caminho, em momentos imprevisíveis. E naquele instante a agenda de Megan coincidia com a de um doutor Stanley: o animal que precisava de socorro urgente era ela mesma. Não, a ave não devia estar ferida. Na maioria dos casos, filhotes de passarinhos livres, que estão no chão, devem ser deixados ali. Eles acabam voando. Diogo olhou em volta. Não viu gato, cachorro nem criança. A vizinhança era das casas extensas, dos gramados preguiçosos, dos pinheiros pernaltas, dos carvalhos cobertos de barba-de-velho. O passarinho estava seguro.

— Ela está segura por enquanto — disse Megan. — Mas a gente podia afastá-la ainda mais da rua. Ou colocá-la de volta no ninho.

Tentou pegar o pequeno tufo de penas. Sem querer, espantou-o para debaixo de um arbusto. Todos os ninhos se esconderam de invasores como o olhar de Diogo, que não achou nenhum, no embaraço dos galhos das árvores mais velhas, no buraco do tronco abandonado por um pica-pau, na raiz de um carvalho revirado pelo último furacão.

Veio um carro. Com as pernas juntas, o casal formou uma parede protetora para a ave. O carro foi embora com a ameaça.

— Depois da cirurgia a gente volta aqui — Megan decidiu.

Chegaram à sede de uma antiga fazenda identificada na placa à beira da rodovia como Alligator Plantation. Atravessaram um resto de mata sulina domesticado por herbicidas, pesticidas e trabalhadores mexicanos sem registro, e onde soberbos perus e garças perambulavam em constante estado de alerta por causa do frenesi do estacionamento. Um barco novo chamado Leah descansava na grama, perto de dois carros-esporte importados. Encostadas nas colunas romanas da varanda da casa-grande, duas motocicletas largas como refrigeradores e de cores berrantes esgoelavam: Aqui se venceu na vida.

A decoração da casa-grande manifestava o gosto e a joie de vivre do proprietário. À entrada da sala de espera, equilibrado nas pernas traseiras sobre uma mesinha, e vestido de rastafári, o cadáver empalhado de um guaxinim saudava os pacientes com o arremedo de um sorriso humano que o taxidermista tentara esculpir na boca escancarada e deformada pela ação do caçador. Por cima do horrendo sorriso, a rigidez dos olhos de vidro tornava ainda mais macabras as motivações do assassino e do decorador. Ao lado do guichê, um urso-polar embalsamado, em posição de ataque, apavorava os enfermos, unhas salientes, dentes expostos. Sobre a lareira, desgalhava-se a cabeça decepada de um alce. E no meio da sala, debaixo de um intrincado candelabro de cristal, garças e perus empalhados velavam a carcaça de um crocodilo africano e prenunciavam o futuro das aves que passeavam, aos sustos, no jardim da propriedade.

— Eu pensei que fosse ilegal manter animais selvagens em casa — Diogo brincou com Megan. Mas ficou rindo sozinho.

Uma galeria de fotos mostrava o doutor Stanley sorridente ao lado de suas vítimas. Ele cheio de vigor, altivo, armas eretas; as vítimas molengas, largadas no chão, sujas de sangue. No rosto delas, o horror da morte, a humilhação da taxidermia.

— Vamos embora daqui — disse Megan. — Não quero dar dinheiro para esse criminoso.

— E cancelar a cirurgia? Ele é o único especialista da Flórida, Megan. Talvez seja o melhor do sul do país.

O doutor Stanley encabeçava uma comissão de dermatologistas pela prevenção do câncer de pele e aparecia num anúncio da televisão local para dizer que na Flórida o problema já atingia proporções epidêmicas, que um quinto dos americanos e um terço dos caucasianos iam ter a doença, que nunca se viram tantos jovens com câncer de pele como hoje em dia, use filtro solar e chapéu, não se exponha ao sol depois das dez e antes das quatro, mais informações no website tal ou consulte seu dermatologista. Ele tinha também retirado um basocelular com o diâmetro de uma moeda de dez cents do nariz do governador e garantira aos jornalistas que a chance de cura era total, de noventa e oito, noventa e seis por cento, mais ou menos. A foto do doutor Stanley sorridente com o governador restabelecido ficava entre as do cirurgião com os animais derrotados.

Megan observou os pacientes. Nenhum tinha menos de sessenta anos. No rosto do mais próximo havia manchas escuras. Melosas como as avós, as manchas voltaram-se para ela:

— How old are you, sweetheart?

— Tenho vinte e três anos – Megan respondeu.

— Too young – disseram as manchas dos dentes. – Mas o doutor Stanley vai cuidar bem de você. Ele é muito competente, muito amável, sweetheart.

As manchas dos dentes eram marrons. As do rosto tinham coloração variada e bordas irregulares: melanoma, o mais letal dos três, Megan pensou.

Um ano antes, enquanto lavava o rosto, Megan notara uma verruguinha na pálpebra direita. A verruga cresceu devagar. Doer não doía. Mas, se continuasse a crescer, poderia atrapalhar a visão ou deixar o olhar um pouco esquisito. Uma cirurgiazinha cosmética, ela disse pelo telefone à enfermeira da doutora Kim, o plano de saúde nem cobre.

A doutora Kim irrompeu no consultório com o atraso de praxe mais a pressa de espremer outra consulta em quinze minutos e, já da porta, no que bateu o olho treinado na verruguinha de Megan, disse sem cerimônia Oh, parece que temos um câncer basocelular aqui.

– What? Um câncer? Não é possível – gemeu Megan.

– Não se espalha pelo organismo, não é letal – aviou-se a doutora Kim. – Quero dizer, pode se espalhar e matar. Mas só em casos raros. A chance de cura é total. Ou de noventa e oito, novênta e seis por cento. Mais ou menos. Se você tiver de ter um câncer, o basocelular é o melhor câncer para você ter.

Megan não tinha de ter um câncer. Não era como "aquela outra" categoria humana, a que tem câncer. Debaixo da verruguinha, o olho escorreu.

– Vamos fazer a biópsia. Pode não dar em nada – disse a doutora Kim, que precisava tranqüilizar a paciente e remover a parte visível do tumorzinho em pouco mais de dez minutos. E entregou-lhe um folheto explicativo sobre os três tipos de câncer de pele.

As mãos truculentas, predatórias, agora cuidavam da pálpebra de Megan, boas e leves como anjos. O doutor Stanley fazia a cirurgia micrográfica de Mohs. Extirpava o resto do tumor em etapas, examinando ao microscópio cada camada do tecido retirado.

– Assim preservo ao máximo a pele sadia e evito desfiguramento – ele explicava, debruçado sobre o olho direito da paciente, que lhe abria o esquerdo.

Abrir um olho era bom para frear os pensamentos. No escuro, eles disparavam, atropelavam-se com os paradoxos e o medo. No claro, respiravam, ganhavam pontuação e lógica. O basocelular é menos grave que o espinocelular vírgula que é menos grave que o melanoma ponto-e-vírgula quem tem o primeiro está mais suscetível a ter os outros dois ponto. O olho de Megan tentou caçar no teto algum pensamento alegre. Não mata, geralmente, mas desfigura, o basocelular, que tende a se manifestar de novo e que, se não tratado logo, pode destruir nervos, cartilagens e ossos da região vizinha ponto. Megan sentiu na testa o ar quente que o doutor Stanley soltava pelo nariz. Aquele ar quente demorava uma eternidade para viajar até a testa dela e, quando chegava, era como se o doutor Stanley não estivesse perto. Impossível transpor o vácuo que se forma entre um ser com medo e o resto do universo. A dor excruciante, o medo mortal são só de quem os sente. Megan poderia compartilhar com Sybil ou Diogo a dor de um câncer e o medo de morrer, mas só no nível conceitual. Sofre e morre em solidão cada um dos bilhões de seres que sofrem ao mesmo tempo e morrem ao mesmo tempo, todos os dias, nas guerras, nos matadouros, nas celas, nas jaulas. O olho passou do teto para o rosto do cirurgião. Bonito, aquele rosto. Ainda bem. Pior se fosse um estrupício. Ter de olhar um estrupício num momento tão crítico seria mais patético. O doutor Stanley era um quarentão com físico de atleta e cabelo. Seus olhos azuis não saíam da pálpebra de Megan, e ela imaginou que pudessem se aventurar por outras partes de seu corpo, em uma oportunidade adequada. As mãos dele eram suaves como sopros – e criminosas. Curavam, mas também matavam. O doutor Stanley era contraditório. Será que existe alguém que não seja? Em uma cultura toda estruturada sobre a exploração dos seres vulneráveis, parece faltar consistência ética até ao mais correto dos humanos. O doutor Stanley deu-lhe um sorriso e uma piscada, e o olho de Megan fugiu para a parede. Seus pensamentos marcharam para o teto em fila ordenada. Ninguém é puro. Ela, por exemplo, militava pela abolição do uso de animais em pesquisas científicas, mas não tinha como escapar da mesma medicina equivocada que os sacrificava aos milhões, nos laboratórios. Fazer o quê? Suicidar-se? As coisas não mudam de repente e, enquanto um monte de gente não aprender que os animais não são meios para os fins da humanidade, uma ativista que se preze tem de continuar a jornada, mesmo manca, um pé ágil na trilha reta, o outro atolado na torta. Seu olho rastejou de volta para o rosto do cirurgião e experimentou ficar ali mais um tempinho. A idade riscava com leveza a pele em torno daquela boca um tanto enjoada, de um enjoamento de cereja doce demais, quase de batom. Em que trechos daqueles riscos paravam de se imprimir as curas do doutor Stanley e começavam a se imprimir seus crimes? Cada humano com suas contradições. Megan, por exemplo, que lutava pela proibição da caça, agora se excitava com a proximidade do rosto bonito de um caçador, esquecida do namorado que a esperava na sala e que se oferecera para pagar a cirurgia. Megan empurrou o olho de volta à parede, prendeu-o contra ela com a força da culpa. Talvez o doutor Stanley não fosse contraditório, mas consistente em sua crueldade, violador de organismos sencientes com o rifle e o bisturi. O doutor Stanley, sádico na caça e na cirurgia de Mohs, deixaria de propósito, na pálpebra da Megan, um restinho de câncer que se espalharia pelo seu organismo até matá-la. Não haveria prova do crime, ninguém poderia fazer nada por ela, prisioneira de guerra no laboratório frio e isolado, sufocado de medo, fedendo a químico, onde não se permite dó, de onde não escapa nenhum pedido de ajuda, de onde os animais só saem mortos.

— Está tudo bem, Megan? — perguntou o doutor Stanley, preocupado com as lágrimas que desciam pelo rosto da paciente.

— Tudo certo, doutor Stanley. O senhor não manda empalhar humanos também, né?

À saída da clínica, Diogo amparou uma Megan até então inédita, a deprimida. Ajudou-a a ajeitar a aba do chapéu de palha sobre o curativo do olho-múmia. Evitou-lhe o olho livre, uma uva verde molhada de vermelho e fixa no rosto dele. Decidiu que, por respeito ao estresse da namorada, mostraria bons modos, não atiraria insultos aos maus motoristas nem empregaria nomes de animais para significar idéias negativas.

— Agora podemos ver se o passarinho caído já voou — ele propôs.

A uva verde brilhou, o vermelhão se recolheu. Nada como ajudar um animal para deixar Megan feliz. Diogo sentiu um pouco de ciúme. Às vezes achava que Megan gostava mais dos bichos do que dele. Bichos não, ela corrigia. A palavra bichos tem uma conotação depreciativa e excludente. Animais não-humanos: esse é um termo mais apropriado, uma ferramenta lingüística para se usar no corrente estágio da luta, até que surja um signo melhor.

Megan percebeu, com muita satisfação, o esforço de Diogo para lhe poupar ansiedades. Ele cruzou os quatro tipos clássicos de barbeiros de trânsito locais sem emitir um suspiro. Seguiu lento, como a um féretro, o velhinho em seu titubeante Oldsmobile. Deu passagem ao impaciente universitário impelido a testosterona e cerveja. Rendeu-se ao amor incondicional da mãe estacionada no meio da pista, à saída do colégio de suas crias. Inalou, sem fazer careta, a fumaça do cigarro do caipira e da sua caminhonete coberta de adesivos contra o aborto e pela carne de vaca. Megan lhe agradeceu a prova de amor com bicotas e bafejos no pescoço.

Arrepiado, Diogo respondeu à namorada com discretos toques das costas da mão nos seus seios. Naquela troca de boa vontade entre amantes, naquela prova sólida de cooperação entre amigos verdadeiros, Megan viu espaço para soltar mais um desabafo – um insight libertário, na verdade – sem o risco de ser tomada por uma pregadora fanática:

– Que topete o daquele doutor Stanley, impor a barbaridade de suas vítimas empalhadas a doentes indefesos! É como os anfitriões que acreditam causar excelente impressão nos convidados, quando lhes oferecem animais assassinados para comer.

Diogo engoliu em silêncio a indigesta comparação. Ainda não conseguia evitar que os comentários da namorada contra a exploração institucionalizada dos animais lhe soassem como um ataque pessoal. Afinal de contas, entre todos os *amigos*, como dizia Megan, que ele gostava de comer, só conseguira trocar por vegetais, até ali, a vaca e o porco. Uma de suas três refeições diárias era composta apenas de alimentos provenientes de plantas, mas ele não vislumbrava uma possibilidade concreta de fazer duas refeições deste tipo a curto prazo, quanto menos três a médio. Era um vegano enrustido e achava melhor não marcar dia para sair do armário. E se, de um lado, admirava a atitude de Megan, do outro sentia um grande alívio por ela não falar português suficiente para expressar, nessa língua, suas convicções. A data da viagem ao Brasil se aproximava. Deveriam passar a folga estudantil de março, que durava uma semana, com a família dele, em uma de suas fazendas de gado e porcos, localizada no interior do estado de São Paulo. Os Bezerra Leitão, famosos em toda a área por promoverem rodeios e monumentais churrascadas, planejavam celebrar o aniversário de Diogo na ocasião. As passagens, um presente de dona Marcela, a mãe dele, seriam reservadas assim que Megan resolvesse se comportar com alguma diplomacia e aceitasse o convite.

Diogo brecou o carro para não atropelar uma obesa que decidira passar para o outro lado da avenida, fora do sinal. Sua leitoa branquicela, sua anta, baleia assassina, vaca leiteira, elefanta, hipopótama, vociferava no cérebro dele o repertório de abusos proibidos. Ele apertou os lábios contra as investidas da língua inquieta. Estava decidido a não ver Megan anotar outro ponto naquele bloco infernal e tomar-lhe mais um dólar.

Megan recompensou-lhe a tolerância com outro beijinho. Mais confortável no território neutro que Diogo colocava à sua disposição, continuou:

— Não passa pela cabeça de tipos como o doutor Stanley que existam pessoas com aversão à caça e aos pratos feitos de animais mortos.

— Well, tem muita gente que gosta, Megan! — Diogo ouviu, assustado, escapar de sua boca. Sentiu o rosto queimar. — Tem muito canceroso que gosta da exposição de animais caçados pelo doutor Stanley. E tem muito convidado que gosta de comer a carne servida pelos anfitriões aos quais você se referiu. Na verdade, a maioria das pessoas gosta, e muito, de comer animais mortos.

— Os gostos podem mudar! — Megan rebateu, a voz um tanto alta. — E muito mais relevante que o mero prazer das pessoas auto-indulgentes é a dor dos seres indefesos!

— Me passa o bloco! — disse Diogo, estacionando. — Me passa o bloco que eu quero marcar um ponto para mim! Você está muito chata com a sua pregação.

— Pode deixar que eu marco o seu ponto — ela emburrou.

— Vamos ver o tal passarinho antes que seja tarde demais.

Diogo retornou à pista. Sentiu vergonha. Nem o câncer conseguia fazê-lo parar de desafiar a nobre determinação que sua amada tinha de acabar com o sofrimento e a morte causados pela prepotência dos homens. Ele não era um mau sujeito. Então por que vivia brigando com Megan, aquele amor de criatura? Por que ele perdia tempo na defesa de um mundo que já estava solidamente estabelecido? Mais inteligente seria defender a mudança das coisas erradas.

Megan contou os pontos anotados no bloco. Diogo perdia a disputa. O número de comentários que depreciavam animais por causa de sua espécie, os comentários especistas, por parte dele, era muito maior do que o de tentativas de pregar o veganismo por parte dela. Pregar? Ela se perguntou até quando a simples expressão de suas idéias seria considerada uma panfletagem. Até quando a defesa dos animais seria considerada mais ilícita do que as crueldades contra eles. Até quando um vegano seria considerado radical, e um humano que explora e mata animais, sensato. Perguntou-se mais uma vez por que é que desistira do vôo para o amor ao lado de River, também ativista, e continuara a viagem a pé, claudicando entre a trilha certa e o atoleiro de Diogo. Uma resposta sempre lhe chegava óbvia como um tapa: River flertara com Sybil, quando ainda namorava com ela. Mas havia outras respostas, as que transpiram das analogias, tapas lentos como massagens que chiam em vez de estalar. Megan reviu a analogia entre seu namoro com Diogo e o atoleiro. Julgou-a um tanto injusta. Diogo a amparava como um muro largo de pedra dura e pesada. Mas será que o translúcido River, o parceiro das criativas aplicações práticas da teoria revolucionária, seria capaz de se oferecer para lhe pagar uma cirurgia? Ela apostava que não. E River já estava pronto, precipitava o novo e a perfeição que espantam. Diogo, em seu primitivismo de pedra e sombra, e em seu frescor de musgo, submetia-se à influência de Megan para se reestruturar. Megan queria aquele atoleiro que se drenava e se aterrava aos poucos.

Diogo acariciou o joelho da namorada e tentou atrair o olhar dela para o seu. O único olho de Megan continuou preso ao bloco de anotações. Diogo torceu para ter uma dívida grande computada ali. Uns dez, doze dólares, talvez, que ele se ofereceria para pagar com juros, como a melhor forma de se retratar e voltar às boas com a amada. Megan ficaria contente. Naquele mês, poderia doar quinze dólares à equipe que atraía gatos ferais só para esterilizá-los, prevenindo sua superpopulação, e os soltava quando restabelecidos.

— Quanto eu lhe devo, honey? — ele perguntou, adocicado.

— Você me deve vinte dólares.

A mão de Diogo pulou do joelho e se agarrou ao volante. Sua voz sacudiu sobre uma lombada:

— Vinte? No way! Você deve ter errado a conta.

Nunca errava contas, a Megan. Aquela americana era um computador. Vai ver que estava roubando.

— Escute aqui, honey — continuou Diogo, o rosto aquecido meio fora da janela, à procura de ar fresco e de um motorista infrator para xingar. — Acho melhor a gente acrescentar outra coluna aí do lado da coluna dos pontos. Uma coluna chamada memo, onde a gente vai anotar direitinho o porquê e a data de cada ponto marcado. Tudo preto no branco.

— Why not? Parece-me justo — ela disse, fazendo-se de distraída com a aplicação de outra camada de filtro solar no rosto e nas mãos. Por orgulho, polidez ou falta de paciência, ou então pela combinação dos três, preferiu não criticar, de novo, o medo hereditário de Diogo. Ele ia herdar um quarto das posses do casal Bezerra Leitão, quando chegasse o dia. Mas o medo de perder a riqueza – o medo ancestral dos ricos proprietários, tornado mais forte no decorrer de várias gerações pelo processo do cruzamento seletivo –, Diogo já recebera adiantado, no útero da mãe. Ele e o medo vieram ao mundo juntos, o medo seu gêmeo invisível. Cresceram juntos e agora amadureciam, inseparáveis. Cuidado com os amigos e as namoradas, cochichava-lhe o medo, Eles querem usurpar a riqueza acumulada pela família Bezerra Leitão. Cuidado com Megan, ela quer lhe roubar uns estúpidos dólares.

Diogo acordou o joelho da namorada com tapinhas suaves. Meio sem jeito, procurou vestígios de ressentimento no rosto dela. Encontrou o sorriso mais espichado que um curativo sobre o olho permitia. Estacionou, manso, perto do local onde o passarinho estivera caído. Puxou o rosto da namorada para sua boca. O beijo se lambuzou com o filtro solar perfumado. Diogo afastou de Megan a cara franzida:

— Gosto ruim, honey. Da próxima vez aplique um filtro solar comestível.

Megan não sabia se já tinham inventado um filtro solar comestível. Sabia que nunca mais poderia receber a luz diurna na pele sem proteção. Filtro solar, água, ar, comida e chapéu: esses eram seus gêneros de primeira necessidade. Até que conseguisse encontrar um filtro solar comestível, ela não poderia beijar Diogo na boca, em ambiente externo, durante o dia. Tirou do porta-luvas o binóculo com que costumava observar pássaros nos parques e pântanos. Levou-o aos olhos, mas ele esbarrou no curativo. Passou-o para Diogo.

— Não consigo ver quase nada daqui — disse ele, contorcido, o binóculo dois olhos espichados. — Vá lá procurar a ave, que você, com um olho só, tem mais jeito do que eu, com quatro.

Em silêncio, Megan deixou o precário observatório. O frio ensolarado da Flórida brincava no olho e queimava a grama. Megan baixou a aba do chapéu. Sob o arbusto onde o passarinho se escondera antes, só encontrou capim seco. Andou, suave, sobre as folhas de um plátano, caídas no tapete nativo de plantinhas de inverno. Atravessou uma cerca de arame e uma fantasia mesozóica em samambaias e palmeiras. Embaraçou-se em azaléias e ligustros. Distraiu-se com um cogumelo. Quase perdeu o chapéu para o galho seco de uma murta. Pisou num cocô de cachorro grande e quebrou o silêncio com um grito de nojo, Ew! Um susto saltou na sua frente, sacudiu-se, safou-se para debaixo de uma magnólia. O passarinho. O passarinho, Diogo!, ela quis berrar. Mas não podia. Tinha de ficar quieta até que a ave se acalmasse. Melhor ainda, ficaria ali até que ela voasse. Sybil faria o mesmo, em seu lugar. Sybil e ela eram tão parecidas, talvez até na vontade de estar juntas. O passarinho arrepiou as penas e piou uma música curta. Megan suspendeu a respiração para ouvi-lo melhor. Diogo saberia dizer qual o tom do pio. Quem sabe fosse dó ou ré, feito os companheiros Doh e Ray de Sybil, que faziam festinha ao ouvir instrumentos de sopro. O canto do passarinho poderia ajudar a identificar sua espécie. Quais seus hábitos? Seria nativo ou exótico? Fêmea ou macho? Por via das dúvidas, Megan se referia a ele no feminino. Será que não estava machucada mesmo? Megan inquietou-se, era uma defensora de animais que não sabia quase nada sobre os animais. Já lhe bastava respeitá-los. Sentou-se no tronco de um pinheiro caído e, com um ramo catado do chão, começou a retirar o grosso do cocô de cachorro que se incrustrara nas reentrâncias da sola de seu tênis anatômico. Como fedia, aquilo! Seu olho ia e voltava, da sola do tênis para o passarinho, do passarinho para a sola empestada. Imaginou o desgosto de Diogo, quando a visse voltar ao carro: um molambo de mulher fedida a merda, caolha, reprodutora de cânceres, a pele eternamente lambuzada, a boca imbeijável à luz diurna. Mereço mais do que isso, ele concluiria. Megan cobriu o ramo sujo com folhas e fixou o olho no passarinho. A ave espantaria seu medo do abandono com o bater das asas.

Diogo perdera as aulas da manhã para acompanhar a namorada à clínica. Já começava a sentir fome e, se Megan não voltasse logo, ele teria de optar entre o almoço e a primeira aula vespertina. Procurou a namorada uma última vez com o binóculo e colocou-o no porta-luvas. Viu o bloco de anotações. Resolveu conferir a contagem dos pontos feita por ela. O resultado foi vinte e cinco. Contou mais duas vezes. Vinte e cinco justinhos. Diogo lhe devia cinco dólares a mais do que ela havia cobrado.

Pássaros nascem para voar, haviam ensinado a Megan, quando ela era criança. Agora ela cismava que os pássaros não nascem para voar, mas para tentar aprender a voar. Ela ficou brincando de compor este e outros aforismos com lógica bamboleante até que o passarinho saltou e caiu, borboleteando. Megan sentiu pulinhos dentro do peito. No chão, o pássaro palpitava. Quantas quedas teria sofrido desde que deixara o ninho? Quantos pulos dera entre a calçada e a mata de samambaias? As aves nascem para tentar soltar-se dos galhos e do chão. O passarinho deu mais um pulo, caiu de novo, depois conseguiu decolar e navegar pelos caminhos de vento.

Diogo acabava de sair do carro para procurar Megan, quando ela emergiu da pequena selva de samambaias. Apressada, pulou a cerca de arame e saltitou na direção dele. Prendia o chapéu à cabeça com uma das mãos e esfregava um pé no tapete de plantinhas. Debaixo da aba de palha, acendia um rosto de abajur.

— Eu vi o passarinho voar! — veio gritando, o fôlego entrecortado. — Não estava machucada. Aprender a voar dá um trabalhão!

Com um pouco de inveja por ter perdido o vôo do passarinho, Diogo abriu os braços ao alegre arremesso da namorada. O rosto dela refletia o sol no creme luzidio:

— Pena que você não viu.

O rapaz prendeu-a contra o peito e riu exagerado, para não deixar dúvidas quanto à própria satisfação com o ocorrido. Propôs um almoço de comemoração no restaurante tailandês favorito dela, que ficava ali perto. Quis até beijá-la na boca, mas ela desviou o rosto e aparou o beijo na orelha. Antes de entrar no carro, ela tirou o tênis empestado e disse que precisava passar em casa para calçar um sapato limpo. Segurou o tênis durante todo o caminho, com a sola virada para cima.

— O culpado por essa merda fedorenta aí no seu tênis — disse Diogo a certa altura, a voz desafinada num esforço de boa vontade — não é o cachorro, mas o guardião dele, que não recolheu a caca num saquinho plástico.

Megan deu-lhe um cheiro no pescoço, agradecida pela justeza do comentário. Meses atrás, diante de uma situação em que uma pisada em merda estivesse envolvida, Diogo teria feito uma referência ofensiva aos defensores dos animais por reivindicarem, conforme ele parecia entender, o direito dos cachorros a cagarem exatamente onde os humanos vão pisar. Diogo continuou:

— Na verdade, se eu tivesse dito em português o que acabei de lhe dizer em inglês, teria usado uma linguagem machista. Isso porque, no meu idioma, quando me refiro a humanos e não-humanos de sexo que não conheço, uso palavras no masculino. Em português, para fazer justiça linguística aos dois gêneros, eu teria de dizer A culpada ou o culpado por essa merda fedorenta aí no seu tênis não é a cadela ou o cachorro, mas a guardiã ou o guardião dela ou dele, que não recolheu a caca num saquinho plástico... Quem sabe você devesse marcar pontos contra minhas manifestações de machismo, também, naquele bloquinho, honey.

Riu. Megan riu em seguida, sem saber muito bem de quê. Brincadeiras com coisas politicamente corretas não tinham tanta graça assim, na opinião da ativista. Muito menos em português, que, para ela, era grego. Mas aquela observação de Diogo já era um considerável avanço, ela avaliou, se comparada a seus comentários especistas. Diogo tirava um dos pés do atoleiro e o experimentava, enlameado, na trilha limpa.

— Por falar em marcar pontos — ele ronronou, baboso — obrigado por querer me cobrar cinco dólares a menos do que eu lhe devo.

— Você conferiu...

— Três vezes. É muita generosidade sua.

— Eu queria evitar que você se irritasse. Vive brigando comigo.

— Sorry, baby. Sou mesmo estabanado. Às vezes fico na dúvida se mereço uma menina legal como você. Tento merecer. E vou me esforçar mais.

Um canto dos lábios de Megan sorriu para a ternura de Diogo. O outro ficou no meio do caminho, reprimido pelo curativo e pela mágoa. Ela e Diogo já namoravam há dois anos e ele ainda desconfiava da sua honestidade.

Os restaurantes tailandeses pululavam em todo o país, eram baratos e ofereciam alguns pratos veganos. Megan achava uma delícia a comida deles. Daquela vez, Diogo pediu o mesmo que ela. A entrada foi uma porção de bolinhos de farinha integral ao vapor, recheados com coentro e cebolinha. O prato principal, tofu e vegetais ao curry com leite de coco. A sobremesa, um pudim parecido com a pamonha brasileira, mas feito de arroz-doce grudento, recheado com uma fatiazinha de banana, e embrulhado em folha de bananeira. Diogo saiu satisfeito do restaurante. A fragrância adocicada do pudim de arroz e do leite de coco propagava-se pelo interior da sua cabeça, apurando-lhe as idéias. A refeição fora perfeita. Pois ali não estavam os quatro grupos de alimentos que — garantiam os nutricionistas — são necessários e suficientes para a boa saúde humana? O cereal, as verduras, a leguminosa, representada na ocasião pela soja do tofu, e até a fruta, ainda que na forma de uma tênue lâmina de banana. Megan parecia tão contente. A consciência de Diogo embalava-o entre a felicidade e o êxtase. Para não melindrar a delicadeza daquela experiência, ele deixou de palitar os dentes enquanto andava até o carro.

— Preste atenção, honey — disse, solene. — Prometo uma coisa a nós dois. Vou parar de consumir tudo que venha de animais. A partir de agora sou um vegano, como você.

Megan adorou ouvir a promessa. Na hipótese de cumpri-la, só durante as refeições Diogo já pouparia, da servidão e da morte, o equivalente a pelo menos cento e cinqüenta animais do tamanho de uma galinha, ao ano. E a este tanto se somava mais um pouco, com sua decisão de não comprar mais roupas de lã ou seda, sapatos de couro, sabonetes com ingredientes animais e testados em animais, ingressos para zoológico e para filmes com não-humanos treinados, e tantas outras iniqüidades. Conseguir remédios sem ingredientes testados em animais seria difícil. Mais difícil, porém, seria Diogo precisar de remédios, seguindo a nova dieta. Sua iniciativa pedia outra comemoração. Se o casal vivesse em São Francisco, Megan optaria por um banquete no restaurante vegano Millennium, eleito um dos melhores dos Estados Unidos por uma revista gastronômica francesa. Mas, como os dois moravam na remota Weekeewawkeeville, Flórida, ela mesma faria a janta, seguindo as receitas de um livro publicado pelo chef do renomado estabelecimento californiano.

Diogo começou a sentir fome uma hora e meia depois de almoçar no tailandês. Uma refeição sem carne é uma refeição incompleta, rangia-lhe no estômago o velho hábito. Não conseguiu prestar muita atenção à aula de Conservação de Recursos Florestais, e menos ainda ao seminário Gênero, Migração Rural-Urbana e Mudança do Uso da Terra no Acre. Seu desconforto se agravou ainda mais durante a palestra Agrissilvicultura e Piscicultura Amazônicas: Sistemas de Uso da Terra e da Água Mais Saudáveis e Sustentáveis — Ou Não?, dada por um ambientalista peruano convidado pela

Faculdade de Floresta. Pois enquanto o ambientalista alertava para o caráter poluidor da criação intensiva do tambaqui, do pacu e do matrinxã, que empresários e o governo brasileiro planejavam implantar na Amazônia, Diogo sonhava, cheio de remorso, com as diversas maneiras como esses animais poderiam ser preparados para uma refeição, fosse por uma indígena ribeirinha, por um chef cosmopolita, ou mesmo pela Megan, se Megan não acreditasse que os peixes têm o direito de não ser usados como recursos dos humanos. E se Diogo se sentia mal, quase tonto mesmo, com o pesadelo da fome, sentia-se pior com os sonhos carnívoros que tentavam sabotar seu veganismo ainda tão recente. Os cereais, as verduras, as frutas e as leguminosas, ele se repetia, ansioso por eliminar o peixe morto do seu prato imaginário de prazeres, ávido por encontrar, na palestra do ambientalista, inspiração para devaneios com delícias gastronômicas sem sistema nervoso nem cérebro. É grande o potencial mercadológico do *Theobroma grandiflorum*, ou cupuaçu, um fruto de sabor excelente, dizia o peruano, e Diogo salivava, conseguindo por alguns momentos mergulhar na redenção dos devaneios vegetais, livre de culpa. O fruto é produzido no Acre, Rondônia, Pará e Amazonas. Na floresta, a árvore do cupuaçu tem vinte metros de altura; na fazenda, cultivada de forma racional, alcança oito. Vinte na selva, oito na fazenda, Acre, Rondônia, Diogo tentava reter, mas seu cérebro deixava a informação fugir, distraído pelos rasgões do estômago lamuriento. Surdo a esses apelos, o palestrante continuava sua exposição com a loquacidade dos que não sentem fome. Uma empresa japonesa registrou o cupuaçu como marca de alimento e patenteou o processo de fabricação do chocolate feito com o fruto; suspeita-se que a empresa tenha roubado do Ibama a patente desse chocolate. Japas filhos-da-puta, pensou Diogo, não lhes bastava terem a comida mais gostosa do mundo, o sushi e o sashimi? Provavelmente já desenvolviam, na região amazônica, uma gastronomia ribeirinha globalizada, obtida a partir da fusão da culinária japonesa com a local. Ah, o enorme potencial econômico dos sashimis de cará, jamuqui e curimatã, fantasiou Diogo, sem perceber que levantava da cadeira. Em poucos segundos, estava fora da sala, atraído pelo odor de comida que vinha do restaurante mais próximo. O potencial dos sucos, sorvetes e geléia de camu-camu, continuava o palestrante peruano, cada vez mais distante. O potencial do palmito de pupunha. O açaí, a castanha-do-pará.

Na parede do restaurante, um relógio gordo e suado cochilava cinco horas. O estabelecimento estava cheio de estudantes e daqueles outros fregueses que, pelos mais variados motivos, dispõem-se a trocar a boa saúde por um serviço rápido, barato e rudimentar. Diogo sentou-se na área de não-fumantes, onde a fumaça solta pelos fumantes chegava desbastada. Um vapor maciço saía da cozinha, escoltado por uma barulheira de motores e tilintares, para lhe impregnar pele, roupa e cabelo com o odor de óleo cansado. Investigou o cardápio grudento à procura de pratos veganos e só encontrou dois. Decidiu-se por ambos: uma porção de batatas fritas e uma salada de repolho. Quando a garçonete se aproximou, ele se ouviu pedir:

— Uma cerveja e uma porção de galinha frita.

A garçonete tomou-lhe o cardápio e se foi. Diogo ficou olhando para as mãos vazias. Uma daquelas mãos poderia se erguer para chamar a moça de volta; ele cancelaria a galinha e pediria as batatas com o repolho. Mas suas mãos continuaram paradas. A garçonete trouxe a garrafa de cerveja e o copo, e as mãos de Diogo puseram-se depressa a trabalhar. Antes que sua boca articulasse um pedido de mudança do prato, taparam-na com o copo. Entorpecido pelo álcool, seu estômago parou de chorar e lhe permitiu ouvir Megan, que emergia de um canto proibido da sua memória para lhe fazer uma daquelas malditas pregações conscientizadoras. A galinha frita é o corpo de criaturas capazes de sentir, socializar-se e aprender, tratado feito objeto. Os mercadores de seus corpos mutilam seus bicos sem anestesia e as criam em galpões superlotados, superaquecidos, escuros e empestados de excrementos cujas emanações as cegam e sufocam. Eles as bombardeiam com antibióticos e dobram seu peso com hormônios. Muitas não conseguem se manter em pé. Várias têm infarto. Mas sorte a da galinha que morre no galpão e se safa do horror de ser transportada em caminhões cheios, sob temperaturas extremas, para ser pendurada pela perna na correia rolante em direção à lâmina impassível do abatedouro.

Diogo decidiu cancelar a porção de galinha frita e chamou a garçonete. De longe, ela lhe fez um sinal para que esperasse um pouco e entrou na cozinha. Instantes depois, saiu com o prato de criaturas retalhadas e crocantes que ele escolhera para degustar.

Ele se preparou para pedir a conta sem comer. Mas os nacos de fritura dourada e fumegante no prato à sua frente não se pareciam nem um pouco com a ave que pende pelas pernas no abatedouro e se debate, cheia de terror, contra a morte. A galinha em seu prato já chegara morta ao restaurante e a culpa não era dele. Diogo era incapaz de matar uma mosca. Adorava animais. Acolhera sete gatos e três cachorros em sua casa, tratava-os a pão-de-ló e ainda ajudara a batizá-los em homenagem a talentos da humanidade listados na internet como vegetarianos. Até namorar uma ativista pelos direitos animais ele namorava, e quase perdera uma aula só para esperar que ela visse um passarinho alçar vôo do chão. A galinha na sua frente já estava morta há vários dias. Não comê-la seria um desperdício.

Cravou os dentes no primeiro pedaço e mastigou-o. Sentiu o óleo queimado na fritura e o puro colesterol da pele da ave inundarem sua boca e lubrificarem sua garganta para a passagem do bagaço triturado. Refletiu sobre sua experiência gastronômica. O alimento podia estar saturado de opressão, mau colesterol, hormônios, antibióticos e agentes cancerígenos, mas que era delicioso era. Mastigou outro pedaço e mais outro.

Não tinha deixado de ser vegano, assegurava a si mesmo. Estava vivendo uma ocasião excepcional, em que um prato de galinha frita havia se colocado na sua frente, por uma razão especial, se não por acaso. Nunca mais viveria outra situação como aquela. Um a um, os pedaços da ave foram desaparecendo do prato alagado pelo óleo, onde uma fatia murcha de limão se afogava. Diogo empurrou com goles repetidos de cerveja a carne ressecada que empacara no seu esôfago e removeu com um palito os fiapos presos nos dentes. Não permitiria que Megan o fizesse sentir-se um criminoso. Não admitiria que ela abusasse psicologicamente dele. Não era um tarado, um psicopata que brutaliza inocentes para seu prazer egoísta. Sabia o que estava fazendo. Aquela era sua última refeição composta de seres capazes de sentir dor e interessados em continuar vivos. E, já que era assim, pediria outra porção. A saideira. Sua mão depressa se ergueu para chamar a garçonete.

Enquanto esperava pelo prato, telefonou a Megan:

— Amor, como você está?

— Tenho um pouquinho de sono por causa do analgésico.

— Então vá descansar, honey. Não precisa cozinhar nada. Vamos adiar nosso jantar para quando você estiver melhor. O almoço tailandês foi tão nutritivo que estou sem apetite.

Ré

De olhos fechados, eram doze sombras. De olhos abertos, eram doze vultos pretos vazando luz verde. Durante o dia, os doze pares de olhos moviam-se pela casa em todos os ritmos e direções, conduzidos pelos corpos negros como fantoches japoneses. À noite, faiscavam à procura de iscas que os humanos espalhavam pela sala só para vê-los soltos no ar aos pares, em evoluções pirilampas, livres dos corpos que se dissolviam no escuro. De manhã, um pouco antes da hora de comer, os corpos pretos pintavam notas musicais nas linhas paralelas da cozinha, os rabos pendentes das superfícies retas como pautas. Doh e Ray quase sempre sentavam no chão e no primeiro degrau. Mi ficava no segundo degrau e Fah, na cadeira. Sol, La e Si gostavam de variar de posto e às vezes usurpavam os lugares dos outros. Treble Clef, Quaver e Bass Clef preferiam o topo do freezer e do armário para não serem importunados. E as duas ainda sem nome ficavam sobre a lavadora e a secadora de roupas. Assim que se servia a comida, suas vozes vibravam violinos, rufos e apitos e eles pulavam na direção das tigelas, como bolinhas animadas daqueles filmes antigos que ensinam o espectador a cantar.

Pelas salas e quartos pelados de quadros e tapetes, espalhavam-se doze abajures convexos sempre acesos, pregados sobre as mesas e voltados para doze colchõezinhos que Sybil, a mãe de Megan, mandara fazer com velhos retalhos coloridos. Ao lado de cada abajur, um vaso plástico com planta inofensiva tentava trazer um pouco de floresta àquele lar de felinos e primatas.

— Aqui não há lugar para bibelôs e objetos de arte quebráveis — informou a mãe de Megan. — Gatos pretos sob abajures e ao lado de plantas são composições mais belas do que um cemitério de esculturas despedaçadas por saltos inábeis e brincadeiras de esconde-esconde.

Sybil tinha apenas móveis velhos, herdados da família ou adquiridos em feiras de antigüidades. Só comprava roupas de segunda mão, e em caso de extrema necessidade. Megan dissera a Diogo que sua mãe gostava de viver com o mínimo necessário para dedicar o máximo de tempo aos prazeres e às obrigações que valiam a pena, sem desperdiçar recursos naturais nem aumentar a poluição do planeta. Um bom lar, na opinião dela, combinava praticidade, conforto, respeito ao meio ambiente e condições para a livre expressão de seus moradores. Não comportava objetos trazidos de fora, com função puramente estética, mas formas de arte que eram uma decorrência interna, e internalizada, da interação desses quatro fatores. Assim, seus móveis e roupas de cama eram peças de artesanato processual (ou o artesanato em constante transformação, em oposição ao produto artístico acabado) feito por arranhões de gatos em suportes diversos como mesas, armários, sofás, cômodas, toalhas e colchas.

Essas peças compunham um conjunto de abstrações orgânicas no qual se podia observar a maneira como o fundo de uma toalha centenária de renda feita à mão e diversas linhas puxadas dialogam entre si, a tensão entre as diferentes texturas obtidas por perfurações liberadoras e riscos aleatórios numa cômoda de cerejeira do século retrasado, e o ímpeto do gesto que, motivado pela necessidade de alongar os músculos, demonstrar contentamento, demarcar território ou livrar-se de unhas velhas, imprime um espectro de possibilidades estéticas na superfície de arranhadores de papelão forrados de catnip ou de uma mesa eduardiana de mogno de 1900. Se solicitado a inserir essas obras em uma tendência artística, um crítico talvez escolhesse o expressionismo abstrato, não sem estar correndo o risco de se guiar por um pensamento antropocêntrico.

Bob, o novo companheiro de Sybil, achava uma judiação a mulher deixar um bando de gatos arranhar sua preciosa mobília e desfiar suas raras peças de tecido, baseada na idéia de que o alto valor dos suportes eleva ainda mais a qualidade dos artistas que com eles trabalham e das obras neles realizadas. Mas não se intrometia no assunto. Preferia absorver-se na arte de sua especialidade, a culinária. Seu talento se expressava à pia, ao forno e ao fogão. A cozinha era seu estúdio, galeria e espaço de intervenção. Para um gastrônomo casado com uma feminista, o arranjo estava de bom tamanho.

— Não ponho os pés na cozinha — disse Sybil. — Sou muito ocupada.

— Ela não sabe cozinhar e não quer pagar empregados — acrescentou Bob.

Sybil esclareceu:

— Não quero me aproveitar de pessoas dispostas a trabalhar sem documentação e por uma pechincha. E não tenho dinheiro para pagar o que o serviço vale de verdade.

— Viu só, Diogo? — provocou Megan. — Você podia aprender a preparar pratos veganos com Bob. Eu também não vou mais ficar esquentando a barriga no fogão. — Virou-se para Bob, num espevitamento que Diogo considerou quase histérico: — Também não vou pôr os pés na sua cozinha, Bob!

Bob largou um comentário pelas bordas de uma gargalhada:

— Assim é que se fala!

Diogo empurrou um riso apagado para o rastro radioso da risada de Bob. Aproveitou a passagem das duas gatas sem nome e sem medalhinha de identificação, perto de suas pernas, para dissipar o próprio constrangimento com a ponta dos dedos, tocando-lhes as orelhas macias. Lá se iam dois anos desde que descobrira uma realidade chamada veganismo, onde não se admite a exploração dos animais. Nesse período, com a orientação de Megan, ele começara a rejeitar tudo de pôr no corpo e de divertir que envolvesse uso de animal. Agora, ele até já conseguia ter uma dieta todinha de acordo com essa ética — na maior parte do tempo, por assim dizer. Mas cozinhar? Tenha a santa paciência. Cozinhar era pedir demais. Começou a achar que, apesar da fascinante companhia dos gatos pretos, passaria o final de semana estressado. Não conseguiria relaxar, sabendo que os modelos de virtude Sybil, Megan e Bob deviam considerá-lo obsoleto. Por outro lado, imaginou que quando levasse Megan à fazenda dos Bezerra Leitão, quem passaria maus bocados seria ela, deslocada pelo idioma e pela cultura da agressão aos animais. Os dois ficariam quites. Diogo achou melhor encarar as visitas dos jovens namorados aos parentes como um ritual de iniciação à complicada vida familiar e respirou fundo para enfrentar o estresse. As duas gatinhas massagearam suas pernas com a cabeça e o corpo, e seus tímpanos com um mantra ronronado.

Sybil herdara dos pais a enorme casa vitoriana shingle-style que lhe custava um pesado imposto territorial, cada vez mais difícil de pagar. Às vezes sentia vontade de vendê-la e mudar-se com Bob para uma casa de tamanho adequado a uma dupla humana. Mas logo esquecia a vontade, satisfeita por poder proporcionar algum conforto aos gatos confinados que perambulavam por seus vastos assoalhos.

Ao contrário do que Diogo suspeitara, os doze gatos pretos não moravam ali só para servir como decoração de ambiente, simbolizar a sabedoria feminina, receber o afeto de uma romântica ou atender aos caprichos de uma excêntrica. Nas palavras da mãe de Megan, eles eram "refugiados da indústria de escravos de companhia". Ela adotava quantos podia, de abrigos para animais abandonados. Preferia os gatos pretos aos de outras cores porque gatos pretos estão entre os alvos favoritos de pessoas sádicas.

— Muitos malfeitores conseguem suas vítimas nos próprios abrigos — ela explicou. — Chego antes deles, faço um trabalho de prevenção da crueldade.

Os abrigos americanos tinham deixado de atender pedidos de adoção de gatos pretos na época do Halloween, por causa das denúncias de maus-tratos a esses animais durante os festejos. Mas todos os abrigos de Cambridge, na área de Boston, faziam exceção à mãe de Megan, candidata preferencial a guardiã, de janeiro a janeiro.

Diogo achou ótimos os nomes dos doze gatos, Dó, Ré, Mi, Clave de Fá, Clave de Sol, Colcheia, tudo isso. Que idéia boa, pensou. Que interessante a Sybil. Megan adorava aquela mulher. Ele sentia ciúme. Às vezes tinha a impressão de que ficava em terceiro lugar no ranking dos favoritos da namorada, depois da mãe dela e de todos os animais não-humanos.

Bob acendeu um baseado e ofereceu-o aos outros membros da própria espécie. Só Diogo fumou; a maconha deixava Sybil e Megan paranóicas. Diogo pôs para tocar um disco de chorinhos e serenatas de Altamiro Carrilho, K-Ximbinho e Patápio Silva, com muitos solos de flauta, que levara de presente aos gatos. Queria ver se Doh e Ray manifestavam prazer e alegria ao ouvirem notas agudas emitidas por instrumentos de sopro, conforme lhe contara Megan. Também não queria fazer desfeita aos humanos, então presenteou-os com um disco da Banda de Pífanos de Caruaru. Na sala perfumada pela tênue fumaça, brincou de dj, intercalando flautas com pífanos, e de maestro, regendo os gritinhos e ronrons ao vivo que respondiam aos discos. Doh e Ray fizeram uma coreografia de corridas curtas, contorcionismo com a barriga para cima e esfregação de queixo em mobília. Dois a dois, alguns faróis verdes se contraíram e se arredondaram na direção dos humanos, sinalizando o prazer da farra compartilhada.

Ao fim do sarau, Bob sintonizou em baixo volume uma emissora de rádio que transmitia jazz e soul noite e dia. Era um sujeito grande, claro, bochechas cor-de-rosa, estômago em expansão. O nariz de pimentão vermelho brotava entre duas fontes de luz calma e atenta.

— Então, Diogo, o que é mesmo que você estuda na Flórida? – perguntou, afundado na poltrona, e debaixo de Bass

Clef, que lhe sovou a massa abdominal como quem sova massa de pão.

— Eu curso a Faculdade de Floresta — respondeu Diogo.

— Vou ser perito em florestamento.

Muito campo, nos dias de hoje, num futuro próximo, destruição da biosfera, gerações vindouras, Bob respondeu qualquer coisa assim, a que Diogo não conseguiu prestar atenção, distraído pelas duas gatinhas sem nome que dispararam pela sala. Elas traçaram riscos de carvão no ar e se enroscaram uma na outra, num giro de peão sobre os sapatos dele.

Bob continuava, tornar lucrativa a preservação da natureza, conservar o que sobrou das florestas tropicais, salvar com urgência rios e lagos. Uma das gatinhas sem nome escalou a canela de Diogo, agarrou-se ao seu joelho e nele cravou seus dentes de agulha. Batia o rabo, que a outra anônima estapeava.

— Quero batizar as duas gatinhas — disse Diogo de repente. — Vão se chamar Fusa e Semifusa.

Bob calou-se e riu rasgado, a mão ampla no veludo brilhante de Bass Clef. Riu por rir, ou porque talvez fosse viciado em risada. Diogo teve um pouco de vergonha, pensou em pedir desculpas por tê-lo interrompido. Mas Bob lhe dava a impressão de não se importar, de saber que, se parasse de falar, alguém, em outro ponto do globo, continuaria a fala dele. Tanto faz como tanto fez, Bob sugeria. Ele já mandava na cozinha.

Diogo perguntou a Megan e Sybil o que elas achavam dos nomes em português Fusa e Semifusa. Sybil estava deitada de costas no sofá, Megan de costas entre as pernas dela e Sol de lado, em cima de Megan. As três, um só organismo híbrido. Uma espécie nova no planeta de Diogo. Um monstro — e um monstro com direitos! O organismo híbrido não prestou a mínima atenção ao que o brasileiro disse. Não precisava prestar atenção em ninguém. Bastava-se. Tinha quatro mãos semelhantes às humanas, que ficavam mexendo em pêlos de diferentes áreas do corpo bizarro, e quatro membros pretos, parecidos com os de um gato, colados na barriga que antes pertencera a Megan. Emitia sibilos, chiados, risinhos. Escondia segredos, ameaças, verdades insuportáveis. Diogo procurou com os olhos a cara cúmplice de Bob, e encontrou-a ainda mais afundada na poltrona, atrás de Bass Clef.

— Eu gosto dos nomes Fusa e Semifusa — Bob sorriu. — O que significam?

— Thirty-second note e Sixty-fourth note.

— Acho que Megan e Sybil vão aprovar — disse Bob, como se mãe e filha não estivessem perto.

E não estavam. Tinham sido substituídas pelo organismo híbrido. Com a desculpa de brincar com Fusa e Semifusa, Diogo correu em volta do sofá para atrair a atenção do monstro. Fusa e Semifusa não entenderam a brincadeira e estacaram no assoalho, assustadas. Sol preparou-se para pular da barriga de Megan, fincando as unhas na sua pele.

— Ouch! — Megan berrou, irritada. — Pára com isso, Diogo. Você parece criança.

E caçoou dele com a mãe. Os risinhos das duas — os silvos do monstro — ondularam na fumaça, enlaçaram-se nas harmonias vertidas pelo rádio e penetraram nos ouvidos de Diogo. Ele os acolheu com o prazer físico e o desconforto psicológico que a erva fumada costumava lhe causar. Aceitou o desconforto, emaranhou-se nele. Odiava monstros risonhos e fofoqueiros. Eles fazem um menino sentir-se idiota na sala de aula. Humilham-no na frente das alunas e da professora. Garotas risonhas estão sempre caçoando dos homens.

Diogo precisava combater o monstro, abrir-lhe a barriga e retirar de lá de dentro a sua Megan séria e doce.

— Megan, honey, imagine só — ele gritou, ansioso. — Você não vai acreditar. Esqueci de trazer a câmera!

Ela não o ouviu. Prestava atenção a segredinhos sussurrados pela mãe. Ele insistiu:

— Você lembrou de trazer a câmera, hein, Megan?

Ela revirou os olhos e soprou sua impaciência das bochechas estufadas:

— Diogo, honey. Es-tou con-ver-san-do com ma-mãe! Faz um tempããÃÃo que a gente não se vê. Não vamos ter nem dois dias juntas. Estou mooOOrta de saudade. Entendeu?

— Eu também estou morta de saudade de você, filha — disse a outra cabeça do monstro.

Diogo rígido:

— Megan, você não respondeu à minha pergunta.

Megan rabugenta:

— Mas que pergunta, pelo amor de Deus? Que pergunta foi que eu não respondi, criatura?

Diogo pensou. Que pergunta, mesmo? Nem ele se lembrava. Difícil resgatar princesinhas de monstros, quando se está louco de fumo. Achou o nariz vermelho de Bob farejando a cena, entre os olhos divertidos.

— Bob, onde fica o banheiro? — perguntou, despeitado. — Preciso lavar o rosto para espantar o sono.

Bob riu. Indicou a direção do banheiro térreo com um gesto suave para não sacudir Bass Clef sobre seu ventre. Fah pulou em cima de suas coxas e ele juntou os joelhos. Ela sentou-se neles e ficou lavando o rosto com as mãos molhadas no próprio cuspe.

Diogo seguiu por um corredor, onde Si chutava uma bo linha de papel amassado. Viu pequenas fontes portáteis de água nos quartos. De uma delas, bebia Quaver. Diogo parou. A sombra negra fixou as lanternas verdes no seu rosto e enxugou os bigodes com a língua de pétala rosa. Aplacada a curiosidade e descartado o perigo, continuou a tomar água.

No banheiro, perto do boxe com a ducha, jorrava outra fonte, ignorada por Fusa, que naquele instante bebia água da privada, provavelmente mais rica em vitaminas e sais minerais. Com a chegada de Diogo, Fusa disparou pelo corredor e a escada. O galope festivo tamborilou no assoalho de madeira e multiplicou-se no andar de cima, numa brincadeira de pega-pega. Ouviram-se gritinhos, chiados, a queda de um vaso de planta. E um silêncio de susto e culpa.

No lado oposto ao boxe ficava uma banheira de porcelana do início do século passado, com pés felinos de ferro fundido. Seu fundo estava forrado de areia para gatos, que os humanos da casa tentavam manter sempre limpa. A parte superior da parede do banheiro tinha uma ampla vidraça por onde devia se meter a luz de um sol raro que se combinava à de uma lâmpada grande para produzir uma estufa. Sob essa luz esticava-se uma jardineira comprida com um pequeno capinzal. Era uma plantação de alpiste, outra idéia muito boa de Sybil. Se em Weekeewawkeeville abundavam parques e jardins de onde Megan e Diogo podiam colher, o ano todo, a grama e o capim tão eficazes no auxílio à digestão felina e na regurgitação de pêlos, no clima frio de Massachusetts a engenhosa Sybil cultivava o próprio pasto de interior para gatos.

Diogo fechou a porta e sentou-se no vaso sanitário, mais para esperar passar a sensação de exclusão que experimentava ao ver Megan com a mãe do que por sentir aquela necessidade, comum a quase todas as criaturas do reino animal, que costuma conduzir os humanos civilizados às latrinas deste mundo. Evocou a Megan de antes da visita do casal a Sybil. Queria descobrir onde se escondera dele, na namorada doce, sensata e idealista, a fedelha respondona e fuxiqueira, grudada na mãe. Lembrou-se da fotografia que ela mantinha na carteira de couro sintético: numa praia estourada pelo sol da Flórida, Sybil, de biquíni, amamentava um bebê nu e bronzeado, a pequena Megan exposta às primeiras radiações cancerígenas.

— Mamãe me deixou mamar no peito até os três anos — contara-lhe a namorada no tom oleoso que empregava sempre que tinha saudade de Sybil. — Mesmo quando eu já me alimentava normalmente...

— ...com os quatro grupos de plantas necessários à boa saúde humana — completara Diogo, na tentativa de disfarçar o ciúme com uma provocação que lhe soava engraçada.

— Mesmo quando eu já me alimentava normalmente — retomara Megan, impermeável —, preferia o peito. Mamãe só conseguiu que eu desmamasse quando passou vinagre no mamilo. Eu chupei, fiz uma careta e gritei: Estragou!

Megan também contara a Diogo sobre um vídeo em que Sybil aparecia nua, pintada como um leopardo, dentro de uma jaula na frente da loja Macy's, em Nova York, em pleno inverno, para protestar contra o comércio de peles.

— Eu tinha dez anos quando gravei o vídeo — soara a voz de um mormaço saudoso. — No mês seguinte, na feira de ciências da escola, fiz uma exposição sobre o sofrimento e a morte dos animais usados em pesquisas científicas, roupas, comida e diversão. Estava nos meus planos incluir, na apresentação, um vídeo com uma entrevista do filósofo Tom

Regan. Mas, na última hora, resolvi substituir a entrevista pelo vídeo com o protesto da mamãe. O meu estande se encheu de moleques. As monitoras demoraram um pouco para perceber o que estava acontecendo. Quando apareceram para desligar meu vídeo, foram vaiadas pelo público.

Diogo pudera compreender muito bem o motivo da vaia. Tanto a defesa dos animais quanto a apreciação de um nu feminino eram causas pelas quais qualquer cidadão que se prezasse, jovem ou adulto, deveria lutar. Pelo menos foi o que ele achou, por algum tempo. Até que Megan lhe mostrou as fotos de um congresso de feministas em Washington, D.C., de que Sybil participaria anos depois do episódio na feira de ciências.

— Nesse congresso mamãe deu uma palestra exortando as feministas a se tornarem veganas e defensoras dos direitos animais. Explicou que o desrespeito às fêmeas da espécie humana tem a mesma fonte que a exploração das fêmeas das outras espécies.

— Como boa feminista, sua mãe pôs a culpa de tudo que não presta no tal do patriarcalismo — alfinetara o brasileiro.

— Como pessoa informada, ética e participante que é, mamãe criticou a prepotência do macho humano — corrigira Megan. — Lembrou que a maioria dos animais abusados e mortos na indústria de exploração animal são fêmeas: vacas leiteiras, galinhas poedeiras, porcas reprodutoras. E disse que o movimento feminista nunca vai atingir seus principais objetivos enquanto não admitir que as fêmeas não-humanas também têm direitos.

— Devo reconhecer que a idéia faz total sentido.

— Mas a coisa não pára aí. No dia seguinte, mamãe assistiu a uma palestra que foi mais fundo ainda na questão do feminismo.

— Mais fundo ainda? Você está brincando.

– A palestrante apontou paralelos entre o uso dos corpos dos animais na indústria das peles e alimentos, e o uso dos corpos das mulheres na indústria da propaganda. A coxa da galinha no prato, a coxa da mulher no pôster. O corpo da leitoa no forno, o corpo da mulher ao sol. A tigresa na jaula, a mulher de pose felina.

– Um seio salta da jaqueta de couro – dramatizou o brasileiro. – Uma pélvis emerge do casaco de raposa. Por trás de uma fina bandeja com caviar, os joelhos entreabertos de uma jovem sofisticada, transida de desejo...

– Esse tipo de coisa. Quer dizer, tanto os corpos dos animais quanto os das mulheres são tratados como mercadoria. Mamãe chegou à conclusão de que o uso da nudez feminina como uma propaganda para conquistar adeptos à causa animal é um recurso incoerente e reacionário. Nunca mais participou pelada de manifestações públicas.

Diogo achara que essa decisão de Sybil se devera também aos estragos que o passar do tempo lhe teria perpetrado ao físico. Pois se a exposição pública do corpo nu de uma modelo de vinte anos, com uma cintura sem lombadas, ventre plano e seios erguidos, já prestaria um desserviço à luta pelos direitos dos seres excluídos do poder, mais catástrofes ainda causaria ao movimento a silhueta não tão graciosa de uma mãe de quarenta e lá vai. Mas ele guardou o pensamento para si. Qualquer coisa, menos dar uma de machista na frente da namorada.

Megan raramente falava no pai. Dissera apenas que ele era um obscuro pianista de jazz. Por que falaria mais? Com uma mãe daquela, ninguém precisava de pai. Diogo tinha medo de que Megan acabasse descobrindo que também não precisava de namorado.

– Esta é Karen, que viveu com mamãe e comigo durante sete anos – Megan lhe respondera, quando Diogo perguntara quem era aquele mocetão troncudo, abraçado a Sybil, numa foto em uma estação de esqui. – Era fina, doce, a Karen. Trabalhava como um trator. Construiu com os próprios braços uma varanda e um puxado no quintal da nossa casa. Ela que derrubou a parte superior da parede do banheiro térreo e instalou a vidraça e a lâmpada para fazer a estufa de capim de alpiste.

Muito legal, a Karen. E que fim levara?

– Desenvolveu uma alergia aos gatos. Passou a tomar um antialérgico, mas com o tempo desenvolveu também uma alergia ao antialérgico. Os sintomas eram tão fortes que a pobre teve de sair de casa.

– Sua mãe preferiu ficar com os gatos a ficar com a própria namorada, quero dizer, esposa, isto é, marido?? – perguntara Diogo, com medo da resposta.

– Isso eu não sei – respondera Megan, impassível, já que considerava os animais tão dignos de amor e respeito quanto os humanos. – O que sei é que Karen foi embora porque ficava mais fácil encontrar uma boa casa para ela, apenas, do que bons lares para todos os gatos. Então mamãe começou a namorar Bob. Karen ficou de coração partido. Fugiu para o estado do Mississippi, onde trabalha em um santuário para elefantas resgatadas de circos e zoológicos proibidos de funcionar.

– Você deve ter sentido falta de Karen.

– Sempre gostei muito dela. Mas falta, mesmo, eu só sinto de mommy – e Diogo murchara de inveja. – Sou uma pessoa privilegiada. Fui criada pela mais admirável das mães. Ela me ensinou tudo o que importa. Ela é o exemplo que tento seguir.

Mas se Megan sentia falta de Sybil, o inverso não era verdadeiro, na opinião de Diogo. Sybil quase não telefonava para Megan e raramente respondia aos seus e-mails. Seu sentimento era um solo ruim que Megan tentava fertilizar com um afeto exagerado. No terreno onde o amor materno não vingava, o filial florescia à custa de artifícios não-sustentáveis, avaliava o estudante de florestas. Mas um dia a adubagem excessiva acabaria por prejudicar o solo e apodrecer a raiz daquela relação desequilibrada. Era só uma questão de tempo. Quanto tempo, porém? Muito ou pouco, Diogo não tinha paciência de esperar. Concluiu que se, de um lado, enquanto fazendeiro e perito em florestamento, deveria, por todos os meios, evitar o desgaste da mãe terra, de outro, enquanto jovem apaixonado e futuro marido, deveria tentar descobrir uma forma de precipitar o desgaste da imagem da mãe Sybil. O trabalho do jovem apaixonado não seria fácil. Megan combatia seus argumentos mais convincentes. Como o de que Sybil só dera sinal de vida depois de Megan ter um câncer.

— Ela é muito ocupada — respondera Megan com firmeza. — Não pode, não precisa, nem deve ficar me pajeando. Fez a melhor coisa que se pode fazer por uma filha: me ensinou a ser forte para lutar pelos fracos.

Um delicado rangido e Si entrou no banheiro pela portinha para gatos, instalada na parte de baixo da porta para humanos. Tímida, sentou-se no chão, recolhida dentro de um contorno formado com o rabo. Diogo deu-se conta de estar no banheiro já há algum tempo e decidiu voltar à sala. Antes, para aproveitar melhor a estada ao vaso, defecou. Não que tivesse tanta vontade assim de fazê-lo. É que defecar tornara-se uma atividade tão fácil e prazerosa, desde que ele passara a comer arroz integral todos os dias, que produzir um deslizante e comparativamente inodoro excremento era-lhe motivo de grande alegria. Certificou-se de que o compacto material depositara-se no fundo do vaso e refletiu. Merda: o presente primordial do filho aos pais, segundo Freud. Segundo Lacan, a exteriorização do nosso interior mais íntimo, Diogo acreditava ter lido em algum lugar. Nossa bosta nos envergonha porque nossa intimidade nos envergonha, teria proclamado o francês. A preocupação com o que fazer com nosso cocô é exclusiva da nossa espécie, porque esta é dotada de um interior peculiar. Diogo divisou um relevo coberto de areia no fundo da banheira antiga. Será que Lacan dissera alguma coisa sobre o interior das gatas, já que elas enterram suas fezes? Elucubrações sobre o tema espreguiçaram-se na imaginação embriagada de maconha do estudante, enquanto ele se limpava com o papel higiênico orgânico e reciclável que ficava apoiado no porta-toalhas, fora do alcance dos felinos. Do chão, em pose de bibelô, Si pregava em Diogo as enormes florescências. Inibido por ser observado com tamanha curiosidade ao limpar-se de seus excrementos, ele se aprumou, deu a descarga, lavou as mãos e deixou o banheiro sem lavar o rosto.

Quando voltou à sala, o organismo híbrido já tinha ido embora. Sybil e Megan, sentadas no mesmo sofá, mas separadas, testavam as palavras Fusa e Semifusa na língua e nos ouvidos, com sinais de aprovação. Thirty-second note e Sixty-fourth note, explicava-lhes o solícito Bob. Sem saber onde sentar, Diogo ficou em pé mais tempo do que achava apropriado. Os olhos escaneavam o espaço entre Megan e a mãe, o cérebro avaliava se seu corpo caberia nele, a etiqueta ponderava se meter-se ali ficaria bem. Ele precisava impedir outra materialização do monstro naquela casa. Si voltou do banheiro, teve ânsia de vômito e expeliu um tufo de pêlos com capim de alpiste no assoalho. Dos colchõezinhos ensolarados pelos abajures, La e Treble Clef observaram-na com olhos de lâminas de grama. Sybil levantou-se para limpar o vômito. Numa fração de segundo, Diogo ocupou seu lugar e fez de travesseiro o colo da namorada, prendendo-a ao assento com o peso da cabeça.

— Fusa e Semifusa são ótimos nomes, honey — disse-lhe Megan afinal, a temperatura do corpo um pouco mais alta do que de costume. Tinha febre, pensou Diogo, estava infectada pelo organismo híbrido, que demarcara seu território na roupa dela, com o odor da mãe.

A neve enterrava a tarde curta. Pela janela, Doh e Mi rastreavam os flocos brancos com as antenas dos bigodes. Diogo fechou os olhos para fingir que dormia. Ou então sonhou que fingia dormir. Tanto fazia. Às vezes não é necessário distinguir a alucinação da realidade. Naquele momento, por exemplo, a única coisa que importava era impedir que a namorada voltasse para baixo da saia da mãe.

Ao som do primeiro ronco de Diogo, Megan levantou-se em silêncio, enfiou uma almofada debaixo da cabeça dele e, junto com Sybil, subiu ao escritório.

Sybil fechou a porta a pedido da filha. Miou para Sol e Quaver, que dividiam a cadeira estofada na frente do computador. Estendeu um colchonete no chão e deitou-se nele de costas, com as pernas para cima, calcanhares contra a parede.

— Esta posição é muito boa para alongar os músculos da região lombar e prevenir varizes — disse.

Megan imitou-a. Sol e Quaver instalaram-se sobre o busto delas como duas esfinges. Mãe e filha ficaram conversando, lado a lado, até sentirem as pernas dormentes. Depois mudaram de posição com delicadeza para não estorvar os gatos.

Compararam a juba de Megan, em ouro maciço, com a crina dourada de Sybil, riscada de prata. Nos pés da mãe salientavam-se algumas veias, nos da filha engrossava uma sola de tanto usar tênis. A menstruação da jovem vinha de vinte e oito em vinte e oito dias; a da senhora estava irregular. Megan ainda roía unha? Ainda era viciada em manteiga de amendoim? Sybil notara o surgimento de uns pêlos grandes no próprio queixo. Nunca faria cirurgia plástica. Nunca faria reposição hormonal. Nunca tingiria o cabelo. Megan tinha ficado mais charmosa com a pálpebra direita um pouco caída por causa da cicatriz. Estava usando o filtro solar direitinho? Não esquecesse as visitas semestrais ao dermatologista. Aquele câncer não ia dar em nada.

Megan certificou-se de que a porta estava bem fechada e sussurrou:

— Mãe, no meu lugar você iria ou não à fazenda da família do Diogo, no Brasil?

Sybil iria. Claro que é doloroso, para uma abolicionista, visitar as chamadas fazendas de criação de animais, que são, na realidade, prisões de seres sencientes maltratados e usados como mercadoria. Mas talvez, a partir do contato direto com os cativos, Megan voltasse do Brasil ainda mais motivada para defendê-los. Talvez ela precisasse ouvir o grito da criança que sente na pele delicada a dor terrível do ferro em brasa. Conhecer de perto o desespero da mãe que vê roubarem seu filho pequeno e vulnerável. Testemunhar o sofrimento contínuo do bebê imobilizado, solitário, anêmico e diarréico, que depois é vendido esquartejado, a preços altíssimos, como vitela. Megan precisava olhar nos olhos doces e puros da vaca

50

forçada a sucessivas gravidezes pelo escravizador que a estupra com inseminação artificial, que viola sua mama constantemente cheia e inflamada a fim de roubar seu leite, e que seqüestra todos os seus filhos indefesos, no círculo vicioso de violência que é uma fazenda de gado leiteiro.

Megan sentiu o coração disparar, na sua revolta-davi contra as injustiças-golias deste mundo. Não teria coragem de olhar as vacas e os vitelos de verdade da fazenda. O simples conceito já a indignava o bastante. Voltou para o rosto de Sybil dois olhos de água fervente:

— Às vezes tenho vontade de pegar uma arma e sair por aí feito uma guerrilheira, mãe.

Sybil abraçou-a. Que Megan não dissesse uma coisa daquela. O que a gente quer, lembrou, não é violência, mas a revolução. Vegana que se preze tem de dar fim à violência patriarcal, não perpetuá-la! Ser vegana e educar os outros humanos a serem também, explicar-lhes que os seres das outras espécies animais têm dor, prazer, interesses, valor inerente e o direito básico de não ser tratados como nossa propriedade. Isso é que é lutar pela abolição da exploração dos animais! Isso é que é acabar com a guerra dos humanos contra os não-humanos! Que Megan fosse, sim, conhecer os parentes de Diogo no Brasil e seus prisioneiros. E que, mesmo à custa de um enorme sacrifício, controlasse sua ira (totalmente justificável) e tivesse modos. Que observasse rigorosamente a etiqueta e nunca, em nenhuma circunstância, falasse sobre veganismo durante as refeições com as pessoas onívoras.

— Isso vai ser fácil, mãe. Não sei falar português.

Oh. Sybil esquecera esse detalhe. E Megan falava alguma língua estrangeira?

— Francês, mãe, como você. Praticávamos juntas, não lembra?

Não lembrava, tinha tanta coisa para guardar naquela cabeça cada vez mais fraca... Mas da língua francesa não esquecera, precisava dela, usava-a muito nos encontros internacionais de que participava como membro de uma organização de combate à violência doméstica contra animais, crianças e mulheres.

Sol e Quaver arranharam a porta para tentar abri-la e ver se as coisas do outro lado tinham ficado diferentes depois de a porta ter sido fechada. Megan deixou-os sair. Sybil continuou a conversa e os alongamentos musculares:

— Não quero que você despreze os parentes de Diogo por eles serem especistas, filha. Eles causam sofrimento a milhões de indivíduos não-humanos? Causam. Desrespeitam o direito desses indivíduos a não serem tratados como coisas para o uso das pessoas? Desrespeitam. Mas só fazem isso porque a sociedade quer comer carne e tomar leite. Fazem isso para atender à demanda de um público que ainda não foi exposto às idéias que nós já conhecemos.

— Mas eles também poderiam ter escolhido outra forma de ganhar dinheiro. Feito os pais e os avós de River, que trabalham com jornalismo, ecologia, essas coisas.

— Eu sei. Mas a família de Diogo também deve ter qualidades. Todos nós conhecemos especistas que são generosos com os amigos, pacientes com os filhos e amorosos com os animais que chamam "de estimação". Conhecemos onívoros com senso de humor, talento para a arte e sentido de justiça. E nós duas também conhecemos uns veganos babacas, é ou não é?

— Eu não, mãe. Eu só conheço vegano legal. Mas já ouvi falar, sim, que tem uns tipos misantropos, convencidos, antipáticos.

— Jura? Nunca conheci nenhum desses. Já encontrei, isso sim, um peidorrento.

— Pois peidorrento eu graças aos céus nunca cruzei. Mas pentelho eu já vi um.

— E eu, nunca — disse Sybil. — O que já vi foi ativista vegano que passa tanto tempo trabalhando pelos animais que não liga para os próprios filhos.

Megan olhou-a com surpresa, a pálpebra direita vergada, pingando devoção:

— Pois eu nunca encontrei uma ativista assim, mãe.

Sybil deitou-se outra vez de costas no colchonete, pôs as mãos na cintura, impulsionou as pernas para o alto e equilibrou o corpo sobre os ombros. Produziu um último conselho com o fôlego dificultado pelo exercício:

— Não empine o nariz aos parentes de Diogo só porque você é vegana e eles não, filhinha. Diogo é um rapaz maravilhoso.

Maravilhoso. Ou Sybil estava decidida a achar todos os namorados da filha maravilhosos, ou Megan tinha mesmo muita sorte com os homens. Sybil considerara River maravilhoso também e a recíproca fora verdadeira. Um flerte curto — ele acabara confessando a Megan — uma paixão rápida pela sua mãe. Uma paixão não correspondida, que isso ficasse bem claro. Seguira-se uma cena patética em que Megan esguichara lágrimas e ranho para uma Sybil determinada a lhe garantir que nem houvera notado o entusiasmo do menino, que torturar-se com ciúme é desrespeitar a si própria.

Megan sentiu-se mal por ainda recordar o episódio com mais mágoa do que vergonha. Teve medo de que o corpo da mãe, tão próximo ao seu, captasse sua fragilidade, sua dor e, o que era pior, uma manha de menina mimada que não combinava com a idéia que as duas faziam dela. Esforçou-se para pensar em outro assunto. Precisava controlar seu tumulto interior, fazer uso da razão como analgésico, fortificante e chupeta.

Ouviram arranhões na porta. Megan abriu-a. Sol e Quaver entraram outra vez no escritório e começaram a inspecioná-lo para descobrir se, durante o tempo em que tinham ficado fora, a porta fechada lhes escondera a operação de alguma mudança ali. A conferência das quatro mamíferas avançou pela noite, a portas abertas.

— Como vai seu trabalho como garçonete no restaurante vegano, filhinha?

— Eu trabalho como caixa, mãe. No mercadinho natureba Mother Earth.

— Claro, desculpe a pequena confusão. Seu salário dá para a despesa com os livros de filosofia?

— Filosofia não, mãe. Literatura comparada. Meu salário tem dado, sim, para comprar livros.

— Que bom. Quando sua dissertação comparando Voltaire a Rousseau ficar pronta, quero ser a primeira a ler.

— Minha dissertação compara duas abordagens do vegetarianismo na literatura de língua inglesa...

Sybil interrompeu a filha, ávida por corrigir-se:

— Já sei, filhota. Pensa que esqueci? É aquela dissertação que você está dedicando a esta sua mãe desnaturada. Você compara o Frankenstein, de Mary Shelley, com... peraí, qual o outro livro mesmo?

— Você quase acertou, mãe. Comparo a abordagem de Percy Bysshe Shelley em sua poesia à de J. M. Coetzee em sua prosa.

*

Diogo acordou no sofá, deitado de lado, abraçado a Fusa e ouvindo Thelonius Monk no rádio. Era o único humano na sala. Semifusa dormia no ninho que se formara entre seu peito e suas pernas dobradas. Bass Clef acoplara-se à curva da sua cintura. O relógio da parede olhava para ele com a pupila contraída num traço vertical. Seis da manhã e Megan tivera o desplante de largar o próprio namorado ali, roncando, de sapato e tudo. Que falta de consideração. Ela nunca o tratara daquela forma. Ele esfregou o rosto no cabelo de Fusa, que tinha a maciez da água e cheiro de alface. Com o máximo cuidado para não frustrar as três arquitetas de corpos humanos que haviam transformado o de Diogo em um dormitório seguro e confortável, desalojou-as e foi até o quarto de hóspedes. Não viu ninguém. Megan só podia estar futricando com a mãe, concluiu. As duas se aproveitavam do cansaço dele, causado pelo estresse e a maconha, para soltar risinhos, chiados, sibilos de meninas más. Chatonildas! A boca dele estava seca. Foi tomar água na cozinha. Ao menos ali estaria livre de Sybil.

Mas que imundície, a cozinha. Sybil não fazia idéia da oportunidade que estava perdendo para ampliar sua percepção e sua consciência a partir da contemplação artística, ao negar-se a pôr os pés no estúdio de criação culinária de Bob. Recorrendo à tática do choque, o gênio erigira, sobre a pia, uma perturbadora instalação de louça suja de há muitos dias, digna de figurar ao lado das obras de certos talentos da arte contemporânea que usam animais sacrificados mantidos em formol, ou decompostos e com larvas, para desafiar os valores éticos e estéticos de seu público, e para atrair um pouco de atenção num mercado cada vez mais competitivo. Na mesma linha desses artistas, Bob, com seu monturo de pratos e panelas azedados, desafiava a visão rígida e estreita, ainda predominante nas sociedades que fazem uso de cozinhas, de que pia aceitável é pia limpa. Mas, ao contrário dos referidos talentos, ele não cometia o crime, por enquanto tolerado em nome da livre expressão artística, de usar animais aprisionados e assassinados para o discutível benefício humano. Ou cometia? Não era possível. Bob era um chefe vegano. Pelo menos deixara Megan e Diogo acreditarem que fosse. Era um chef vegano, ou a modelar Sybil não teria se apaixonado por ele.

Diogo aproximou-se da pia e examinou a obra com minúcia, à procura de sangue, pele ou escamas. Nas linhas, faixas e placas de molhos ressecados e oleosos, em tonalidades variadas, que interagiam entre si numa alternância de mexidas e raspagens, produzidas por puxões e empurrões de garfos e colheres sobre o fundo de pratos e panelas, ele não detectou restos de animais de nenhuma espécie. Quem sabe os encontrasse sobre as chapas do velho fogão. Aproximou-se dele com certa dificuldade, preso pelas solas dos sapatos ao espesso tapete de gordura empoeirada que a arte do chef tecera sobre o chão. Para seu horror – ou para a ampliação da sua consciência perceptual –, o fogão se cobria do mesmo material que o piso. Não quis abrir a porta da cabine onde ficava a lata de lixo. Não era necessário. Se uma das características da arte é alertar-nos o espírito para as complexidades da vida humana, o espírito de Diogo já estava suficientemente alerta.

Mas em algumas divisões daquela incitante galeria de arte o trabalho de Bob mostrava-se convencional. Um vasto paneleiro exibia caçarolas, caldeirões e frigideiras tão limpos que se podia comer neles; os objetos se apresentavam nos mais variados tamanhos, com e sem revestimento antiaderente, em alumínio, aço inox, cobre, ferro, barro, pedra, latão ou ágata. O mesmo asseio encontrava-se no armário e seu farto conteúdo de garrafas, potes, caixas e pacotes: azeites de oliva espanhol, grego, português e italiano (autêntico e falsificado, puro e temperado) e também tunisiano, turco e australiano; azeites de dendê da América, África e Ásia; os prosaicos óleos de soja, milho, arroz, amendoim, algodão, girassol, canola, gergelim e coco (tanto cru quanto tostado), e também os incomuns óleos de grama de gengibre, folha de caril, farelo de arroz, germe de trigo, mostarda, endro, abacate, linhaça, folha de açafrão, cardamomo, além dos de semente de damasco, uva e cominho; sal puro e aromático, de rocha e marinho, kosher, da Califórnia e do Havaí, do Paquistão e da Etiópia, do Egito e da Coréia, do Chile e da Islândia, da França e de toda a região mediterrânea, em grãos que variavam em cor, tamanho, brilho e transparência; substitutos nacionais para sal No Salt, Lite Salt, Salt Substitute e Cardia, além do argentino Genser. Uma vasta coleção de temperos apertava-se contra outra, ainda maior, de vinagres feitos com frutas, ervas e pétalas de flores. Facas e cutelos de vários formatos, tamanhos e materiais, alemães, japoneses, suíços, franceses e canadenses, enfiavam-se em blocos de madeira, agarravam-se a barras magnéticas ou aninhavam-se em uma mala de chef, que abrigava também algumas tesouras. Que vegetais disponíveis no mercado ofereceriam tanta resistência ao corte, a ponto de só serem vencidos por tamanho arsenal?, refletiu Diogo, intimidado com aquela abundância de pontas e lâminas afiadas. Em Weekeewawkeeville, Megan conseguira preparar um jantar gurmê vegano inteiro, de quatro pratos, e devidamente balanceado, usando apenas uma faca grande e outra pequenininha. O ateliê culinário de Bob era a expressão máxima do esbanjamento e do supérfluo. Era um tumor de dissipação alojado na casa minimalista de Sybil. Era também o esteio de um casamento de contrários, concluiu Diogo. Era a liga para aquela dupla disparatada. O tumor era o pacto. Ao se recusar a pôr os pés na cozinha, Sybil fazia mais do que rejeitar o papel tradicional da dona de casa: alimentava o tumor. Se o tumor definhasse, o casamento murchava. Diogo abriu outro armário para procurar um copo limpo. Encontrou alguns martelos de bater carne pendurados em ganchos. Examinou um por um, à cata dos resíduos que normalmente se incrustram em utensílios desse tipo. De um deles, conseguiu extrair um pouco de material sebento com a unha. Cheirou a substância. Era carne em decomposição. O brasileiro excitou-se, respirou fundo. Precisava acordar a namorada, arrancá-la do colo da mãe, mostrar-lhe aquele martelo! Tinha de lhe provar que Sybil, o tal exemplo de mulher a ser seguido, era cúmplice, consciente ou não, de um artista tão criminoso quanto os estetas da violência contra animais, promovidos pelas galerias de arte contemporânea! Diogo arrastaria Megan até a cozinha e lhe mostraria que aquela coleção de cutelos não devia estar ali só para partir melancias e mandiocas, mas também para romper músculos e ossos. Depois que ela cheirasse o resíduo seboso, preso ao martelo, nunca mais teria moral para marcar, com a mesma convicção, pontos contra ele naquele bloquinho nefasto. Nunca mais teria coragem de fazê-lo passar fome após as refeições. Nunca mais se acharia no direito de submetê-lo à lavagem cerebral do tofu. Aquela ditadorazinha. Queria que ele virasse seu cozinheiro? Pois muito que bem. Ele abriu o refrigerador para procurar e enumerar todos os produtos de origem animal que, se quisesse, poderia preparar, quando morasse com ela – e quando reinasse numa cozinha onde ela nunca poria os virtuosos e feministas pés! Mas não achou produto animal nenhum. Viu um pacote aberto de salsichas. Leu o rótulo: produto de soja. Inspecionou o freezer. Estava cheio de embrulhos opacos, sem indicação do conteúdo. Ficou revirando-os com os dedos machucados pelo frio, à procura de algum rasgo revelador.

Nas caixas de som instaladas na cozinha, Thelonius Monk deu lugar ao Dave Brubeck Quartet. Às badaladas brandas de um piano vieram se misturar violinos e apitos. Um homem fez uma pergunta:

– Posso ajudá-lo, Diogo?

O brasileiro pulou de susto. Absorvido pela raspagem com a unha do papel fosco de um dos embrulhos congelados, não notara a chegada de Bob com os gatos pretos enroscados nas pernas e afinados nas suas melodias pontiagudas. Uma a uma, as notas pretas se estabeleceram nas pautas da cozinha.

– Água – respondeu Diogo, batendo a porta do freezer. – Estou procurando um pouco d'água. Gelada.

O rosto do chef iluminou-se. Ele abriu uma geladeira quadrada e baixa, cheia de garrafas:

– Pode escolher.

Diogo aproximou-se devagar do sofisticado poço. Sentiu o coração bater mais rápido com o agravamento de seu estresse. À beira do reservatório, parou e olhou para baixo. Havia água com e sem gás. Mineral, de fonte e purificada. Enriquecida com potássio, cálcio e magnésio. Da Macedônia e da Eslováquia. Da Espanha, da Austrália e da Suécia. Dos Alpes Franceses, da Bélgica e da Islândia. De Israel. Da Alemanha, rica em flúor. Da Romênia, rica em carbono e ferro. Água de chuva das Ilhas Fiji, rica em sílica. Água dos oásis do Egito. As garrafas de plástico e de vidro despencavam nas cachoeiras, cascatas e corredeiras. Cobriam rios e lagos. Entupiam açudes. Sufocavam os peixes, matavam as algas. Os olhos de Diogo pairavam arregalados sobre a medonha cisterna.

— Se não gostar de nenhuma, tenho outras na adega — disse o anfitrião, preocupado. — Tenho água aromatizada com frutas, com ervas, com...

— Eu só quero matar a sede! — disse Diogo, recuperando o fôlego perdido no torvelinho do seu pesadelo ambientalista. Apontou para uma moringa de barro musgosa e desleixada, na esquina do balcão, que esperava, com a mão na cintura, a chegada de um copo. — Quero aquela água ali.

— Excelente pedida! — apressou-se Bob a encher dois cálices. Saboreou o líquido com o deleite e a perícia de um degustador de vinhos. — A argila do recipiente devolve à bebida o paladar e o frescor originais. Nem parece que é água da torneira.

Os doze pares de luminárias verdes seguiam todos os movimentos humanos com infinita paciência. Vai faltar, todo mundo precisa, investimento lucrativo, dissertava Bob sobre o futuro da água potável do planeta. Diogo não achou justo fazer os gatos esperarem tanto pela refeição e cortou o assunto, oferecendo-se para ajudar Bob a servi-los. As tigelas de comida foram dispostas nos lugares de costume e os comensais voaram de suas pautas em direção a elas como aves de fios elétricos. Depois eles foram embora para seus colchõezinhos, onde tomariam luz de abajur, lavariam o rosto com as mãos lambidas e removeriam, com a escova da língua, as impurezas da cozinha que haviam se agarrado a seus pés e cabelos.

Bob fez uso de uma cafeteira italiana. Ornette Coleman experimentou seu saxofone na atmosfera perfumada pelo café. Diogo começou a passar uma esponja ensaboada na craca impenetrável de gordura e pó que cobria o fogão.

— Não precisa se preocupar com limpeza agora — disse-lhe Bob, cortês. — Vou precisar do fogão para preparar o café-da-manhã.

— Não me custa nada, já estou com a mão na massa — insistiu o visitante, tentando abranger a maior área possível com gestos rápidos e vigorosos. Se fosse esperto, conseguiria também meter uma parte da instalação na lava-louças, antes que o artista expusesse mais alimentos ao insalubre ambiente.

— Faça como quiser — sorriu Bob. — Eu costumo esperar as coisas ficarem bem sujas, antes de limpá-las. Mas hoje, em homenagem às visitas, posso fazer uma exceção.

Riu solto. Diogo abriu a lava-louças para enchê-la, mas ela já estava repleta de utensílios sujos. Acionou o comando enxágua-e-espera para tirar o grosso da imundície. Inundou a superfície do fogão com água e detergente biodegradável. Deixou de molho uma parte da louça dentro da pia. Se trabalhasse direito, até o final da sua estada em Cambridge conseguiria desmontar a instalação completa da pia e talvez sugerir a Bob que limpasse o piso. Sentou-se à mesa para tomar café com ele, enquanto o molho de detergente amolecia a crosta sobre o fogão.

— Megan ainda é vegana? — perguntou-lhe o anfitrião.

Se Megan ainda era vegana? Diogo gargalhou. A água ainda é molhada? O gelo ainda é frio? A subida ainda é para cima? A descida ainda é para baixo? Uma frase com as palavras Megan e vegana era um pleonasmo.

— Achei que ela pudesse ter desistido dessa bobagem, influenciada por você – explicou Bob.

— Ao contrário. Ela que me influenciou a ser vegano. Não acho isso uma bobagem.

— Desculpe. Pensei que Sybil tivesse me dito que você é onívoro.

Diogo titubeou.

— Era. Meu veganismo é bem recente.

— Eu não sabia – disse Bob. – Sybil e eu não conversamos mais sobre veganismo. É parte de um acordo que fizemos.

Os neurônios de Diogo estalaram alto. De quantos pactos viveria aquela associação inverossímil? Sentiu vontade de investigar o tal acordo. Para não intimidar Bob – um americano de classe média, portanto um sujeito envergonhado – pensou em entrar no assunto aos poucos e perguntar, primeiro, sobre o café que estava tomando. Mas previu outro agravamento de seu estresse diante de uma coleção de pacotes de café orgânico e não-orgânico, em pó e em grão, cru e tostado, da Colômbia e de Sebanga, do Brasil e do resto do mundo, e desistiu da idéia.

— Que acordo? – perguntou na bucha.

Bob apertou os olhos tranqüilos na direção do controle da lava-louças:

— O enxágua-e-espera já terminou. Se quiser, pode colocar o detergente e acionar o ciclo completo.

Diogo acatou a sugestão de Bob e voltou à mesa, bule em mãos. Verteu mais café nas duas xícaras. Testou outra abordagem do assunto que tanto o intrigava:

— Gozado você dizer que tem um pacto com sua mulher – a voz dele rastejou, cuidadosa. – Eu também tenho um com Megan, que envolve a anotação de pontos em um bloquinho. Será que nossos pactos são iguais?

Bob pareceu não perceber ou não se incomodar com a insistência do brasileiro. Sorveu um gole de café:

— É um acordo de paz. Eu e Sybil brigávamos muito. Eu vivia tentando virar vegano, sem conseguir. Talvez você tenha passado pela mesma dificuldade, durante a sua transição.

Diogo pensou bem antes de dizer alguma coisa. Não tinha explorado as idiossincrasias do artista da cozinha Bob, rebaixando-se a espião de freezer e faxineiro, para se declarar um fracote como ele. Elaborou em silêncio uma resposta, avaliou possíveis conseqüências e disse, sério:

— Tenho superado algumas pequenas dificuldades com o apoio de Megan. Mas meu maior incentivo é a minha determinação de respeitar o direito dos animais a não serem objetos de dominação humana.

Bob rebentou sua gargalhada. Suas bochechas rosadas lhe espremeram os olhos vivos de limão:

— Sei, sei, sei...

A palavra *sei* ecoou em seu gargarejo cúmplice. Diogo sentiu-se constrangido. Nenhum onívoro tinha cacife para caçoar dele. Ao contrário, ele é que tinha cabedal para criticar Bob. Era verdade que, às vezes, ainda comia queijo e peixe, escondido de Megan. Mas também era verdade que já estava num estágio adiantado do seu processo de mudança para o veganismo. Nesse estágio, permitiu-se acreditar, é mais eficaz criticar as incoerências dos outros do que as próprias. Respirou fundo uma certeza de virtude que lhe fez bem. Bob prosseguiu:

— Não tenho a mesma convicção moral nem a mesma força de vontade que Megan. Não acredito que animais comestíveis tenham direitos. Hoje isso está bem claro para mim, mas antes não estava. Tínhamos uma ótima cozinheira vegana, a quem Sybil fazia questão de pagar um salário tão alto que eu precisava pegar dinheiro emprestado do banco. Mas eu comia mais fora do que dentro de casa. Vivia adiando o regime para a refeição seguinte.

— Coitado! — Diogo sorriu, compreensivo. Depois chacoalhou a cabeça, superior.

— Sybil me criticava a auto-indulgência excessiva, a falta de consciência animal e ambiental, a negligência com minha saúde, o desperdício do empréstimo no banco. Eu atacava sua pretensão, seu moralismo, sua alienação do mundo real. Sentia-me um bunda-mole e acabava fazendo com que ela se sentisse uma tirana. A relação ficou insuportável e decidimos nos separar. Quer mais café?

Diogo aceitou a bebida. Sorveu um gole devagar. Revirou uma dúvida em silêncio. Por que Sybil não escolhera um parceiro ou uma parceira com quem tivesse afinidade política? Desistiu de saber a resposta. Por que Megan preferia namorar com ele a ficar com River, o Perfeitinho? Tinha medo de descobrir. As paixões são esquisitas. A gente vê os casais mais disparatados por este mundo. As motivações do amor são complicadas.

Bob continuou:

— A primeira coisa que fiz foi demitir a cozinheira. Depois mudei para um apartamento alugado. Não sei o que mais me atormentou, tentar me manter longe dos produtos animais ou de Sybil e os gatos. Ela também ficou mal sem mim e pior ainda sem cozinheira. Então bolei um acordo. Eu faria todo o serviço de copa-e-cozinha, nós dois aceitaríamos meu onivorismo incorrigível e não conversaríamos mais, um com o outro, sobre nossas dietas. Na cozinha da nossa casa e na do meu restaurante, eu prepararia e consumiria os pro-

dutos animais que bem quisesse. No resto do universo, faría-
mos como Sybil achasse melhor. Pensei que ela não fosse
topar o acordo. Para minha surpresa, topou. Ela me conven-
ceu a pagar uma indenização à cozinheira demitida, para o
que eu precisei fazer outro empréstimo, e então me entregou
a cozinha. Nunca mais brigamos.

— Que bom! Fico feliz por vocês — disse Diogo, infeliz, e
achando aquilo ruim. Por que é que Sybil tinha de ficar casada com alguém? Não seria melhor viver só do que ter de dar
asilo à cozinha de Bob, imersa em sujeira, superfluidade e
sangue de inocentes? As feministas prezam mulheres inde-
pendentes. Até Diogo, que nunca tinha militado por movimento feminista nenhum (pelo contrário, pertencia à elite
exploradora de vacas e porcas de um país em desenvolvimen-
to) — até ele, Diogo Luís Bezerra Leitão, conseguia enxergar
que assumir a cozinha, mantendo-a limpa e sem produtos
animais, seria melhor tanto para Sybil quanto para sua causa. Na cozinha se faz política, resumiu Diogo para seus
botões. Cozinhar animais é fazer a política despótica do
especismo. Ser feminista vegana e entregar a cozinha a um
consumidor de animais é um oximoro! Sybil perpetuava o
patriarcalismo. Praticava um machismo disfarçado de feminismo. Seu feminismo era um machismo-travesti.

— Olhe aquilo, Diogo! — Bob disse de repente, o dedo
apontado para o chão. O ralo transbordava água ensaboada.
Bob baliu: — Isso é que dá fazer muita limpeza! Higiene demais estressa o encanamento. Deveríamos ter sido razoá-
veis. Desligue a lava-louças, depressa!

Diogo não gostou de receber a ordem. Mas estava muito
ocupado com seus insights feministas, para revidar. Enter-
rou os insights no terreno das preocupações a serem resga-

tadas mais tarde e despertou para o problema imediato do ralo transbordante. Desligar a lava-louças estava fora de cogitação. Abriu uma porta e descobriu uma vassoura. Espalhou com ela a água espumenta que subia pelo ralo e esfregou o piso com energia.

— Cuidado! – disse Bob sentado na cadeira, os pés no ar para não se molharem. – Não sei se esse piso suporta esfregação. Nunca usei a vassoura nele.

O rádio rouquejou a voz de Louis Armstrong. Algumas varrições e esfregaduras mais, e a preocupação de Diogo já transitava da espuma emergente do ralo aos insights que retornavam à superfície da sua consciência. Será que uma feminista de araque como Sybil resistiria aos acepipes sanguinolentos de um expert em culinária? Com que grau de pureza ela conseguia viver sua militância, num relacionamento híbrido como o que tinha com Bob? Eles faziam refeições juntos? Se sim, não era possível que ela não filasse uns camarõezinhos do prato dele, de vez em quando. Ou que não enriquecesse, com umas pitadas de queijo ralado, o sabor de seu espaguete de quinoa.

— Ali, aos pés do refrigerador – apontou Bob, de cima de sua cadeira. – Remova direito aquela mancha.

Diogo cumpriu a ordem como um autômato. E os embrulhos sem rótulo que estavam no freezer? Manter invisíveis os cadáveres de animais devia fazer parte do pacto, supondo-se que Sybil talvez precisasse, um dia, entrar na cozinha e enfrentar seus fantasmas.

— Você esqueceu os dois degraus. Limpe primeiro o de cima!

— Por que você não presta atenção na música? – explodiu Diogo, irritado. Da faxina até que já estava gostando. O duro era não poder pensar em paz.

Bob riu sua bonacheirice imperturbável. Era refratário a ataques. Tinha a Cozinha. Tinha o Poder.

— Obrigado pela limpeza — reluziu o nariz de pimentão entre as duas clarabóias. — Eu gostaria de ajudá-lo, mas só tenho uma vassoura. Agora termine logo esse piso e limpe o fogão. Preciso dele para preparar o café-da-manhã.

Com o fim do enxágüe da lava-louças, o ralo parou de vomitar água espumosa no piso. Diogo enxugou-o com trapos e papel-toalha, por falta de material mais adequado, e começou a limpar o fogão. Bob desembarcou da sua cadeira salvavidas, retirou alguns alimentos do refrigerador e colocou-os sobre a mesa. Pegou um pequeno pacote opaco do freezer, descongelou-o no forno de microondas e abriu-o sobre uma tábua de carne. Diogo dominava a crosta do fogão, que se rendia, mole e molhada, às lambidas da esponja. Viu que a substância descongelada por Bob era bacon.

— E Sybil? — perguntou, costurando uma conversa que deixara rasgar um pouco antes. — Continua vegana conforme o figurino?

Bob soltou seu gargarejo esfuziante:

— Continua e não continua.

— Como assim?

O chef retirou algumas salsichas do pacote aberto, rotulado como produto de soja, que Diogo vira no refrigerador, e ergueu-as entre os dedos de lingüiça:

— Aposto que você não consegue adivinhar quais são as de soja e quais são as de carne.

Diogo arregalou os olhos:

— Você mistura produtos animais entre os veganos?

— E qual é o problema? Estou fazendo um favor a Sybil.

Diogo olhou-o confuso, a cara um limão espremido. Bob explicou:

— Veganos precisam de vitamina B-12, que não se obtém de plantas.

— Parece que ainda não se chegou a um consenso sobre isso...

— Não quero correr riscos! – guinchou o cozinheiro, cortando e empilhando tiras de gordura de porco sobre a tábua de carne. – Minha saúde e a saúde de minha mulher não podem esperar a decisão dos cientistas! A verdade é que sem minha iniciativa de misturar porções clandestinas de produtos animais ao seitan de Sybil, ao seu leite de arroz e aos seus hambúrgueres de soja, ela já poderia ter tido um problema neurológico!

— Megan e eu tomamos vitamina B-12 em pílulas veganas. Não precisamos consumir animais.

— Isso não é natural.

— Comer animais criados em prisões, inchados de remédios, sacrificados em abatedouros, temperados e cozidos também não é natural – disse Diogo, num ronco que quase cobriu os que Tom Waits arrotava pelo rádio.

Bob sorriu, deu um empurrãozinho com o punho fechado no ombro do brasileiro:

— Não vamos brigar por isso, não é? Não quero estragar seu fim de semana. Olhe aqui, vamos fazer um acordo. Esqueça seu radicalismo só mais uma vez e prove meu café-da-manhã. Se Sybil gosta dele, você também vai gostar.

— Sybil nunca desconfia dos ingredientes? – perguntou Diogo, o ombro de pedra ressentido com a brincadeirinha do chef.

— Não sei. Nunca conversamos sobre o assunto.

Diogo terminou de limpar o fogão. O chef pôs a frigideira em uma das chapas. Diogo olhou seu conteúdo. Sobre as fatias de gordura ricas em colesterol de um infeliz porco, estiravam-se os bastõezinhos avermelhados feitos com intestinos, estômagos, lábios, baços, vaginas e ânus: as salsichas.

— Eu lhe proponho um acordo — Diogo disse e retirou a frigideira de cima do fogão. — Hoje quem prepara o café-da-manhã é o convidado. Você me orienta, eu cozinho. — E cochichou: — Mas tem de ser tudo vegano.

Ouviu a risada do chef descarrilar da sua garganta para a cozinha e atropelar os agudos de Aretha Franklin.

— Eu não poderia fazer uma desfeita à visita, certo? Proposta aceita! — disse Bob. E despejou o conteúdo da frigideira em um tupperware, que embrulhou em papel opaco e meteu no freezer.

Ao meio-dia, o organismo híbrido foi desperto no colchonete do escritório por duas bandejas cheias de comida que Bob e Diogo lhe ofereciam ao faro. O organismo espreguiçou-se e desmembrou-se em Sol, Quaver, Megan e Sybil. Bob, sua parceira e a filha dela mastigaram muitos elogios ao café-da-manhã preparado por um brasileiro, que simulava um brunch americano e se inspirava em outras gastronomias: tofu mexido, temperado com sal marinho, cebolinha picada, coentro e imitação de queijo ralado feito de arroz; salsichas de soja cozidas em molho de tomate fresco com cebola e pimentão verde, e envoltas em bisnagas de pão cubano; salada de espinafre com morangos silvestres; torradas de trigo integral com manteiga de amendoim e geléia de framboesa; suco de laranja; café-com-leite-de-arroz; pudim de arroz-doce integral com leite de coco; bolinhos adocicados de milho; inhame-branco com melado de ácer; e sushi de alga nori pura com abacate.

Sol, Quaver, Fusa e Semifusa interessaram-se pelo sushi e aceitaram uns pedacinhos de alga nori. Diogo falou pouco durante a refeição, os lábios presos por um sorriso. Passou o tempo todo bastante atento a cada reação dos comensais a seus petiscos, dos quais muito se orgulhou, conforme demonstraram, sem que ele percebesse, duas estrelas dançarinas nas suas pupilas. Quem pareceu ter mais prazer com o brunch foi Sybil. Disse que, sem querer desmerecer os pratos feitos por Bob (que reagiu ao comentário com uma risada), há muito tempo não experimentava comida caseira tão suave ao paladar e tão leve ao estômago, e atribuiu o fenômeno a uma grande vocação de Diogo para cozinheiro.

— Você deveria explorar mais seu dom maravilhoso — recomendou-lhe, enfiando um bolinho na boca cheia de pudim.

Megan abraçou-o, beijou-o, cochichou que o amava, que estava muito orgulhosa dele. Diogo agradeceu os elogios. Baixou as pálpebras, recolheu no pensamento os olhos brilhantes de triunfo. Que merecia comandar uma cozinha, merecia, conforme atestavam sua limpeza e sua comida. Mas Megan ficaria ainda mais impressionada quando ele lhe contasse que preparara todo aquele rango segurando o xixi, com medo de ir ao banheiro e deixar Bob à vontade para contaminar os pratos com suas sabotagens patriarcalistas. Ela ficaria mais segura das próprias qualidades quando ele lhe revelasse que a principal responsável pelas trapaças de Bob era Sybil. Sybil e sua negligência política, acusaria Diogo. Sybil e seu feminismo hipócrita. Sybil e seu amor egoísta, sustentado por pactos que escondem a face real do companheiro.

— Me dêem uma licencinha — disse Sybil, saindo do escritório. — Já, já eu volto, com um presente para Diogo. Acho que este é o melhor momento para entregá-lo.

O brasileiro sorriu amarelo e empastado de inhame-branco. O comando de uma cozinha ele receberia de peito aberto, mas um presente de Sybil? Talvez devesse recusá-lo com delicadeza. Ele acabava de tramar uma traição "branca" contra ela, que a denunciaria, no bom sentido, à própria filha. Em tais circunstâncias, talvez não fosse ético aceitar o presente.

— Mamãe adorou você, honey — disse Megan baixinho. — Ontem, depois que você brincou de reger música para Doh e Ray fazerem festinha, ela o cobriu de elogios.

Diogo corou. Sem jeito por ter corado na frente de Megan, corou mais.

— Então aquele monte de risadinha e cochicho de vocês duas no sofá era elogio? — arriscou.

Megan titubeou. Maravilhoso, filha.

— Era — respondeu, os olhos apertados, fechados ao ciúme. — Mamãe disse que você é sexy e tem muitas outras qualidades.

Diogo sentiu os lábios queimarem. Pediu licença e foi lavar o rosto. Deparou-se com Sybil, que saía do banheiro em direção a seu quarto. Ela evitou olhá-lo de frente. Diogo apagou o braseiro dos lábios e das bochechas com água fria. Se recusasse o presente de Sybil, ruminou, cometeria uma gafe. Pior ainda, daria a impressão de achar que não o merecia. Não era um sujeito grosso; recusar regalos e homenagens simplesmente não estava nele. Sybil, verdade fosse dita, era generosa, inteligente e tinha bom gosto gastronômico. Mas nem por isso deixava de trair a abolição da escravatura animal, em sua cumplicidade com a pilantragem de Bob. Diogo tramava trair uma traidora que protegia outro traidor; portanto, Diogo merecia o presente.

Retornou ao escritório. Chegou junto com Sybil. Ela lhe entregou um envelope. Obrigado, muito obrigado, Diogo derreteu-se na própria língua para soar mais franco e cordial. Abriu o envelope e retirou um cheque. Leu o valor tão rápido quanto calculou as despesas que ele cobria: a cirurgia de Megan e as passagens para aquela viagem. Enquanto abraçava Sybil e dizia Não precisava se incomodar, avaliava em quinhentos dólares o montante que a futura sogra adicionara ao valor da cirurgia e das passagens, quer dizer, o presente propriamente dito.

— Sei que não é elegante dar dinheiro de presente — desculpou-se Sybil com olhos puros e infantis. — Mas é prático.

Ali estava uma mulher, refletiu Diogo, que não se aproveitava dos outros. Além de ser inteligente, generosa, profundamente honesta e de ter excelente gosto, Sybil era direitinho o que dizia sua filha, um exemplo a ser seguido — ao contrário do marido, aquele sim um velhaco. Diogo sentiu vergonha de, por alguns instantes, ter feito um julgamento um tanto equivocado de Sybil no que dizia respeito à situação culinária daquele lar. Ela não era cúmplice do marido, mas sua vítima. Se Diogo chegara a acusá-la injustamente, isso se devera a seu machismo irremediável, aliado a uma animosidade arcaica, adquirida culturalmente, contra a figura da sogra. Diogo teria uma conversa com Megan e com ela. Esconder informação das pessoas torna-as vulneráveis, informá-las torna-as fortes. Ele cumpriria seu dever de cidadão responsável e poria mãe e filha a par da desonestidade de Bob. Mas quando? Não queria ser o portador de notícias ruins a duas mulheres maravilhosas, estragando-lhes um domingo. Será que, na prática, Sybil e Megan sairiam, mesmo, ganhando com sua denúncia? E outra questão pragmática: a exploração dos animais diminuiria? Será que a soma anual da manteiga, das salsichas de carne, das fatias de bacon e dos tabletes de caldo de galinha que Bob camuflava entre os ingredientes da comida de Sybil não era muito pequena para causar alguma mudança na forma dos exploradores de animais conduzirem seus negócios? Diogo guardou no bolso o envelope com o cheque. Que complicadas as questões éticas. A vida não é fácil para os humanos.

Terminada a refeição, Bob juntou as bandejas, empilhou os pratos e os talheres sobre elas e bocejou uma expectativa de repouso dominical. Da sua boca aberta escapuliu o hábito masculino e americano do arroto, seguido do Excuse me. Ele se arrastou para a cozinha carregando a louça, acompanhado pelo negro coro de sopranos quadrúpedes. Diogo desceu as escadas atrás do anfitrião, que depressa voltou ao sofá da sala para tirar um cochilo debaixo de La e compor as reservas de energia necessárias ao trabalho da tarde e da noite no restaurante.

O brasileiro terminou toda a limpeza da cozinha. Depois preparou um lanche para comer com Megan, na viagem de volta à Flórida. Por precaução, só usou fatias de queijo de arroz e peru de soja que ainda estavam em embalagens lacradas. A dúvida entre conversar ou não com Sybil e Megan sobre as sabotagens de Bob não o deixou trabalhar direito e lhe cortou o dedo com a faca.

A caminho do quarto, ele parou no corredor para brincar com Si de chutar a bolinha de papel amassado. O futebol deixou-o menos tenso. Soltas, suas idéias vagaram e se reorganizaram espontaneamente. Ficaram como tinham de ficar. Ele precisava reduzir o fardo da sua obrigação ética. Não necessitava contar nada a Megan. Amava-a demais para causar-lhe uma decepção tão dolorosa. Seria psicologicamente incorreto destruir a inspiradora simbologia do feminino que ela enxergava na mãe. Era para Sybil, e só para ela, que ele tinha o dever moral de denunciar a vergonhosa traição de Bob. Depois, se Sybil achasse pertinente, que se entendesse lá com a filha.

Enquanto Megan tomava banho, ele tentou escrever um bilhete em inglês.

Querida Sybil
Você poderá achar estranho o fato de eu lhe dizer o que vou lhe dizer por bilhete. É que não tenho coragem de lhe dizer pessoalmente. Tenho de ser rápido, pois Megan logo voltará do banheiro

Mas o narrador do texto lhe soou covarde e imaturo. Amassou o bilhete, atirou-o no cesto de papel reciclável. Tentou escrever outro.

Querida Sybil
Movido por uma grande admiração por você e por uma pressão muito forte de sentimentos conflitantes, decidi escrever-lhe este bilhete. Peço-lhe que não conte nada a Bob, ele poderá me odiar

Muito cafona. Amassou o novo texto também, atirou-o no cesto. Escreveu outro e mais outro. Nenhum começava direito. O cesto pipocou bilhetes amassados. Megan saiu do banheiro. Ele agarrou uma toalha. Ela entrou no quarto, metida no roupão da mãe. Ele a olhou distraído, testa franzida, mandíbulas tensas. Saiu do quarto.

— Vou tomar uma ducha — resmungou.

Megan brincou:

— Ei, não vai me dar um beijinho?

A porta do banheiro estrondou uma resposta travada.

Megan começou a vestir-se. Diogo estava esquisito. Mal falara com ela, durante o fim de semana. Por quê? Ele parecia ter gostado dos gatos, da interação com Bob, das atividades na cozinha, dos elogios de Sybil. Onde estava o problema, então? Olhou no espelho o corpo branco, a pele suscetível. Por baixo da pálpebra nocauteada pela doença, viu seu futuro curto. O problema era ela, Megan. O herdeiro Diogo devia considerá-la um mau investimento.

Atrás da sua figura no espelho, Si mergulhou no cesto de papel reciclável. Estapeou bolinhas amassadas, criou-lhes consistência de borracha e agilidade de pulga. Assustou-as com seus pulos, expulsou-as para o chão. Megan começou a apanhá-las. Estranhou que fossem tantas. Não estavam ali antes, tinha certeza. Desamassou uma e leu:

Querida Sybil

Este fim de semana foi um divisor de águas na minha vida. Nunca mais serei o mesmo. Vou lhe explicar por quê. Antes, peço-lhe que não conte nada a Bob

Divisor de águas? Uma epifania culinária, foi isso. Ao preparar o café-da-manhã, Diogo tivera uma epifania culiná-

ria vegana. Mas havia algo que Bob não podia saber. O quê?
Leu outro bilhete.

Querida Sybil
   Megan não sabe que estou lhe escrevendo. Temos a prática de não esconder nada um do outro, e sinto-me mal por
trair a confiança dela. Mas, se estou traindo Megan, é porque meu amor é muito forte

   Amassou o recado. Que história era aquela sobre traição
e amor forte? Bob não devia saber. Ela não devia saber. Não
deviam saber do quê?

   Movido por uma grande admiração por você e por uma pressão muito intensa de sentimentos conflitantes

   Megan tremeu, abriu depressa outro bilhete abortado.

   Esta é minha sétima tentativa de lhe dizer algo que talvez
nunca devesse ser dito

   Remexeu com Si outras bolinhas de papel do cesto.

   Dilacerado pela dúvida entre o dever e o amor
   Minha admiração por você e minha paixão

   Releu parte de um dos textos.

   Mas, se estou traindo Megan, é porque meu amor é muito forte

   Que dor corrosiva, hemorrágica! A violência do sofrimento causado pelo pavor da perda rasgou Megan em tiras. Seus

pulmões ficaram pequenos demais para o ar necessário à sua sobrevivência. O pesadelo... outra vez! Primeiro River, agora Diogo... Comprimidos em quistos de papel, os trechos dos bilhetes gritavam que, no curto espaço de um final de semana, Diogo se apaixonara pela sua mãe! O empenho de Megan em monopolizar a companhia de Sybil, grudando-se a ela como um bebê ao peito lactante, não conseguira desencorajar as fantasias do jovem sedutor... Maravilhoso, filha.

Megan pegou Si no colo. Ouviu a percussão consoladora da sua traquéia. Deixou uma lágrima pingar nas suas costas. Si miou, deu uma suave mordida na mão da humana, como quem destranca uma gaiola com os dentes, e sentou-se no assoalho para remover, com a escova da língua, a sujeirinha que o toque dela deixara nos seus pêlos. Megan deitou-se de bruços na cama e sufocou o choro com o travesseiro.

Diogo voltou ao quarto, de calça jeans e peito nu. Os vincos de preocupação tinham escorrido do seu rosto com a água da ducha. O peso das questões morais já lhe parecia menor. Megan gemia fininho.

— Ué, honey, que foi? — ele perguntou, sentando-se ao seu lado.

Si acomodou-se nas suas pernas. Megan apontou para as bolinhas amassadas e resfolegou:

— Eu já sei de tudo. Li seus bilhetes.

Diogo balançou a cabeça, desnorteado:

— Oh, desculpe, Megan. Eu não queria que você soubesse dessa traição terrível.

Megan inalou sua dor escorrida do nariz:

— Essa traição... consumou-se quantas vezes?

— Durante todas as refeições.

— Você não está falando sério!

77

– Mas é a pura verdade. Foi um descaramento, uma sacanagem daquelas. E a parte prejudicada nem percebeu!

– Como assim? – murmurou a infeliz. – Que tipo de coisa entrou nessa sacanagem?

– Ah, de tudo um pouco. Entrou salsicha. Entrou manteiga. Entrou até creme de leite.

– Quer dizer que no brunch de hoje também...?

– Não, hoje foi diferente. Eu resolvi o problema antes. Fiz o serviço na cozinha.

Megan arregalou os olhos:

– Enquanto eu dormia??

– Exato. E sua mãe ficou muito feliz com a minha atuação. Viu o cheque que ela me deu?

– Como você consegue me dizer isso com tanta frieza?

– Deve ser porque investi muita energia na coisa e agora estou esgotado. – Ela soltou outro gemido. Ele pôs o gato na cama e abraçou-a. – Não se preocupe. Essa sem-vergonhice não aumentou o uso de animais por parte dos humanos.

Ela o empurrou:

– Seu cinismo me impressiona, Diogo!

– Mas é verdade, amor. O volume de salsicha e manteiga envolvido na traição é pequeno demais para determinar alguma mudança na forma dos exploradores de animais conduzirem seus negócios.

Megan olhou-o boquiaberta, em total confusão. Diogo continuou:

– Devo confessar que estou aliviado por você ter descoberto tudo. Agora pode me ajudar a ir até o fim, nesse caso com a sua mãe.

Megan jogou-se de novo de bruços no colchão, aos soluços:

— Já chega, Diogo. Agora cale essa boca.

— Desculpe, amor. Compreendo sua dor e sua decepção. Ver a mãe tão adorada ser traída assim, pelo marido... – Megan baixou o som dos soluços. A voz de Diogo soou-lhe mais clara: – Ver um exemplo de estilo de vida feminista e vegano ser sabotado assim, na cozinha...

A moça parou de chorar. Voltou para Diogo um rosto ávido:

— Marido? Sabotagem na cozinha? Quer dizer que o traidor é Bob? Ele anda metendo salsicha, manteiga e creme de leite na comida da mamãe?

Foi a vez de Diogo olhar incrédulo para ela:

— Of course. Não é por isso que você está chorando?

Megan gargalhou, cobriu-o de beijos:

— Mas isso é maravilhoso! Maravilhoso, maravilhoso...

Maravilhoso. Transaram. Foi uma transa rápida, tinham de ir logo para o aeroporto.

Mas não era maravilhoso. No avião de volta à Flórida, É grave, Diogo, é muito grave. É terrível. A vigarice de Bob, a passividade da mamãe, seu pacto de opressão. Que baixo nível, honey, eu poderia esperar uma coisa dessa de qualquer um, menos da mamãe. Isso não pode ficar assim. Vou ter uma conversa muito séria com ela o mais cedo possível.

O arroz-doce integral ingerido no brunch evoluiu para aquela forma de expressão do interior humano mencionada por Lacan, e Diogo foi ao banheiro conectar-se com o embaixador de seu universo mais íntimo. As diferentes pressões atmosféricas dos ventos e das nuvens brincavam com o avião como Si com suas bolinhas de papel, mas Diogo não sentia os solavancos. Tinha os pés firmes no chão apoiado no ar; tinha os quadris bem colados ao vaso, ao beijo coprófilo. Examinou sua militância feminista na cozinha de Bob e seu salto definitivo de vegetariano relutante para vegano exemplar. Nos quesitos pureza e coerência ética, dera uma goleada na própria Sybil! Considerava-se uma grande fonte de orgulho para Megan. Sentia-se justo. Sentia-se bom. Isso o fazia feliz e lhe dava prazer. As coisas pareciam estar nos devidos lugares. Quem disse que o universo não tem sentido? Imune à turbulência, essa gatinha travessa que, nos banheiros dos aviões, chuta mãos e traseiros pouco virtuosos para lá e para cá, Diogo concluiu sua higiene pessoal com modelar destreza e voltou à sua poltrona.

De longe, viu um sujeito muito bonito, em pé, curvado sobre Megan. Na cabeça, o galã usava aquele tipo de bandana de estampado miudinho que Diogo elegera como uma das marcas dos jovens afeitos à cultura alternativa – a opção não-violenta ao capacete dos guerreiros, ele gostava de comparar, divertido. Envolta pela bandana, a bonita cabeça vertia sorrisos como um bule colorido verte chá. Diogo conhecia aquele cara. Aproximou-se.

— Diogo, lembra do River? – Megan perguntou luminosa, as pálpebras altivas.

Diogo lembrava-se de River, o Perfeitinho.

— Não me lembro não. Muito prazer. Diogo.

— River está voltando de Copenhagen. Deu uma palestra no congresso A História da Escravatura Animal: A Imoralidade como Matéria-Prima da Civilização Humana.

River estava feliz com a coincidência do encontro dos três no avião, e disse isso olhando só para Megan. Foi para ela, também, que expôs um trecho do seu ensaio sobre a coisificação dos animais na produção do mundo material e a industrialização de seus corpos. Colocou seu lugar, o primeiro da ala e o mais próximo da tela de vídeo, à disposição da vizinha de assento de Megan e Diogo. A vizinha, uma idosa que se contorcia para enxergar um filme entre os espaldares, levantou-se incontinenti, comentando que aquele era seu dia de sorte, e que teria muito gosto em deixar River fazer o resto da viagem ao lado do encantador casal. River acomodou-se. Sempre olhando para Megan, convidou a dupla a compartilhar sua refeição preparada só com vegetais crus, produzidos em fazendas vegânicas de diferentes países.

— A lavoura vegânica é baseada na manutenção de uma ótima saúde da terra e só emprega adubos naturais feitos de plantas — explicou, desviando os olhos, por alguns instantes, para Diogo, em atenção à sua provável ignorância sobre o assunto.

Megan virou-se para Diogo também:

— Em vez de escravizar ou matar animais, o agricultor vegânico coopera com eles. Respeita seu ambiente natural e sua interação com os ciclos das plantas.

Humilhado por nunca ter ouvido falar sobre a tal agricultura vegânica, nem mesmo nas aulas da Faculdade de Floresta, Diogo sorriu só com um canto da boca, por onde lamentou não estar totalmente a par da questão. Em seguida, deliciou-se com seu quinhãozinho cru de consomé de pastinaca, abacate e salsão. Aceitou metade da salada de broto de alfafa, frutas e ervas. Comeu três quartos do espaguete de abóbora ao molho de tomate-cereja. Precisou se controlar para não devorar sozinho o parfait de manga com tâmaras e limão. Por educação, pensou em oferecer seus sanduíches de queijo de arroz e peru de soja a River. Mas sentiu vergonha. River ridicularizaria suas gororobas processadas, sua comida morta. Desprezaria suas patéticas imitações de alimentos feitos com secreções e corpos de animais. River era um sujeito cem por cento. Fizera o olho caído de Megan se erguer, recuperar o formato original, harmonizar-se com o outro. Depois espalhara o brilho dos dois na pele dela, dera-lhe uma aura verde-clara, clorofílica, de ninfa. River melhorava o mundo. Era por causa de chatos como River que as coisas nunca pareciam estar nos devidos lugares.

Mi

Pela fresta entre as tábuas do cercado, Mortandela viu dona Orquídea trazer a comida. Era sempre a primeira a receber sua porção de sobras fermentadas em água e sentia-se muito desconfortável com o alvoroço dos companheiros, quando selecionava, com o meticuloso nariz, os pedaços menos repugnantes para iniciar a refeição. Aqui, Nuno, Topete, Jatobá, aqui, virava-se dona Orquídea para o fundo do cercado e esvaziava o balde no outro cocho pútrido. Depois ia embora ligeira, fugida do fedor, perturbada pela beleza das moscas cintilantes em verde e azul.

Não é que Mortandela fosse mais enjoada para comer do que os outros, avaliava dona Orquídea. Ninguém ali gostava de verdade das refeições servidas. Se lhes fosse permitida uma vida normal de porcos selvagens, na mata, comeriam raízes e outras plantas frescas. Mas presos dia e noite no pequeno cercado, sua única alternativa à sopa azeda de dona Orquídea seria o canibalismo, se fosse o caso.

Também não é que dona Orquídea gostasse de dar aquela coisa a eles. A idéia de que seres com olhos tão semelhantes aos olhos de gente gostassem de comer aquilo desafiava o bom senso. Mas quem era dona Orquídea para distinguir o certo do errado? Não sabia escrever. Não tinha nada de seu. Não mandava na casa, no chiqueiro, em si mesma. Só aceitava e obedecia. Não jogue nada fora, dê tudo de comer aos porcos, ouvira ainda menina. Aprendera a preparar lavagem antes de aprender a falar. A receita tradicional ensinada pela avó mandava misturar todas as sobras dos alimentos dos humanos à água suja em que se lavara a louça.

Porcos são animais nojentos que gostam de viver mergulhados no próprio cocô e comem tudo que ninguém mais quer comer, misturado à água suja que ninguém mais quer usar. Isso era o conhecido e o propagado. Mas, em segredo, dona Orquídea especulava sabenças diferentes. Imaginava que se Mortandela, Jatobá, Nuno e todos os outros pudessem viver livres, na mata, fariam cocô e xixi longe de seus ninhos e sua comida. Para ela, a idéia de que animais com olhos de gente gostassem de viver metidos em excrementos carecia de tanto bom senso quanto a de que seres humanos gostassem de comer animais imundos como porcos de chiqueiro. Mas que sabia dona Orquídea? Não sabia coisa nenhuma, não mandava nem em si mesma. Os homens e as mulheres da fazenda, empregados e patrões, gostavam tanto dos pratos feitos com animais imersos em merda que chegavam até a celebrar o nascimento do próprio Menino Jesus com leitoa a pururuca, farofa de lingüiça e presunto tender.

Credo, como dona Orquídea detestava as vésperas de Natal, com aquela matança dos bichos e os serões infindáveis na cozinha. Cristo padecera na cruz uma só vez. O sofrimento dela, e que Deus lhe perdoasse mais uma idéia torta, de certa forma era maior do que o de Cristo, porque se repetia todos os anos. Ela prendia o cabelo com um lenço embebido em seiva de alfazema para disfarçar o cheiro de sangue e ia cortar as carnes com nojo, horrorizada pela gritaria dos animais atacados e as risadas dos homens de porretes e facões na mão. Aproveitava todas as partes do bicho, sangue para chouriço, tripa para lingüiça, rabo, pé, orelha, focinho para feijoada. No intervalo para o almoço, servia feijoada com arroz e pururuca aos homens amontoados na pequena cozinha escura e fugia para debaixo da goiabeira. Sem apetite, colhia uma fruta só para pôr uma coisinha no estômago. Voltava à pia e arrumava as partes dos animais em bandejas, bacias e caldeirões emprestados de dona Marcela, para Zé Luiz transportar na carroça até a cozinha da sede. Ali, com as outras empregadas, deixava mais três dias de sua vida, temperando e cozinhando os tantos que tinham morrido para se louvar um só que havia nascido. Que Deus a perdoasse, amava de verdade o Menino Jesus na manjedoura. Se era do contra, era porque não entendia direito as coisas.

Nuno, Celestino, Focinhudo, Abobrão e os outros: o sacrifício deles ia chegar, assim como iam chegar os aniversários, a Páscoa, o Natal, todas as festas santas, todo santo ano.

Mortandela ainda estava viva porque paria bem. Cada gravidez de cento e catorze dias lhe dava oito filhos, que ela podia mimar e amamentar por três semanas. Depois, um humano lhe arrancava os porquinhos à força. Ela protestava, escandalosa. Doía. Ninguém ligava. O humano só voltava dez dias depois, para cruzá-la com um cachaço.

Zé Luiz gostava mais de Mortandela do que dos outros porcos. Fora criada feito uma cachorrinha, limpa e fresca como um botão de rosa, seguindo-o por tudo que é canto. Enquanto ele preparava o solo para plantar milho, ela brincava de cavar o chão. Quando ele capinava, ela comia o capim e as ervas daninhas. Quando ele selecionava espigas, ela comia o refugo. Dormia ao pé da cama dele, numa velha esteira de palha sobre o chão de tijolo. Quando Zé Luiz a deixava subir no colchão, dona Orquídea gritava que se a porca sujasse os panos, quem ia lavar era ele. Zé Luiz punha a amiga de volta na esteira para não ter de fazer serviço de mulher.

Mortandela cresceu, ficou peituda, e os empregados começaram a caçoar de Zé Luiz. Ele resolveu prender a amiga no chiqueiro com os capados. Dona Orquídea sofria com a reclamação da porca presa. À noite, quando o filho voltava do trabalho nos currais, pedia-lhe que deixasse a bichinha dormir na esteira.

— Perdeu o juízo, mãe? — ele largava na cozinha as botinas sujas de bosta de vaca. — Lugar de porco é no chiqueiro.

Não demorou muito para Mortandela se adaptar à sua rotina de prisão, lavagem e esterco. Não é que a porca tivesse aprendido a gostar de viver no chiqueiro, achava dona Orquídea. É que ninguém a tirava mais dali.

— Mãe, seu Bezerra Leitão está modernizando a fazenda — contou Zé Luiz uma noite, atrasado para a janta. — Diz que quer deixar ela mais com jeito de fábrica do que de campo.

— Isso é bom ou ruim?

Zé Luiz não respondeu à pergunta. Explicou que Bezerra Leitão tinha passado todos os porcos de seus chiqueiros para um grande galpão fechado de cimento, no outro lado da mata, junto com mil cabeças que comprara da empresa americana Holy Hill. Numa área mais ou menos próxima à dos porcos, o fazendeiro também estava construindo currais de concreto para o gado, que passaria a viver sempre preso e espremido, mas com a vantagem de poder olhar o céu, porque os currais não tinham proteção na parte de cima.

— Vai ser feito deixar a boiada toda sempre trancada dentro dum curral de engorda? — estranhou a lavradora

Ia ser assim mesmo, mas com uma diferença. Os currais das vacas leiteiras iam ter teto para proteger as máquinas elétricas de ordenhar. Dona Orquídea sentiu uma pontada no seio:

— E essas máquinas não vão dar choque nas tetas das coitadas?

Zé Luiz achou graça na preocupação da mãe. Perto do que as vacas iam passar no matadouro, debochou, choque em teta era cosquinha. O dono da fazenda ainda ia erguer mais edificações — era esse o nome dos currais e galpões modernos de cimento: edificações — para multiplicar a produção de suínos. As porcas prenhes viviam em cercados bem pequenininhos. Nem podiam se virar ali dentro, mas era melhor para elas, palpitou Zé Luiz, estavam protegidas e contentes. Quem cuidava da criação era gente trazida de fora, especializada, com muita cultura sobre os remédios que deviam ser misturados à ração e à lavagem para deixar a porcada bem gorda e com pouca doença.

— Tanto bicho obrando e tomando remédio num lugar só? — perguntou dona Orquídea. — E para onde vai tanta imundície?

— Ué, mãe, pra que que tem rio?

Dona Orquídea imaginou o galpãozão de cimento com milhares de porcas imobilizadas em cercadinhos, enterradas no próprio cocô e respirando seu fedor. Não era possível que as bichinhas estivessem contentes. Não era possível que quisessem ficar ali. É que não conseguiam sair.

– Dona Orquídea! – gritou Vanessa, puxando de leve as rédeas de Tom Cruise. – Dá para a senhora abrir a porta um pouquinho?

Dona Orquídea deixou a colher mergulhada na sopa e abriu a porta para falar com a sobrinha de Bezerra Leitão.

– Boa noite, Vanessa. Chegou na hora certa. Está servida janta de pobre?

– Deixe a moça em paz, mãe – cochichou Zé Luiz, envergonhado. – Ela já jantou.

– Aceito sim, estou morta de fome – disse Vanessa. Atou as rédeas ao galho de um ipê-amarelo e entrou na casa, pernalta dentro das botas de cavalgar.

Zé Luiz pigarreou, aprumou-se na cadeira, olhos tímidos boiando na sopa. Vanessa devorou a dela em pé, prato na mão. Dona Orquídea não se incomodou, quem era ela para reparar nos modos das visitas? Estava muito tarde para uma moça andar sozinha por ali e quanto mais rápido Vanessa comesse, mais cedo voltaria para casa. A moça raspou o fundo do prato com a colher e pediu mais.

— Com pão, dona Orquídea.

— Tem pão não – disse a mulher.

Zé Luiz levantou-se, Eu vou buscar pão, mãe, Tinha tanto pão hoje, já acabou? O que a senhora fez com todo aquele pão fresquinho?, Vou já na venda do Norato. Sentia-se humilhado. Quem mandara a mãe convidar sobrinha de rico para tomar sopa de feijão? Ainda mais sem pão. Ele iria comprar. Mas sua carteira estava vazia. Teria de pedir dinheiro à mãe na frente de Vanessa! Não, mandaria Norato pôr na conta.

— A venda já fechou, Zé Luiz. Esqueceu que a venda fecha às seis, tonto? – disse dona Orquídea. – Vanessa, tem espiga de milho assado, na prateleira atrás de você.

— Espiga de milho está ótimo — disse Vanessa, o petisco voando da prateleira à sua boca, nas asas de seus dedos. Zé Luiz sentou-se. Sentia um pouco de vertigem. De pálpebras baixadas, fixou as pupilas em uma cadeira próxima à moça e saboreou à vontade o vulto esguio que vibrava na periferia do seu foco de visão. Capturou seu perfume com o fôlego curto. Ouviu sua respiração voraz competir com os grãos de milho e a sopa de feijão pela passagem da sua boca perfeita. Recordou-se de quando os dois brincavam juntos, crianças, na beira do rio. Não se lembrava de ter vivido um único segundo sem adorá-la.

— E a Mortandela, Zé Luiz? — Vanessa mordeu de supetão. — Ainda dorme com você?

Zé Luiz transpirou pelas palmas das mãos. Tentou achar uma resposta sofisticada.

— Dorme mais não — respondeu dona Orquídea, séria. — A porca agora dorme com os capados, no chiquei...

— Mãe, ela fez a pergunta para mim! — interrompeu Zé Luiz, vermelho. — Será que eu posso responder?

As mulheres trocaram olhares. Dona Orquídea suspirou:

— Pois então responda, filho.

Zé Luiz engoliu saliva, mordeu os lábios.

— Dorme mais não — repetiu. — A porca agora dorme com os capados, no chiqueiro. É o lugar certo para ela.

Vanessa lambeu os dedos. Sentia-se responsável por Mortandela. Dera a porca de presente de natal a dona Orquídea. Escolhera seu nome.

— Não crie a bichinha presa em chiqueiro, Zé Luiz. Uma porca solta sozinha não faz sujeira.

— Aquilo é mais limpinha que muita gente humana — opinou dona Orquídea.

— Mãe, deixe a moça falar – irritou-se Zé Luiz. Desejava que, naquela noite, tivesse largado fora de casa suas botinas sujas de esterco.

— Eu já falei o que tinha de falar – disse Vanessa. – De hoje em diante, Mortandela vive solta e estamos conversados.

Despediu-se com a sensação de ter esquecido alguma coisa. Deu dois beijos rápidos nas bochechas de dona Orquídea e seu filho. Zé Luiz sentiu-se sorver pelos lábios dela, derretido. Um movimento micrométrico com a lixa do rosto permitiu-lhe desfrutar, por uma fração de segundo a mais, a maciez da membrana que cobria aquela fruta. Por dentro, riu das cócegas que os cabelos dela fizeram no seu nariz. Olhou-a montar o cavalo e apertá-lo entre as pernas. Tom Cruise não estava selado. Zé Luiz sentiu inveja dele.

Vanessa desmontou e voltou, atabalhoada.

— Ô cabeça a minha, Zé Luiz. Sabia que estava esquecendo uma coisa. Pois se vim aqui especialmente para isso!

— Faça o favor de entrar, filha – veio dizendo dona Orquídea. – Servida bolinhos de arroz?

— Aceito sim, obrigada.

Zé Luiz passou à moça os quatro bolinhos que complementariam sua janta e a da mãe. Discreto, levou as botinas sujas para fora de casa e retornou. Vanessa mordia com gosto os quitutes. Grudava na polpa dos dedos os grãos de arroz que caíam no seu busto e comia-os aos beijinhos.

— Dona Orquídea, Diogo vem passar uma semana na sede com uma namorada americana – anunciou. – Eles dois são feito a senhora, não gostam de comer nada preparado com bicho.

— Vixe – gargalhou dona Orquídea. – Mais dois doidos no mundo!

Zé Luiz aproveitou a risada da mãe e soltou a dele, num tropel de pura felicidade. Na presença de Vanessa, era um paradoxo de excitação e timidez. Consumia-se: uma tocha acesa.

Vanessa trançou o braço macio ao cotovelo de dona Orquídea:

— A senhora não é doida coisa nenhuma. Sua amiga, a dona Silvanira, é adventista do sétimo dia e também não come carne. Por acaso a senhora chama ela de doida?

— Chamo não — disse dona Orquídea, correta.

— Mas minha mãe nem leite bebe — interveio Zé Luiz.

Dona Orquídea explicou-se:

— Consigo engolir aquilo não. Se eu precisasse mamar, mamava leite de gente, que de leite saído de teta de bicho eu tenho nojo.

Zé Luiz olhou para a visitante, encabulado. Sacudiu a cabeça:

— Isso é luxenta que é o diabo, Vanessa.

A mãe dele desculpou-se:

— Nasci torta, Deus me perdoe.

— Torta não, dona Orquídea. Diferente. Mas não se preocupe. A gente vê de um tudo neste mundo. Olhe a mãe da tal namorada americana do Diogo, por exemplo.

— Ela também não bebe leite? — estranhou Zé Luiz.

— Não só não bebe leite como também não aceita nada que tenha bicho no meio. Sapato de couro? Ela não calça. Casaco de lã? Ela não veste. Nem em zoológico ela passeia.

— Pruma mulher dessa falta é tanque! — indignou-se Zé Luiz.

— Mas o mais esquisito é que, mesmo com esse problema de evitar bicho em tudo, ela cria acho que uns vinte ou trinta gatos pretos dentro de casa.

Dona Orquídea fez o em nome do pai:

— Te esconjuro, vai ver que tem parte com o Coiso.

Vanessa riu:

— A mulher é louca mansa, do bem. Diogo disse que ela trata os gatos a pão-de-ló e batizou eles com nomes de notas musicais. Dó, Ré, Mi, Fá, Sol, essas coisas.

— Coitado do Diogo, se ver com uma sogra dessa – lastimou dona Orquídea. — Uma dona que não pode com lã, não pode com couro e batiza gato com nome de música. Depois o povo diz que eu é que sou enjoada.

A moça desenroscou o braço do da lavradora:

— Dona Orquídea, há males que vêm para bem. Seu enjoamento vai lhe render um dinheirinho. Tia Marcela quer que a senhora fique na sede durante a semana em que Diogo e a namorada estiverem lá. A senhora vai preparar a comida deles.

Dona Orquídea ficou feliz com a obrigação. Ser paga para morar uma semana em casa de rico. Ser paga para ficar uma semana sem pegar em bicho morto. Mas deixar Zé Luiz sozinho durante tanto tempo... Ficou preocupada. Teria de providenciar a comida dele com antecedência. Teria de comprar fiado uma dúzia de latas de fiambrada na venda do Norato. Ficou triste.

— Tia Marcela tem condições de lhe pagar em dobro – insistiu Vanessa. – Vou argumentar que o trabalho da senhora é de especialista.

Zé Luiz animou-se:

— Não precisa se preocupar comigo, mãe. Vou comer na cidade.

Pronto, pensou dona Orquídea, lá se ia seu dinheirinho. Zé Luiz almoçaria no McDonald's. Freqüentaria os três: o da avenida principal, o que ficava perto da escola e o outro, dentro do hospital. Tomaria café na Casa do Pão de Queijo da praça da Matriz, na que ficava perto do cartório e na outra, ao lado do banco. Convidaria a Doralice da zona. Mataria as primeiras horas da tarde de domingo na venda do Norato, enchendo a cara.

— Será que não dava para dona Marcela arrumar um servicinho na sede pro Zé Luiz também? — sugeriu a camponesa, tímida.

O rapaz protestou.

— Eu já tenho muito que fazer, mãe. — Espiou Vanessa e, constrangido, arriscou um argumento mais convincente: — E preciso cuidar da Mortandela.

Vanessa mordeu de leve a ponta do dedo.

— Vou conversar com tia Marcela sobre tudo isso e depois passo aqui para dizer no que deu.

Zé Luiz foi olhar a moça abrir as pernas sobre o lombo do cavalo.

— Não se esqueça de soltar a porquinha, Zé Luiz — ela disse e seguiu para a estrada num galope.

A luz da casa de dona Orquídea foi se encolhendo atrás da vegetação esparsa até sumir. Vanessa desceu do cavalo, prendeu as rédeas no galho de um jacarandá-violeta e apoiou a palma da mão no tronco da árvore. Voltou o rosto para baixo, enfiou o indicador da outra mão na garganta e vomitou tudo que acabara de comer. Não foi tão desagradável assim, vomitar. A comida mal fora atacada pelos ácidos digestivos. Não havia a menor possibilidade de acrescentar um grama sequer à sua silhueta. Vanessa montou Tom Cruise a caminho da sede. Continuava linda. Confirmava sua beleza todos os dias, não pelo ambíguo veredito dos espelhos, mas pela reação dos homens. Era capaz de ser, ao mesmo tempo, gulosa, magra e linda. Era bulímica. Bulimia não era um problema, mas um dom. A princesa Diana Spencer e a atriz Jane Fonda também eram assim: comiam demais e depois vomitavam o excesso. Por isso estavam sempre lindas e esbeltas.

Dona Orquídea ofereceu ajuda a Zé Luiz para tirar Mortandela do chiqueiro sem deixar os outros porcos escaparem. Ele recusou. A mãe que ficasse dentro de casa evitando sereno. Pegar porco era serviço de homem. Mas ele aceitou sua sugestão de não amarrar as pernas da bichinha com corda porque o aperto do laço poderia cortar-lhe a carne e quebrar-lhe um osso. Pendurou a lanterna no pescoço por um barbante forte e comprido. Calçou as botinas de trabalho, catou um saco de estopa no barracão de ferramentas, prendeu a lanterna acesa debaixo do sovaco e entrou no chiqueiro. Fechou o portão com cuidado. A madeira rangeu, rasgando seu silêncio e debochando do cricri dos grilos. Ele segurou a boca do saco de estopa com as duas mãos. Aqui, Mortandela. Os porcos descansavam juntos, nariz com nariz, em um canto do cercado. Seus peitos, barrigas e pernas fermentavam sobre o ninho fétido de lodo e fezes. Aqui, Mortandela, vem, bichinha. Os porcos ergueram a cabeça em sua direção, o facho de luz refletido nos olhos intensos sob cílios espessos. Zé Luiz aproximou-se deles devagar. Mortandela viu o saco escancarar a boca escura. Alerta, pôs-se de pé. Num instante estava sendo engolida. Presa dentro de uma barriga, debateu-se e gritou. Aos seus guinchos misturaram-se os de Nuno, Topete, Focinhudo e todos os outros, que dispararam pelo lodo, chocando-se contra as tábuas podres. Mortandela conhecia tão bem o alerta dos guinchos e das disparadas quanto o perigo das bocas escancaradas. O que acontecia depois deles era o odor de sangue. Foi arrastada pelo chão, dentro da boca – da barriga, da armadilha – e antecipou a dor da morte. A boca abriu. Mortandela cheirou o lado de fora e correu para a vida que a esperava no escuro da noite, longe dali, longe da parte que ficava atrás. Bicho besta, disse Zé Luiz, divertido com o jeito da porca fugir. Na língua grunhida, os outros comentaram o acontecido. Juntos em um canto, esperaram o susto evaporar com os gases do barro.

Zé Luiz aproveitou o calor da noite para livrar-se da lama fedorenta do chiqueiro no córrego que passava atrás da casa. Enxaguou as roupas, as botinas e o saco de estopa, e deixou-os na margem, com a lanterna. A mãe esfregaria aquela nojenteza com sabão no dia seguinte. Nu, deitou-se no leito de pedrinhas e areia, a cabeça apoiada numa cascata em miniatura. O córrego já fora mais limpo e caudaloso, quase um rio. Agora não era suficiente para cobrir sua pele e protegê-la dos insetos. Ele precisava espantá-los com uma das mãos. A outra ficava submersa, perto do seu sexo, lambido pela água. Se sua cobrinha d'água levantasse a cabeça, divertiu-se Zé Luiz, ele poderia fazer Vanessa gozar na palma da mão. Massageou a cabeça da cobrinha com dedos secretos. A luz de sua casa estava apagada. A lua era um defeito no escuro e as estrelas, furos. No leito do corgo, na cama d'água, Zé Luiz e Vanessa se abraçaram. Ele fechou os olhos.

Soltou sua serpente e despertou. Pegou a lanterna para ver que forma teria certo barulho vindo do mato. Era Mortandela andando em sua direção, falando grunhidês. Sua boca parecia um sorriso. Ela entrou no corgo, aos seus pés, e começou a se banhar. Zé Luiz chutou-lhe a perna, Sai daqui, trem. Mortandela gritou, fugiu da água. Se os homens tivessem visto aquilo!, imaginou Zé Luiz. Caçoariam dele, na venda do Norato: O Zé Luiz de pau duro, tomando banho com a porca, gritariam uns para os outros. Diabo de bicho. Mortandela grunhia baixinho, revirava a margem do corgo com o nariz buliçoso. Evitava apoiar no chão a perna chutada. Zé Luiz teve dó.

Às cinco da manhã, quando o moço saiu para trabalhar, Mortandela cochilava junto ao cercado. Pela fresta entre uma tábua e o chão, seu nariz colava-se ao de Jatobá. Ela acordou, sacudiu o rabo e seguiu Zé Luiz entre o galinheiro e o estábulo. Ainda mancava. Sai, trem. Ele guardou uma cestinha de ovos na carroça, atrelou-a a Chuvisco, sentou-se no banco e partiu. Mortandela acompanhou-os num trote trôpego. Ele deu uma chicotada em Chuvisco e disparou, deixando Mortandela para trás.

Uma hora depois, dona Orquídea saiu para servir a lavagem e viu Mortandela dormindo com o nariz colado na tábua do chiqueiro. Aqui Mortandela, bichinha. A porca comeu de uma velha lata de óleo e os outros, do cocho.

Dona Orquídea trabalhou no galinheiro, no tanque e no milharal, tendo a porca como companhia. Notou que ela mancava. As duas conversaram um pouco, cada uma na sua língua, com um entendimento bom, sem bocas escancaradas, perseguições e odor de sangue. Antes de entrar em casa, dona Orquídea fez-lhe chamego na barriga, que ela expôs deitada, o rabo espanando a poeira do chão. Mortandela viu-se de novo sozinha e foi arranhar as tábuas do chiqueiro. Tentou cavar um túnel por baixo delas. Grunhia miudinho. Na opinião de dona Orquídea, chorava.

Zé Luiz chegou atrasado para a janta outra vez. Dona Orquídea já começava a tomar sua sopa de feijão. Teve de requentar a do filho, que incluía miúdos de porco distribuídos

pelo dono da fazenda aos empregados, mediante um pequeno desconto em seus salários, e há muito esfriara na panela.
Zé Luiz lembrou-se de deixar fora de casa as botinas sujas,
mas entrou com uma galinha esganada nas mãos.

— Para preparar hoje, mãe.

Pôs a ave na pia. Ela ainda bateu as asas. Seu pescoço pen-
dia molengo, espichado. De seu bico aberto saía um comprido
fio de gosma. Dona Orquídea escondeu uma ânsia de vômito.
Estava ficando velha, e a proximidade da morte traz às pessoas
a feiúra das náuseas e as antipatias. Não comeu mais. Serviu
ao filho a sopa com uma espiga de milho assado.

— Amanhã vou chegar tarde de novo, mãe.

— Outra reunião na venda do Norato?

— É. A gente diz assembléia. O pessoal combinou de levar
comida, para variar. Às vezes a gente enjoa da fiambrada em
lata que Norato oferece. Fiquei de levar frango com milho.

Dona Orquídea sentou-se de costas para a pia, evitando ver
a galinha babar. Com um pouco de sorte, também não a ouvi-
ria, caso a coitada ainda sacudisse uma asa moribunda.

— E o que tanto vocês conversam nessa tal dessa assembléia? – perguntou com a voz fraca. Sentiu um desânimo re-
pentino, na certa o cansaço que ataca as velhas de cinqüenta
anos, depois de verem muita coisa errada. A presença da galinha morta gelava-lhe as costas.

— A gente conversa muita conversa que tem de ser con-
versada só lá, por enquanto – desconversou Zé Luiz. – Mas
uma coisa eu posso adiantar à senhora. Tem bastante gente
contra a modernização da fazenda de seu Bezerra Leitão.

— Por causa que é muito bicho obrando e tomando remédio num lugar só? – ela arriscou.

— Por causa disso e muito mais. Quando chegar a hora certa eu explico tudo direitinho para a senhora.

Dona Orquídea ficou curiosa quanto às reuniões. Imaginou que teria muito a dizer, se participasse delas. Só precisaria tomar cuidado para não falar bobagens demais.

— Nessas assembléias só vai homem?

— Não, vai mulher também.

— E eu não posso ir?

Zé Luiz riu:

— Pode não, mãe. Se a senhora for, quem vai fazer minha janta?

— Mas e se eu aprontar a janta antes?

— Aí, quem sabe.

Dona Orquídea considerou a resposta do filho uma promessa. Pôs água para ferver no fogão à lenha, de olhos apertados para excluir a galinha de seu campo de visão. Sentia muito sono, queria deitar-se. Mas ainda teria de depenar, eviscerar, picar e temperar a ave. E cozinhá-la com milho. E lavar os trens. Zé Luiz bem que podia arranjar uma mulher que cozinhasse para ele. Podia casar logo, com uma moça que não tivesse nojo de preparar bicho nem vontade de ir a reuniões. Dona Orquídea, então, teria paz. Teria tempo para xeretar na tal da assembléia, se quisesse. O problema era que Zé Luiz namorava Doralice, uma meretriz da zona, uma amalucada que pintava as unhas de verde, os lábios de roxo e os cabelos de amarelinho. Mas se a moça cuidasse bem dele...

— Zé Luiz, a Doralice vai nessas assembléias? — perguntou de repente.

Zé Luiz arregalou os olhos, mudou de assunto:

— Mãe, ó a água. Vai ferver. A senhora já vai poder escaldar a galinha. Vou lá fora olhar a Mortandela.

— Mmm, mas é tanto chamego com a Mortandela, hein, Zé Luiz? — veio uma voz de fora, gostosa e cristalina.

Era Vanessa. Olhava mãe e filho pela janela. Zé Luiz agarrou a lanterna e saiu, encabulado, esquecido de cumprimentá-la. Procurou Tom Cruise. O raio do cavalo agora dera para andar quieto quem nem brisa, pensou. Mas, em vez de Tom Cruise, encontrou uma bicicleta. Mortandela correu em sua direção, abanando o rabo. Horrorizado, ele olhou para trás, procurou Vanessa, Será que ela está olhando? Não estava. Tinha entrado na casa. Ele se acalmou e entrou também.

Antes tivesse ficado fora. O assunto de Vanessa com sua mãe era justo Mortandela. Dona Orquídea depenava a galinha, a moça roubava colheradas de comida da tigela dele, e as duas falavam feito umas matracas. Dona Orquídea dizia, Mortandela me seguiu o dia inteiro, não quer ficar só. E Vanessa dizia, Vi na televisão que porco é um bicho muito inteligente, mais do que cachorro e do que criança de três anos. Vixe, caçoava dona Orquídea, então é mais inteligente do que eu!... E as duas davam risada.

Zé Luiz esticou a espinha, sério:

— Não quero essa porca no meu caminho, mãe. Ela me atrapalha o serviço.

— Mas prender ela a gente não pode — disse a mãe. — A Vanessa não deixa, né, Vanessa?

— Não — disse a moça.

— Para Vanessa é fácil falar — ele reclamou, assustado com o próprio atrevimento. — Não é ela que cuida dos animais.

Vanessa fez que não o ouviu.

— Mmm, comida gostosa, dona Orquídea.

— Servida milho assado, filha?

— Aceito, obrigada.

Vanessa pôs-se a trabalhar uma espiga com afinco e Zé Luiz pôde reaver sua tigela de comida. Em êxtase, ele levou à boca a colher que sua amada havia ungido com a própria saliva.

Dona Orquídea saiu da cozinha e voltou com o cabelo coberto por um lenço embebido em seiva de alfazema. Abriu a galinha para remover as tripas e continuou a conversa com Vanessa:

— Mortandela nem bem saiu do chiqueiro, já machucou a perna e ficou manca.

Zé Luiz explicou depressa:

— Deve ter pisado num estrepe.

— Deve ter sido atacada por um bicho perigoso — disse Vanessa.

Zé Luiz engasgou, tossiu.

— Deus te abençoe, meu filho, cuidado para não sufocar. Vanessa, será que não é melhor a gente prender Mortandela de novo no chiqueiro?

— Pelo contrário. É melhor soltar os outros porcos também.

Zé Luiz estalou:

— Isso não, Vanessa! Bezerra Leitão não vai gostar...

— Isso sim! — guinchou sua mãe. — Vanessa está certa. Uma porcada junta se defende melhor do que um porco só.

Vanessa lambeu os dedos, levantou-se:

— Tio Bezerra nem precisa ficar sabendo. Está decidido. De hoje em diante, o portão do chiqueiro fica aberto.

Despediu-se com beijos nos rostos subalternos. Zé Luiz não conseguiu se concentrar na sensação de se fundir em melado e ser sorvido pelos lábios dela. Incomodava-o a bestice das mulheres que leva duas doidas, uma rica e estudada, outra pobre e ignorante, a se solidarizarem no cuidado obsessivo com meia dúzia de porcos fedorentos e condenados à morte, enquanto existe tanta coisa séria para se resolver no mundo.

Vanessa saiu, bateu na testa com a palma da mão e voltou.

— Ô cabeça, a minha. Ia esquecendo o principal, que nem ontem.

— Vá entrando, filha. Servida mais sopa?

— Ponha numa caneca para eu levar, dona Orquídea. Um instantinho que já falo com vocês. Vou aproveitar para dar uma passadinha no toalete.

Foi ao cubículo de tábuas que abrigava a privada e o chuveiro de balde, no terreiro. Dona Orquídea embrulhou a merenda da moça num saco plástico da venda do Norato e voltou a limpar a galinha. Teve a impressão de ouvir Vanessa vomitar. Deve ser nojo de tripa e sangue, pensou. Zé Luiz só ouvia as próprias cismas, roídas com a espiga de milho.

A moça voltou do cubículo, lânguida, olhos aquosos, rosto de neblina. Agarrou seu lanche.

— Pois então, dona Orquídea, é o seguinte. Conversei com tia Marcela. Ela aceitou contratar a senhora por uma semana pelo dobro do que paga às outras. Mas não conte isso a ninguém.

A empregada revirou os olhos.

— Meu bom Jesus! Que que deu na dona Marcela? Só vou fazer uma comidinha...

— Comida especial, dona Orquídea. Diogo explicou que comida sem nada de animal se chama vegana.

— Vixe! — a mulher riu.

– Já você, Zé Luiz, tia Marcela disse para almoçar e jantar na sede, com sua mãe. Mas trabalho para lhe dar ela não tem nenhum.

– Nem que tivesse – ele resmungou. – O que não me falta é serviço.

Dona Orquídea perturbou-se, degolou a ave, decepou-lhe as coxas. Durante sua ausência, o filho ficaria desocupado durante uma tarde de domingo mais seis noites. Dona Orquídea cortou as asas:

– Já que o chiqueiro vai ficar vazio, Vanessa, o que você acha do Zé Luiz fazer uma plantação nele?

– Acho ótimo. Vou mandar o caseiro do meu tio trazer um monte de mudas. A plantação vai se chamar Jardim Vanessa.

Saiu ligeira para abrir as pernas sobre a bicicleta. Na ânsia de acompanhá-la até o veículo e contemplar o espetáculo, Zé Luiz se esqueceu de protestar contra as decisões das duas cúmplices.

Os vapores do chiqueiro ardiam na noite quente. Deitados no lodaçal embosteado, os porcos viram, pela fresta entre as tábuas, Zé Luiz se aproximar. O moço não lhes trazia lavagem. Também não trazia corda, facão, nem saco de boca grande. Trazia um facho de luz. Fez ranger as tábuas e abriu a grande fresta, a passagem tão desejada. No não-chiqueiro, Mortandela esperava por eles. Zé Luiz desenhou círculos de luz em torno dela, Aqui, Nuno, Topete, Jatobá. Anda, Celestino. Vem, Focinhudo. Vambora, Abobrão. Os porcos saíram, cuidadosos. O não-chiqueiro era um terreno vasto, bom de se conhecer. De todos os lados vinham sons e odores cada vez mais distintos. Aquela água corrente adiante devia ser boa de se tomar. Quanto mais depressa se chegasse até ela, mais depressa se teria o prazer de um banho. Quanto mais se brinca na água do leito, quanto mais se rola na lama da margem, mais feliz se fica.

Zé Luiz voltou para a casa sozinho, sem porca nenhuma no seu rastro, como tinha de ser. Porca dos diabos, dali para a frente nem ligaria mais para ele, metida com a porcada, que era com quem tinha de se meter. Mal-agradecida.

Fá

Carne feita em laboratório a partir de uma única célula. Bob ficou empolgado. Mais uma vez, no curso da conturbada história das civilizações, o engenho humano solucionava problemas éticos por meio da tecnologia. A divulgação do milagre operado por cientistas americanos e holandeses ocorria na hora certa. Era exatamente aquilo de que Bob precisava para remendar os trapos em que se desfazia seu casamento, imerso em mais uma crise. Era o argumento que calaria, de uma vez por todas, a boca de sua mulher vegana. Bob entrou em casa tão afoito para dar a notícia a Sybil que nem saudou as bigodudas formas bocejantes de veludo preto sob os abajures.

— Sybil! — berrou para cima, debaixo da escadaria. — Tenho uma coisa muito importante para lhe comunicar! Por favor, desça!

Sybil continuava reclusa nos aposentos superiores. Negava-se a vê-lo. Recusava sua comida. Não lhe dava satisfação quanto a idéias que estaria tendo ou decisões que estaria tomando. A crise, deflagrada por um telefonema da filha, já durava uma semana. Durante esse tempo, Sybil se dirigira a ele uma só vez. Obrigada por envenenar minha comida, rosnara.

Bob não entendeu, de imediato, o motivo da fúria. Achou que tivesse errado a mão no preparo de algum prato. Ou usado um tofu vencido. Depois desconfiou de ter dito algo que não deveria. Lembrou-se de sua conversa com Diogo na cozinha. Juntou coisa com coisa e matou a charada. Não imaginava que Sybil pudesse levar tão a sério o fato de ele misturar uma ou outra coisinha não-vegana às suas refeições! Poderia jurar que, no fundo, ela sabia de tudo. Aquela feminista matusquela não nascera ontem. Era malandra. Estava fazendo uma cena para manter a fachada revolucionária. No íntimo, aprovava todos os ingredientes que ele usava! Ou pelo menos era esse o desejo dele... Bob respirou fundo. Precisava transmitir a novidade à mulher.

— Você vai gostar da notícia, Sybil — gritou de novo, voz trêmula. — Pelo amor de Deus, desça só um pouquinho. Depois suba e fique à vontade, meu amor...

Sentou-se no sofá. Semifusa pulou em seu colo. Automáticas, suas pernas juntaram-se para acomodá-la. Ele retirou da pasta os prospectos enviados pela empresa que pesquisava a viabilidade da produção de carne artificial para consumo em larga escala. Releu as informações. Queria tê-las todas frescas na mente, na hora de debatê-las com Sybil. Uma única célula muscular é cultivada em uma membrana larga, chata e fina. O material resultante é esticado e transformado em uma placa delgada. Essa placa é retirada da membrana e sobreposta a outras placas semelhantes, compondo o irresistível petisco que, para efeito prático imediato, convencionou-se chamar de carne de laboratório. Devido a seu imenso potencial econômico, combinado a seu impacto ambiental próximo a zero, a carne de laboratório recebeu o apoio do governo holandês, que está contribuindo para as pesquisas do produto.

— Sybil!

Saco. A chatonilda já estava lhe dando nos nervos. Uma hora daquelas Bob perderia a paciência e aí ela ia ver só. Por que não o expulsava de sua casa de uma vez por todas? Quem sabe fosse melhor, mesmo, viver sozinho. Ninguém para reprimir seus arrotos. Ninguém para decepar suas unhas "antes que elas fiquem grandes demais, parecem as unhas de Treble Clef, toda dondoca sonha em ter unhas como as suas".

Ninguém para mandá-lo comer de boca fechada.

Ninguém para mandá-lo tirar a mão do saco.

Ninguém para mandá-lo falar baixo.

Poder peidar à vontade.

— Sybil, você vem ou não?

De seu colchão sob o abajur, Fah flutuou para o piso e dali para o ombro esquerdo de Bob, onde sentou, com as unhas agarradas ao encosto do sofá. Pernas coladas, ombro paralisado, Bob virou a página do prospecto com movimentos imperceptíveis a gatos que desejam dormir em paz. Uma única célula muscular pode suprir a demanda mundial por carne durante um ano. No processo da feitura, é possível substituir o ácido graxo Ômega 6 pelo saudável Ômega 3, evitando-se problemas com o colesterol. A longo prazo, projeta-se oferecer um atendimento personalizado aos clientes, que poderão adquirir kits individuais e preparar carne de vaca, porco, frango, peixe e outras, na consistência que preferirem, e com os nutrientes necessários à saúde de cada um.

Um achado, essa carne in vitro! E o melhor de tudo é que Bob fora convidado para fazer parte do projeto. A princípio, a invenção lhe parecera repugnante. Mas a leitura dos prospectos acabou convencendo-o do contrário. De acordo com o depoimento de um funcionário da Agência Nacional do Bem-Estar Animal, o novo produto, sem rosto, cérebro ou sistema nervoso, provaria ser ainda mais atraente aos humanos do que o produto natural, que tem a capacidade de sofrer.

Sybil precisava ver a novidade que Bob lhe trazia! Precisava aprender com ele! Precisava admitir que sua fixação anticarne não passava de um preconceito anacrônico.

— Sybil! — chamou de novo, a voz mais baixa e abafada, em consideração aos ouvidos sensíveis de Fah e Semifusa.

Comer carne, em si, não é cruel, Bob explicaria à mulher. Basta olhar a questão pelo ângulo certo. Sybil encarava o consumo de carne de uma perspectiva arcaica. Sua filosofia ainda trabalhava com fazendas e matadouros. Ela deveria filosofar com os olhos no futuro! Sua perspectiva deveria ser o laboratório, as finas membranas e as placas delgadas sobrepostas. Pelas mãos de Bob, Sybil sairia do passado, direto para a posição de vanguarda. Ele leu, pela terceira vez, a carta que uma gerente da empresa lhe enviara.

Prezado senhor Bob Beefeater

Conforme atestam os prospectos anexos, a carne de laboratório ou in vitro será a maior fonte de proteína para as gerações futuras. Em um mundo cada vez mais carente de recursos naturais, e com vastas populações duplicando o consumo de carne a cada dez ou mesmo cinco anos, como é o caso da chinesa e da indiana, respectivamente, a carne produzida em laboratório apresentar-se-á como a melhor, senão a única, solução para os problemas ambientais e éticos inerentes à criação de animais para a alimentação humana.

Entretanto, dado o caráter profundamente inovador da carne criada em laboratório, é de se esperar, compreensivelmente, uma grande resistência inicial ao seu consumo. Far-se-á necessária, por conseguinte, uma ampla campanha multimidiática global junto a todos os segmentos da população urbana e rural, visando a formação de um público consumidor do produto.

A referida campanha será lançada tão logo as pesquisas com vistas à produção em larga escala da carne in vitro estejam concluídas, o que deverá ocorrer em um período de três a cinco anos. Compreenderá desde anúncios publicitários até programas de alimentação escolar, passando por manifestações de apoio de organizações do bem-estar animal, eventos musicais em prol do respeito ao meio ambiente, seriados de televisão a cabo e livros de receitas tendo nosso produto como ingrediente principal.

Sentimo-nos honrados em solicitar sua prestigiosa colaboração. Entendemos que um livro de receitas inéditas com a grife Chef Bob Beefeater terá um papel fundamental na propulsão do consumo da carne in vitro junto a um significativo segmento do mercado.

Desde já colocamo-nos à sua disposição para detalhar as várias questões pertinentes ao projeto e discutir sua inestimável contribuição em um futuro bastante próximo.

Atenciosamente,
Annemie Van Dijk
Gerente de Marketing

— Ssssy... — sibilou Bob, num suspiro, e desistiu de chamar a companheira.

Fez um bico com a boca. Queria desfrutar um beijo de Quaver, que subira ao encosto do sofá e cheirava seus lábios com profundo empenho. O gato concluiu a investigação olfativa e alojou-se em seu ombro direito, na mesma posição de Fah. Colo e ombros ocupados, e impossibilitado de gritar, o chef considerou a idéia de um cochilo. Tombou a cabeça para trás. O ronrom dos três gatos percutia em seus músculos, confortador, soporífero. Sybil teria de descer as escadas, mais cedo ou mais tarde. Bob esperaria por ela.

Sybil ligaria, uma hora daquelas. Era só esperar. Karen já lhe dissera tudo que deveria dizer. Agora tinha de concentrar-se no trabalho e certificar-se de que o celular funcionava direito. Era só isso que deveria fazer: trabalhar e ficar atenta ao telefone. Sem ansiedade. Por via das dúvidas, procurou mensagens gravadas no aparelho. Não havia nenhuma. Terminou o conserto da parte da cerca destruída pela queda de um pinheiro, durante o vendaval. Trabalhava sozinha há duas horas. Os estagiários não haviam chegado e, àquela altura, não viriam mais. O estrago parecia pequeno daquela vez, levando-se em conta a extensão da cerca e a potência dos ventos. Essa era a opinião dos funcionários que estavam inspecionando todo o perímetro dos quinze mil quilômetros quadrados de pastos, bosques, lagos e riachos que compunham o santuário para ex-prisioneiras da espécie *Elephas maximus*.

Do riacho chegou-lhe o som de trompetes executando música erudita contemporânea, que as refugiadas emitiam com suas gargantas. Karen já conhecia as nuances e entonações de cada voz, os sons dos desejos, das queixas e das opiniões. As vozes que vinham do riacho pertenciam a Loretta, salva de um circo interditado na Flórida, e a Madeleine, liberta de um zoológico de uma gélida área de Illinois, que fora fechado por exigência da comunidade local. Loretta e Madeleine experimentavam um banho de imersão na água e na lama, agora que seus pés estavam livres da infecção causada pela imobilidade e por outros efeitos de décadas de servidão. Em suas vozes-trompetes, Karen acreditou detectar comentários sobre assuntos que ela não conseguia definir, além de sinais de prazer e de senso de humor.

O telefone tocou, Karen depressalô?

Não era Sybil. Karen murchou.

Era um voluntário encarregado das reformas e ampliações. Precisava de sua ajuda na soldagem dos ligamentos metálicos do novo estábulo para quarentena. Ela o ajudaria com muito prazer, respondeu, mas antes precisava encher os vagões com feno e frutas para o lanche suplementar vespertino, e alimentar os animais.

— Não posso esperar tanto — falou o voluntário. — Ainda tenho de ir ao orfanato ler histórias para as crianças.

Karen ponderou que não podia se dar ao luxo de desperdiçar a disposição daquela alma boa e rara, motivada a trabalhar duro, e de graça, pelo simples respeito aos animais humanos e não-humanos. Concordou em ajudar o voluntário com a soldagem antes de alimentar as elefantas, mas pediu-lhe o favor de ir enchendo os vagões de comida, para ganhar tempo.

Guardou as ferramentas no pequeno veículo de quatro rodas, parecido com um jipe sem capota, e tomou o rumo dos estábulos e celeiros. Que dia. Tudo atrasado, muito serviço, poucos braços. E o vácuo em sua cabeça por causa de Sybil.

Perto do lago, o grupo liderado por Malásia disparou. Karen olhou em volta à procura de proteção. Sabia que quem costumava causar os raros distúrbios da manada era Regina. A elefanta havia sido roubada de sua família, em uma reserva florestal da Indonésia, aos dois anos de idade, para maravilhar espectadores de circo americanos com suas poses forçadas sobre dois pés. Traumatizada pelos choques elétricos, fisgadas de ganchos e golpes de barras de ferro usados no treinamento de elefantes, Regina quebrou um braço de seu algoz com a tromba e esmagou-lhe o peito com pisões. Foi jurada de morte pelos vingadores do opressor. Mas acabou sendo transferida ao santuário com dinheiro de doadores e depois de uma batalha humana na Justiça, enquanto o circo ia à ruína, boicotado pelo público atento a uma campanha contra o uso dos elefantes e de todos os outros animais na indústria do entretenimento. Finalmente era permitida, a Regina, uma existência comparável à de um elefante livre e normal. A vida nova chegou tarde demais, porém, para que ela desaprendesse a velha, e agora ela espalhava seu terror a toda a população do refúgio.

As elefantas correram na direção de Karen. Ela desviou o veículo para trás de uma árvore centenária e se encolheu dentro dele. Tapou os ouvidos à passagem da manada tonitruante. Wanda, Mirna, Carla, Alexia e todas as outras desviaram da árvore e continuaram a correr até o bosque que separava o lago do riacho. Ali, pararam. Regina debandou em outro rumo.

O coração de Karen troava os ecos do tropel. Ela poderia ter sido esmagada. Era ridículo que, minutos antes, tivesse dado uma importância vital a um mero telefonema. Observou as elefantas. Pareciam mais calmas. Quem sabe a matriarca Malásia abraçasse Mirna com a tromba. Karen já vira essa prova de amizade uma vez, no monitor do escritório, para o qual uma câmera instalada perto do lago transmitia imagens durante o dia. Era possível que o gesto de carinho se repetisse com freqüência. Quem poderia saber ao certo?

A privacidade das elefantas em ambiente natural era respeitada com rigor por todos os humanos envolvidos no projeto, que só iam ao encontro delas para lhes servir as refeições suplementares. O contato que Karen acabara de ter com a manada fora um fato singular e, sob certo aspecto, invejável. Ela secou o suor da testa, engoliu a poeira da garganta e retomou o caminho dos estábulos.

Sybil talvez tivesse ligado durante o tropel. De novo um simples telefonema parecia mais grandioso do que uma disparada de elefantes... Karen precisava controlar a ansiedade. Só checaria as mensagens quando chegasse a seu destino, um pouco antes de soldar os ligamentos metálicos.

Daquela vez, apostava em uma separação definitiva do casal Sybil e Bob. Via no fato a grande oportunidade de reaver o amor de Sybil. As duas poderiam morar juntas de novo, no antigo casarão alugado por Karen, com todos os gatos mais alergênicos que Sybil quisesse transportar para o estado do Mississippi. Sybil tinha muito a fazer pelo feminismo no sul do país, uma região pouco familiarizada com a causa antipatriarcalista, dissera Karen ao telefone. Você está desperdiçando energia, militando aí em Massachusetts, o paraíso dos politicamente corretos. O Mississippi precisa mais de você do que eles. É só me telefonar, dizer Estou indo. Ponha os gatos no avião e venha. Bob que se vire, ele tem negócio próprio, dinheiro, contatos. Poderá até manter a custódia de alguns gatos, já que é tão apegado a eles. Você e Bob não têm nada a ver juntos, nunca tiveram e nem terão. Seu lugar é ao meu lado. Temos tanto em comum! Nós duas defendemos os direitos animais. Nós duas somos feministas. Nós duas somos veganas. Nós duas somos mulheres.

No quarto que já dividira com Karen e, depois, com Bob, Sybil lamentava seus equívocos, em silêncio. De cima do armário, Mi testemunhava seu tormento com a paciência de quem tem sete vidas. A porta estava aberta e era assim que deveria ficar. Bob nunca entrava sem ser chamado, nos momentos de crise; além disso, Sybil precisava de paz, e poucas coisas neste mundo são tão tumultuosas quanto uma porta fechada em uma casa com gatos cheios de curiosidade e disposição para arranhar. Sentiu-se aliviada por ter discutido a fundo com Karen as sabotagens de Bob e por poder confiar na discrição da grande amiga. Não suportaria revelar-se um malogro ao seu grupo de feministas pelos direitos animais em Cambridge. Já era degradante ter sido desmascarada pela própria filha, ter-lhe traído a confiança e a devoção. Lembrou-se de que devia um telefonema a Karen. Resolveu que ligaria depois, quando se sentisse pronta. A ex-companheira podia esperar.

Sybil achava duro admitir, mas a verdade é que Bob metera ingredientes animais na sua comida porque ela permitira. Sua aquiescência à desonestidade do marido correra subterrânea, como um sonho noturno a ser esquecido de dia. E Sybil vivera sonâmbula. Uma sopa com cheiro de pele queimada? As cenouras com gosto de amônia? Os tomates transpirando uma gordura espessa, candente, pegajosa... Todas as alquimias sinistras de Bob eram decifradas pelos sentidos de Sybil. Mas a consciência dela, suspensa num limbo, ofuscada pelo pacto de harmonia com o marido, mal gemia. Quando se fazia ouvir, Sybil lhe respondia que, na prática, o dano causado aos animais pela sua complacência com a sabotagem era quase nulo, portanto irrelevante. Coube a Megan, em sua convicção pura e seu engajamento verdadeiro, despertála de seu torpor. Talvez, lembrara a filha, o dano causado aos animais pela conivência de Sybil fosse pequeno, sim, em relação à enormidade de sofrimento que os humanos impõem a eles, minuto após minuto, dia após dia. Mas e daí que esse dano fosse pequeno, e as vantagens para Sybil e Bob fossem grandes? O que importava não eram as conseqüências do ato de Sybil. O que importava de verdade era que Sybil tinha o dever de respeitar o interesse dos animais em não serem usados, e ponto final. Sybil desrespeitara esse interesse! Tratara os animais como meios para seus fins! Violara direitos! Violara os direitos animais! Isto, por si só, já era ruim o suficiente, apontara Megan. E partindo de uma ativista de atuação forte como a de Sybil, ficava ainda pior porque significava uma derrota do movimento. Sybil soluçou um choro sufocado e voltou-se para Mi. A gata observava-a de cima do armário, cheia de majestade.

Havia outro dano muito grande a se considerar: o dano que Sybil causava a si mesma. Sentia-se a imagem do próprio fracasso. Sua tentativa de viver conforme seus princípios éticos falhara. Ela, que acreditava que servir de exemplo às outras pessoas fosse uma das mais eficazes formas de ativismo, acabara personificando o contra-exemplo. Sybil transformara-se na prova viva de que o veganismo é uma causa equivocada.

Deixou desabar o choro sob o olhar magnânimo de Mi e correu ao banheiro para lavar o rosto. Aproveitou que estava ali e limpou as fezes enterradas na areia da banheira antiga. Sentiu o lampejo de um insight. Se assumia a responsabilidade pelo erro, tinha o poder da redenção. Precisava mirar-se na pureza de Megan e reiniciar a luta. Megan, que, com sua certeza, empenho e doçura, inspirara o namorado onívoro a expandir a própria consciência animal, seria também o modelo para a renascença da mãe. Megan: o mesmo bebê que Sybil deixara torrar ao sol cancerígeno, a filha para quem ela nunca tivera tempo.

Sybil permitiu-se um último soluço, salgado e lancinante, e tomou uma ducha fria. Vestiu seu roupão e cobriu os cabelos molhados com uma toalha de algodão orgânico contorcida num turbante. Estava pronta para retornar do exílio de si própria. Mas primeiro queria ver o que Bob tinha para lhe mostrar. Era só descer as escadas e ver. O sabotador estava lá embaixo, à sua espera, com uma tal de uma notícia de que ela deveria gostar.

Ele dormia sentado e roncava para cima. Três gatos dormiam sobre seus ombros e colo, prendendo-o ao sofá como uma trepadeira a uma treliça.

— Bob! — esbravejou a mulher.

Dez fendas verdes abriram-se nos volumes escuros que sonhavam na sala. Bob mastigou o ronco. Sua mão dormente, ao encalço dos testículos, pesou sobre Semifusa. A gatinha fugiu da mão-boba e do colo traiçoeiro. Fah saltou de um ombro movediço e Quaver, do outro. De dois colchõezinhos sob abajures acesos pularam Doh e Si. Num resto de sonho, Bob viu uma fila de gatos trotar escada acima.

Sybil cruzava os braços na frente dele. O turbante de toalha orgânica destacava um rosto torcido pelo choro de vários dias. Grogue, Bob juntou os prospectos à carta da gerente de marketing, que seu cochilo derrubara no chão, e estendeu-os à mulher:

— Veja, meu amor. Carne de laboratório. Sem cérebro nem sistema nervoso. Uma revolução na ética.

Sybil sentou-se na poltrona e leu a papelada sob a luz do abajur que há pouco ninava Doh. Uma de suas sobrancelhas levantou-se para abarcar as implicações do texto em toda sua amplitude. Pela primeira vez em anos, não havia gatos na sala. Nos aposentos superiores pesava uma tensão silenciosa e felpuda.

O celular de Karen não tocou nem gravou mensagem alguma, enquanto ela ajudava o voluntário a soldar os ligamentos metálicos do novo estábulo para quarentena. Sua ansiedade fora substituída por uma tristeza sonolenta que lhe atrasava ainda mais o trabalho. Por causa da sobrecarga de tarefas, e principalmente por causa da falta de consideração de Sybil pelos seus clamores apaixonados, Karen não conseguiria servir o lanche suplementar vespertino na hora certa. Nem terminaria a instalação do sistema de aquecimento a água, conforme agendado, o que forçaria a direção do santuário a adiar, mais uma vez, o resgate de Sebanga daquele tenebroso zoológico no Alasca. A tuberculose da elefanta poderia se agravar e tirar-lhe a vida! E ai de Sybil, se isso acontecesse! Se Sebanga morresse de tuberculose lá no Alasca, Karen, sim, é quem tomaria a iniciativa de telefonar a Sybil, não para implorar-lhe mais uma tentativa de reatar um relacionamento do qual guardava memórias tão bonitas, mas para atirar, na cara daquela cúmplice de sabotadores de comida vegana, mais uma responsabilidade pelos fracassos do movimento em defesa da paz entre os humanos e os animais!

— Karen, está ouvindo isso? — disse o voluntário.

Karen acordou de seu dramalhão para um tropel surdo que vinha da área onde ficava o celeiro de alimentos. Junto com o voluntário, saiu do estábulo e viu Regina correr para perto dos vagões atrelados a um pequeno jipe, que ele enchera de feno e frutas. O portão de acesso à área estava aberto. O voluntário arregalou os olhos:

— Como Regina conseguiu abrir o portão?

Karen gaguejou:

— Ela... ela... ela... abriu abrindo, ué. Afinal tem uma inteligência de golfinho, além de uma tromba!...

Por dentro, sentia-se uma pateta. Se alguém descobrisse que ela esquecera de fechar o portão ao chegar, seria demitida. A doutora Hernandez, médica e diretora do santuário, diria que ela não sabia trabalhar com animais de grande porte. Alegaria que sua falta de habilidade para administrar um pequeno problema pessoal estava prejudicando o andamento de um projeto de proporções monumentais.

Regina derrubou os alimentos no chão para procurar os que considerava mais apetitosos. Frustrada com o feno, as melancias, as bananas e os abacaxis, virou um dos vagões a golpes de tromba e cabeçadas. Karen digitou um número no celular:

— Venha ao celeiro de comida, doutora Hernandez! Regina está tendo um ataque de nervos!

A veterinária avaliava o estado de uma paciente com artrite na enfermaria. Respondeu devagar que estaria no local em um instantinho. Regina pisoteou uma penca de bananas. Ao longe, a voz da matriarca Malásia vibrou com a nuance que expressava queixa pelo atraso no serviço de lanche da tarde.

A doutora Hernandez enfim surgiu, tranqüila nas botinas de marchar por vastos terrenos, munida de um saco de maçãs e uma pistola de dardos com etorfina. Não pretendia usar o sedativo, mas sentia-se mais segura com ele à mão, quando perto de qualquer paciente agitada de quatro toneladas. Karen admirou sua bela figura andrógena de cabelos multicoloridos. Invejava sua intimidade com as elefantas.

Gostava de vê-la combinar remédios, amor e reverência para tentar reverter os terríveis efeitos da barbárie humana sobre a majestade de seus corpos e suas mentes.

A doutora Hernandez dirigiu palavras doces a Regina, em inglês e espanhol, e com voz de menininha. Fez rolarem duas maçãs no chão, até os pés da paciente traumatizada. Regina mastigou-as com gosto e esticou-lhe a tromba, pedindo mais. A doutora deu-lhe outra, usou o resto para atraí-la até o portão e depois para fora. Ingeridos todos os petiscos, Regina demonstrou sua gratidão envolvendo os ombros da benfeitora com a tromba e tocando-lhe o rosto com a enorme testa. A médica marchou de volta ao celeiro.

— Ela só queria algumas maçãs — explicou. — É sua guloseima favorita.

O voluntário investigou com o rabo do olho a reação de Karen à explicação da médica. Karen contemplava, embevecida, o andar tranqüilo de Regina ao encontro da manada. O voluntário matutou, andavam mimando muito aquela elefanta, mas deviam saber o que estavam fazendo. Telefonou ao orfanato para avisar que se atrasaria um bocadinho e, com a doutora Hernandez, ajudou Karen a recompor o vagão de alimentos derrubado. Depois foi concluir seu trabalho, para descobrir, aborrecido, que Karen houvera soldado alguns ligamentos metálicos ao contrário.

Karen sentou-se ao volante do pequeno veículo para puxar os vagões de comida suplementar até o bosque, onde regalaria a manada. A doutora Hernandez abriu-lhe um sorriso solar sob a cabeleira multicolorida:

— Karen, quando você voltar, poderia me ajudar na enfermaria? Tenho de colocar os pés de Arabella de molho em baldes com solução terapêutica.

Seria uma honra poder assistir ao procedimento, mas Karen não teria tempo. Precisava trabalhar na instalação do sistema de aquecimento do novo estábulo para quarentena.

— Oh... não faz mal, então... Posso cuidar de Arabella sozinha – o luminoso colorido desbotou.

Aquela luz e as cores faziam bem aos olhos de Karen.

— Você vai ficar de plantão, esta noite? – perguntou ela, desativando o celular. – Terei prazer em ajudá-la. Poderemos jantar juntas e depois voltar ao trabalho.

A doutora disse que não faria plantão aquela noite, mas aceitou o convite para jantar.

Sybil terminou a leitura sobre a carne in vitro e colocou a papelada ao lado do colchãozinho que ficava sob o abajur. Sentia o nariz de Bob espetar sua face, rubro de expectativa. Cedeu àquela pressão nasal à distância: quanto mais cedo concluísse o epílogo da sua história antiga, mais rápido começaria o primeiro capítulo da nova.

— Você vai participar do tal projeto para a carne de laboratório? – perguntou, a voz de aço na garganta de pedra.

Os olhos claros de Bob inundaram-se de um mar de esperança. Um róseo otimismo suavizou-lhe a febre do nariz:

— Sem dúvida, my dear! Não é um projeto fabuloso? Bilhões de vidas serão poupadas, sem que se sacrifique a natural propensão humana à ingestão de carne.

— E quanto aos animais usados nas pesquisas e nos testes para a criação, a produção e a aprovação do produto?

Bob lubrificou a garganta, tombou o tronco para a frente:

— Você tocou em um ponto interessante, Sybil. Compreendo que agora você se preocupe com esses animais em particular. Mas procure encarar o fenômeno com os olhos em um futuro sem fazendas de seres sencientes nem matadouros.

— E o que há de errado com um presente e um futuro veganos? O que há de errado com uma dieta baseada em plantas?

— O que há de errado é que se trata de um sonho irrealizável.

— Pois a maior parte dos humanos vive e sempre viveu com uma dieta baseada em plantas.

— Não estou falando de gente pobre nem remediada. Nem estou falando de tempos passados.

— Então está falando das classes média e alta de hoje. Elas vivem expostas à propaganda da carne, do ovo e do laticínio. Eduque-as sobre as razões éticas, nutricionais, gastronômicas e ecológicas do veganismo e pronto, o sonho vira realidade. Agora me dê licença que eu preciso fazer um telefonema importante.

— Mas Sybil...

— Não tem mas nem meio mas. Esse projeto para carne in vitro é um atentado contra os direitos dos não-humanos que está ocorrendo neste presente momento, portanto tem de ser suspenso já.

O nariz de Bob tingiu-se de matizes entre o rosa-bebê e o roxo:

— Por favor, Sybil, seja razoável. Às vezes você me soa um pouquinho... obsessiva. Você se isola na perfeição inverossímil do seu reino vegetal e dali não arreda pé. Acho que teria mais sucesso se se concentrasse numa luta pelos bichos explorados para outras coisas, em vez da nossa comida. Por exemplo, os cachorros que puxam trenó...

— Não precisa desfiar os mesmos exemplos de sempre — irritou-se Sybil.

Ele ignorou seu pedido. Prosseguiu:

— ... até morrerem de exaustão em competições no Alasca. Os filhotes de foca mortos a porretadas no Canadá...

— Eu já disse que não precisa repetir...

— Os animais humilhados em circos e presos em zoológicos. Peixinhos, cachorrinhos, coelhinhos, gatinhos, passarinhos, iguanas e bezouros comercializados em pet shops...

Ela levantou a voz:

— Eu me concentro em libertar todos os animais do jugo humano, ponto final!

— Mas você não acha que os cientistas colocam o humano no topo da cadeia alimentar por uma boa razão? Você mesma não vive me dizendo que noventa e cinco por cento dos animais que prendemos e matamos são os que vão para os nossos pratos?

Ela penetrou as pupilas duras no rosto dele:

— Vivo dizendo isso para ver se você entende por que o aspecto central da luta abolicionista tem de ser a ênfase na dieta!

— Entender eu entendo e até concordo em parte – disse Bob, e viu três manchas pretas em cima da escada. Semifusa, Fah e Doh avaliavam se a atmosfera da sala já estava propícia ao seu retorno. Doh experimentou descer alguns degraus. Bob retomou seu argumento. — Mas você tem de admitir que o consumo da carne de laboratório vai diminuir consideravelmente o número de animais abatidos.

— Será? – disse Sybil, rígida em seu roupão. — Quando se criou a carne de soja, também se acreditou nisso. Veja o resultado. Hoje não faltam carnes e laticínios de soja nos supermercados. Mesmo assim, nunca se comeu tanta carne verdadeira no planeta. E seu consumo aumenta a cada dia.

– Sybil, honey, o sabor da carne de soja pode satisfazer o seu paladar. Mas, para quem gosta de carne, deixa muito a desejar.

– Bem, como eu disse, esse projeto da carne in vitro deveria ser suspenso imediatamente. Mas, só para efeito de argumentação, vamos supor que a carne in vitro acabe se tornando, mesmo, um produto nutritivo, não-nocivo à saúde, não-poluente e com sabor idêntico ao da carne natural. Tamanho sucesso, do qual duvido, não vai mudar o conceito de que comer carne é positivo, mas reforçá-lo. Parece paradoxal, mas o sucesso da carne de laboratório vai incentivar a demanda pela carne do animal verdadeiro.

Bob contorceu-se no sofá, em seu barco à deriva. Talvez não estivesse preparado para enfrentar a nova onda de argumentos daquela cê-dê-efe. Sua atenção fugiu para os cinco gatos que voltavam à sala e farejavam, com cuidado, possibilidades de acomodação para um bom sono. Quaver subiu em seu colo e Doh, no de Sybil. Ela massageou o corpo da gata e continuou:

– Surgirão os consumidores carnívoros exigentes, determinados a se aventurar para além das rotineiras refeições feitas com carne de laboratório, só pelo prazer da novidade. E surgirão os carnívoros naturebas, ávidos por devorar os animais de verdade, pela simples repulsa ao que é artificial. Para os exigentes e o naturebas, aparecerão estabelecimentos especializados em corpos de animais reais, criados em fazendas orgânicas ou roubados de seu ambiente natural.

– Mas, a essa altura dos acontecimentos, a lei vai estar mais avançada e o consumo de animais verdadeiros, proibido! – disse Bob.

E arrependeu-se imediatamente. Admitira a possibilidade de se proibir o consumo de animais! Ele próprio acabava de preconizar aquilo que considerava o inferno na terra, o fim da liberdade de paladares e apetites, a Ditadura Vegana! Sentiu o fundo de seu mar de esperanças revolver-se em correntes conflitantes. A muito custo, conseguiu manter a calmaria na superfície do olhar. Sybil prosseguiu:

— Com a proibição do consumo de animais verdadeiros, menos indivíduos serão abatidos, sem dúvida. Mas não basta proibir. Se a sociedade como um todo não se educar, se não der um salto ético consciente no sentido de alimentar-se só de plantas, a proibição do consumo de animais verdadeiros vai provocar o aparecimento de um mercado ilegal desses animais. E eu não preciso lembrar a você os horrores impostos às vítimas do tráfico ilegal. Enquanto nosso pensamento estiver estagnado no conceito de que nosso consumo de carne é legítimo e que os animais das outras espécies existem para ser usados pela nossa, o mundo vai continuar sendo este pesadelo de violência e devastação.

Bob procurou uma resposta para aquilo, a tábua do náufrago. Ergueu o nariz acima das vagas revoltas, inspirou fundo. Para sua surpresa, achou que a danada da mulher tinha razão. O raciocínio lógico que ela desenvolvia convencia-o de uma idéia tão certa quanto a de que dois e dois são quatro. Mas ele reagiu rápido: E daí? Por que é que ele seria obrigado a entregar os pontos para o raciocínio lógico de Sybil? Pois se ela mesma não dava a devida importância à razão! Não era ela que achava que os interesses dos animais irracionais têm tanto peso quanto os interesses dos racionais? Então Bob não deveria dar mais peso ao raciocínio lógico de Sybil do que à inclinação irreprimível que ele tinha ao carnivorismo! Ora, a questão lhe parecia mais do que cristalina. Ele não se afogaria no Mar das Polêmicas. Já conseguia nadar em direção à Ilha das Certezas. Riu.

Sybil desamarrotou o rosto num rascunho de sorriso:

— Pode me contar a piada? Há uma semana que só faço chorar.

Bob sentiu-se mais relaxado. Chegara à praia e espreguiçava-se na areia morna, aos beijos do sol nascente. Semifusa, Fah e Ray já se banhavam na luz de três abajures.

— Eu estava pensando cá comigo, amorzinho – gargarejou, bonachão – que poderemos ser felizes juntos, sem que eu aceite seu raciocínio lógico.

Sybil amarrotou de novo o rosto. Ele foi em frente:

— Você pode estar certíssima, aí, conforme o seu impecável filosofar iluminista, sua lógica amarradinha. Mas me encare como a um animal. Encare-me como a Doh, a Ray, ou a Treble Clef.

— Sei onde você quer chegar – cortou Sybil. – Prefiro encará-lo como a um gorila ou um orangotango. Um primata como nós, e não um animal carnívoro. Um primata que se alimenta essencialmente de plantas.

Bob voltou a ficar nervoso. Quaver pulou de seu colo.

— Então encare-me como a um humano de mau raciocínio e de lógica falha. Encare-me como à maioria dos seres humanos: um medíocre. Como a maioria dos humanos, eu gosto de carne e quero comer carne. Assim como você ama Ray, Doh e todos os seres de raciocínio lógico precário, pode me amar também. Não pode?

Sybil passou Doh para o colchãozinho, deu um pulo do sofá e gritou:

— Não, eu não posso amar você! Você é um sujeito cínico e desonesto! Manipulador! Oportunista! – Os cinco gatos debandaram outra vez, escadaria acima. – A minha comida você não sabota mais! Procure outro lugar para morar! Saia já de minha casa!

O verde-esperança desbotou nas íris aquosas do chef. Seus lábios empalideceram, debaixo de um nariz subitamente imenso. Sybil agarrou os prospectos e atirou-os no cesto de papel reciclado:

— Sinto vergonha de pertencer à espécie *Homo sapiens*, quando penso na quantidade de disparates que pessoas articuladas como você se atrevem a elaborar, na ânsia de justificar seu uso e abuso dos irmãos das outras espécies!

Bob embutiu os lábios. Seus olhos se arregalaram para os gritos de Sybil e se injetaram de verde-escuro. Ela prosseguiu:

— Fico revoltada com o esforço, o desperdício e a crueldade de que tantos humanos são capazes, só para consumirem o corpo e as secreções dos outros animais da terra e da água, enquanto há alimentos muito mais saudáveis! São humanos que aceitam e promovem o domínio, a tortura e o assassinato de dezenas de bilhões de seres sencientes todos os anos, nos campos de concentração que eles chamam de fazendas e abatedouros, só para terem o discutível prazer de, durante alguns momentos por dia, saborear a gordura e o sangue desses inocentes! São humanos capazes de transformar florestas repletas de vida em monótonas pastagens para rebanhos de criação, e de explorar esses mesmos pastos até transformá-los em poeira estéril! São humanos capazes de dizimar populações inteiras de animais selvagens para defender seus rebanhos dos predadores concorrentes, e de contaminar rios, lagos e mananciais com a merda, o mijo e as drogas que se acumulam em suas fazendas! São humanos capazes de investir milhões de dólares em pesquisas destinadas a modificar a herança genética de animais ditos de consumo, para criar raças mais tolerantes às mazelas do cativeiro, do transporte e do abate, com a finalidade única de minimizar os riscos de seus negócios!

Bob segurava a mão direita com a esquerda, cutucava a unha do polegar com a do mindinho. Sentia no rosto as íris corrosivas de Sybil. Ela gritou:

— E são humanos capazes de criar um empreendimento extraordinário, ambicioso, como o da carne de laboratório, só para continuarem servindo carne às pessoas que não querem ou não podem mais consumir... carne!

Os olhos de Bob passaram rapidamente pelo relógio. Sybil concluiu:

— Mas esses humanos são incapazes de mover um dedo, um único dedo, para fazer uma campanha de incentivo a uma alimentação gostosa, saudável, que respeite os animais e o ambiente, baseada só em vegetais. Um único dedo!

Bob soltou as mãos. Sabia de cor a maior parte daquele texto. Considerava-o uma espécie de hino de guerra entoado com bravura pelo soldado Sybil, durante as várias crises vividas pelo casal. Sybil guilhotinava gotículas de suor nas riscas da testa. Pegou o telefone.

— Por favor, Bob, vá para o quarto fazer suas malas.

Bob plantou-se de pé. Só faltava aquela feminista histérica ligar para a polícia e acusá-lo de abuso psicológico. Ele se muniu de benevolência, metamorfoseou sua irritação em diplomacia e sua humilhação em magnanimidade. Meteu as mãos nos bolsos e desenrolou a língua num murmúrio:

— Peço desculpas por ter misturado ingredientes impróprios aos seus pratos, Sybil. Errei. Fui extremamente desonesto.

De dentro dos atoalhados de algodão orgânico, a mulher olhou-o com desconfiança. Ele avançou mais um pouco no terreno que preparava para recuperar:

— Quanto à imoralidade de os humanos usarem animais, reconheço que sou cínico. Mas amo você. Amo os gatos. Estou disposto a negociar, mais uma vez, uma vida em comum sem atritos. Vamos conversar. Por favor.

Sybil apertou o telefone. De cima da escadaria, alguns pares de luminárias oblíquas lamberam os humanos com línguas verdes.

— Sabe, Bob, esta semana andei conversando muito com Karen — disse a feminista.

Bob ergueu uma sobrancelha em arco. Então a mulher andara desencavando o passado. Ele já tinha esquecido a antiga união de Sybil com Karen, aquela militante parecida com o Arnold Schwarzenegger.

— E?... — perguntou, elevando a outra sobrancelha.

Os gatos desceram as escadas e passaram a investigar possibilidades na sala. Das outras áreas da casa, foram despontando os demais moradores, um a um.

— Karen me disse umas coisas certas. Eu e você não temos nada a ver juntos, nunca tivemos nem vamos ter.

— Não me surpreenderia ouvir isso de uma lésbica apaixonada — disse ele, despeitado.

Sybil não levou em conta seu comentário.

— Quero me associar a pessoas que tenham afinidades comigo: militantes pelos direitos animais, veganos, feministas. E quero mudar para o sul do país.

O contorno da boca de Bob encrespou:

— Mudar para o sul? Mas aqui em Massachusetts há muito mais pessoas como você!

— Por isso mesmo. O norte não precisa tanto de mim. Minha militância será mais útil no sul. Com a venda desta casa, poderei comprar outra do mesmo tamanho e ainda guardar dinheiro.

Os olhos verde-água de Bob molharam o chão, meio sem rumo. Talvez as vantagens de viver solteiro esperassem por ele, em algum porto... Mas como chegar até lá? Suas pernas fraquejaram e ele sentou-se de novo:

— Eu não vou saber viver... — sua voz tremeu. — Não vou mais saber viver longe...

Sybil tocou-lhe um ombro com a mão, sua esmola de consolo:

— Bob, você é um homem feito, saberá viver longe de mim, sim.

— Eu quero dizer longe dos gatos, Sybil. Não saberei mais viver longe deles. — Juntou os joelhos para acomodar Sol e esticou um bico para o nariz de Fusa, que chegava ao seu ombro pelo encosto do sofá.

Sybil sentiu uma pontinha de dor-de-cotovelo. Mas, como boa defensora dos animais, comoveu-se com o amor de Bob por eles. Os gatos adoravam o chef. E não se importariam nem um pouco se ele misturasse produtos não-veganos à ração.

— Acho que devemos dividir a custódia — disse ela. — Quem gostar mais de você fica com você. E quem gostar mais de mim fica comigo. Agora, por favor, faça as malas e vá para um hotel. Quero trocar as fechaduras de casa. Trate de encontrar um bom corretor de imóveis. Os gatos sob sua custódia precisarão de muito espaço.

Bob soluçou, abraçado a Fusa. A gatinha afastou-se dele para limpar, com a língua, as lágrimas que maculavam seu pêlo impecável.

— Bob, por favor, suba — insistiu Sybil. — Preciso corrigir um erro que cometi no passado. Quero retribuir a uma mulher muito querida todo o amor que ela me deu. – E digitou um número ao telefone.

Bob arrastou-se escada acima, lento, um gato no colo e três ao redor dos pés. Sybil queria ligar para Arnold Schwarzenegger. Como se já não lhe doesse a humilhação sofrida, Bob ainda tinha de perder a mulher para um sapatão. Andou mais devagar para ouvir a conversa.

– Querida! – disse Sybil a sua interlocutora. – Sinto tanta saudade! Olhe, aquela conversa que tivemos mudou minha vida. Acabo de me separar de Bob. Quero morar no sul, perto de você. O que acha da idéia?

Bob continuou atento. Sybil vibrou:

– Ah, que bom, minha querida! Vamos fazer tantas coisas juntas, aí em Weekeewawkeeville! Tenho muito que aprender com você e Diogo. Você me ensina a cozinhar, Megan?

Surpreso, Bob apurou os ouvidos. Sybil começou a cochichar. Ele não conseguiu escutar mais nada. Mas já captara o principal. Entre triste por perder a companhia de vários amigos felinos e aliviado por não perder a de Sybil para uma lésbica, agachou em cima da escada e acariciou quatro dorsos arqueados de prazer.

Sybil espiou o ex-companheiro, escondeu a boca com a mão e encharcou de dó um sussurro:

– Bob está sofrendo muito, sim, Megan. O pobre não quer separar-se de mim. Disse que não saberia mais viver. Mas fizemos um acordo justo. Ele vai se recuperar.

Sol

A recepcionista do doutor Stanley interpreta o evento como uma experiência mística, um encontro espiritual.

O cirurgião está eletrizado. Há décadas, três e meia, para ser exato, não prova tanto entusiasmo com uma descoberta. A recepcionista reforça, Sei que o senhor não tem fé, mas creio piamente em outros mundos e dimensões povoados por espíritos que só algumas pessoas especiais, dotadas de cinco sentidos muito apurados e um extra, conseguem contatar. O rosto bonito do doutor Stanley resplandece. Ele não acredita em conexões deste mundo com o além, mas gosta de ser considerado especial, ainda que pelos motivos errados. Faz-lhe bem — e a quem não faria? — a reputação de ter uma sensibilidade superior, mesmo que essa fama se limite ao ambiente de trabalho e não corresponda à realidade. Vão lhe dar todo tipo de explicação behaviorista para o que aconteceu, doutor, vão lhe explicar os comos, mas não vão lhe explicar os porquês; para mim, o senhor fez uma conexão com o divino e estamos conversados. O doutor Stanley sacode a cabeça com falsa modéstia. Certezas como a da recepcionista soam simplórias, mas existem por uma boa razão. Elas suavizam os rigores da vida de gente como ele, um homem que combate cânceres de pele para ganhar o pão de cada dia e mata animais selvagens para relaxar. A experiência foi mesmo excitante e ele vai tentar repeti-la durante a caminhada do dia seguinte, na mesma hora, e com a mesma roupa, de chave na mão.

Às seis da manhã, ele percorre a alameda de carvalhos e magnólias visitada no dia anterior pela aparição. Por dentro, ri. É gostoso reconstituir a experiência, tomando emprestado a percepção da recepcionista. Sem precisar de droga nenhuma, ele consegue recuperar parte da impressão mágica que abandonara junto com a infância. Seus olhos vasculham as copas das árvores e tentam detectar o vulto negro à sua espera. Sua mão se ergue um pouco e destaca a chave na ponta dos dedos. O objeto deverá atrair o espírito e forçá-lo a deixar seu refúgio nas alturas. Os sapatos do dermatologista chapinham no chão pastoso de folhas encharcadas pela chuva da noite.

Não demora muito e ele escuta o anjo alado aproximar-se das suas costas. Sente sua passagem perto do ombro e o vê elevar-se de novo aos céus. Seu coração de menino chocalha. Ele ergue um pouco mais a chave na ponta dos dedos e retarda a marcha.

Pára. O anjo negro está suspenso acima de sua cabeça, em meio à copa de um carvalho. Agarra-se a um braço retorcido da árvore. O coração de menino pula de medo. E se o demônio roubar sua chave, arranhar sua mão, furar seus olhos? O doutor ri, afaga a cabeça do moleque, retoma a caminhada.

Como na manhã anterior, o vôo da entidade, de um galho a outro, passando rente ao seu braço, repete-se três vezes. Como na manhã anterior, a entidade está acompanhada por outra, menor do que ela. É fácil sentir-se especial. É inevitável! Episódios como aquele não ocorrem sempre, nem a qualquer um. O doutor Stanley é um Escolhido. Tem a chave e uma ou mais qualidades que desconhece, mas que faltam aos seus semelhantes e levam espectros alados a tentar revelar-lhe um determinado mistério.

Chega ao portão de sua casa. O espectro maior paira na copa do plátano de seu jardim. O menor está invisível, ou decomposto em códigos inacessíveis até mesmo a um Escolhido. O menino quer fugir de dentro do peito do médico, tem medo de castigo. Sossegue, menino, diz o doutor. E estica o braço para o alto, acenando com a chave. Mas o demônio não se move.

O doutor Stanley resguarda seu moleque submerso, Vou filmar esse troço, se for espírito, não imprime. Entra em casa e volta com uma câmera e uma fatia de pão. Aponta a câmera para cima e consegue captar a imagem do ente agarrado ao galho do plátano. Eu não disse a você que era um corvo, menino? Ou uma gralha, sei lá. Um pássaro preto comum no país. O menino não o escuta.

Não é corvo, é gralha, diz a enfermeira, e o estagiário concorda, mas o assistente acredita que não seja gralha, e sim corvo, um corvo de estimação que escapou do dono e seguiu o doutor para ganhar comida. No monitor da clínica, a ave bica com dificuldade as migalhas de pão sobre o gramado. Tenta engolir o cadarço do tênis do doutor Stanley. Ra ra ra, todos riem, menos a recepcionista. Os comentários se misturam, não gosta de pão, não tinha semente de girassol? Corte. Em cima das migalhas de pão, um pires com lascas de um material esbranquiçado. Peixe, informa o doutor Stanley. O pássaro bica uma lasca e esfrega-a contra a grama. As vozes se misturam, por que ele esfrega o peixe no chão?, não gosta, quer limpar, quer enterrar.

A recepcionista é a única que não diz nada. Não precisa, não deve. Sua obrigação é contemplar, com humildade, a milagrosa manifestação de um poder que é (isto, sim, ela sabe) infinitamente maior do que o da compreensão humana.

O pássaro expõe a garganta vermelha e grita com insistência. As vozes se atropelam, está morto de fome, não tinha milho? fruta? castanha? A câmera se afasta, corta. Fora de foco, a mão do doutor Stanley cava a terra úmida. Corte. O pássaro come uma minhoca da mão suja. Ahh..., risadas, palmas. Pássaro defeca sobre a caixa de correspondência do doutor Stanley. Risadas. Gato amarelo caminha na direção do jardim do doutor Stanley, pássaro voa para o telhado. Corte. Mancha preta, quase imperceptível, no galho mais alto de um carvalho, atrás da casa do doutor Stanley. Careta do doutor Stanley de língua de fora. Risadas, palmas.

É o fim de mais um dia envolto em peles humanas e todos se preparam para ir embora. A recepcionista quer uma cópia das imagens do pássaro para examiná-las com uma amiga que é médium. O cirurgião responde que copiará o material com prazer, quando tiver tempo, e deixa a clínica junto com o assistente.

— Pena que não deu para gravar tudo. Uma ave pequena acompanhou boa parte do vôo do pássaro negro.

— Ela não o acompanhou, mas expulsou-o – sugere o assistente. – O corvo perdido invadia seu território.

O assistente deve saber o que diz. Conhece um pouco de ornitologia. É amigo do taxidermista que empalha as aves caçadas pelo doutor e exibidas na sala de espera.

— O corvo, ou a gralha...

— Corvo — assegura o assistente.

— ...deve ter confundido minha chave com comida.

— Ou confundido você com o antigo provedor. De qualquer forma, está muito vulnerável. Aves domesticadas dificilmente sobrevivem em liberdade.

— Aves domesticadas são estúpidas.

— Aves são muito inteligentes! O corvo, doutor, usa pedaços de metal e folhas como ferramentas.

O cirurgião retorna à casa a pé. Não quer afugentar o corvo com sua motocicleta berrante. Busca-o com os olhos, entre as copas das árvores, mas não o encontra. Considera a possibilidade de construir um viveiro espaçoso. Quer acolhê-lo, protegê-lo de sua incapacidade de lidar com as boas e as más surpresas da vida fora de uma gaiola. Já toma por estabelecido um encontro com ele na mesma hora da manhã seguinte, no mesmo lugar.

O corvo não falta ao compromisso. Desta vez, as pontas dos dedos do dermatologista estendem-lhe pedaços de frutas. O pássaro segue a árvore frutífera móvel e bípede até a caixa de correspondência no jardim, sobre a qual finalmente se regala. O doutor aponta-lhe a câmera.

Megan quer ver, sim, depois da consulta, as imagens do pássaro no monitor da clínica. Não se importa em chegar um pouco atrasada ao aeroporto. Está fascinada pelo relato do doutor Stanley e inveja a confiança que o corvo deposita nele. Ao mesmo tempo, teme pela segurança da ave. O doutor Stanley olha o relógio, gastou tempo demais com a conversa e tem pressa, Vou dizer à secretária que mostre o vídeo para você, parabéns pelo progresso na cicatrização, não esqueça o filtro solar e pode ir tranqüila para a Venezuela.

— Brasil — corrige Megan e sugere, afobada: — O senhor pode pedir a um reabilitador de pássaros selvagens que ensine o corvo a se virar sozinho!

O doutor Stanley não entende bem o que ela diz, já tem o pensamento na cirurgia que vai realizar dentro de dez minutos e grita de longe, Qualquer problema, ligue para meu telefone de emergência.

Megan se arrepende de ter demorado muito para sugerir a interferência de um reabilitador em um assunto que, no entender do doutor Stanley, é privado. Faltou-lhe o timing, o sentido do tempo justo para realizar uma mudança necessária e conseqüente. Por sua culpa, um universo inteiro dentro de um pássaro poderá desaparecer para sempre.

— Não há nada que você ou um reabilitador possa fazer agora — opina Diogo, a caminho do aeroporto. — Ninguém sabe onde se meteu esse corvo.

— E se eu deixar um recado de emergência ao doutor Stanley? Posso sugerir que ele tente prender o pássaro até conseguirmos um reabilitador.

— Para ser sincero, acho que o corvo está mais seguro nas ruas do que preso no terreno de um caçador.

Megan pulsa como uma ave contida, solta uma voz quebradiça:

— Não é possível que o doutor Stanley mate esse corvo... Considera-o um animal de estimação, não uma caça. Quer até construir um viveiro para ele.

— Considera-o sua propriedade. Agora esqueça esse assunto. Daqui a pouco estaremos voando para o Brasil. Pense nisso.

A cabeça de Megan não tem lugar para as contradições e os paradoxos do complexo país sul-americano. Tentativas de solucionar o problema do corvo grasnam e competem dentro dela, desesperadas. Nenhuma é viável. Ela telefona a Sybil, Mãe o que você acha que, Alô filha? Não estou escutando nada Ligação ruim Veterinário Sol com vômito e diarréia. Megan desliga o celular. Diogo está certo, não há nada que se possa fazer.

De manhã, o doutor caminha com uma fatia de mamão na ponta dos dedos. Passa tanto tempo com o braço esticado para cima que seu ombro dói. O céu sopra luzes de prata entre as folhas verdes. Algumas árvores lacrimejam folhas amarelas. Galhos centenários cospem chumaços de barba-de-velho. Mas do corvo, que é bom, nem sinal.

O dermatologista volta para a casa e reinicia a caminhada. Faz todo o percurso com uma cuia de castanhas erguida pela mão. Doem-lhe os ombros, os braços e os joelhos. De sua testa orvalhada escorre uma lágrima. O menino emerge na sua garganta, choraminga a saudade do animal perdido. O doutor afaga sua cabeça:

— A culpa é do pássaro pequeno. Pensou que o território fosse dele e expulsou o corvo, que é meu.

O menino esperneia. Exige que o cirurgião percorra de novo a alameda de carvalhos e magnólias, na manhã seguinte. Diz que o corvo vai estar lá, o doutor vai ver! Manda-o capturá-lo.

O doutor acata as ordens do moleque. O lugar certo para o pássaro é sob sua guarda, longe dos riscos das árvores, fios elétricos e asfaltos. Pensa em pedir emprestado, a um de seus colegas de caça, um apito para chamar corvos. Mas dá-se conta de que o artifício poderá atrair mais de um corvo, e não necessariamente o seu. Apitos e outros apetrechos para caça são objetos impessoais, em um universo de caçadores baratos e aves comuns. Ele e seu pássaro são excepcionais e têm uma forma de interação especial.

De manhã o médico percorre a alameda refrigerada pela noite úmida. Ergue na mão uma cuia de castanhas, sementes e framboesas. Seus músculos e juntas ainda sofrem com o esforço do dia anterior. Mas ele tem paciência. Está habituado ao desconforto da tocaia, quando todos os relógios param para que patos, veados e alces acomodem-se ao visor de seu equipamento.

A trezentos metros do jardim de sua casa, sente o alvoroço de um par de asas contra seu ombro. Vê o vulto negro do pássaro afastar-se e prender-se ao galho do plátano. O coração de moleque pula, grita, É ele, não o deixe mais fugir! O doutor caminha até a caixa de correspondência e põe a cuia de petiscos sobre ela. Entra em casa e volta com a arma que usa para caçar animais pequenos. O corvo se regala com as framboesas.

O caçador chega a sofrer um rasgo de piedade. Mas uma onda de excitação avança por suas veias. Sua meta é dar ao pássaro a oportunidade da fuga e realizar o prodígio de matá-lo no ar, sem desfigurá-lo. Uma operação tão difícil quanto preciosa! Aponta a arma para seu alvo e espera. O corvo ficará bonito, sozinho, perpetuado em posição de vôo, sobre um pedestal de mármore, na sala de entrada da clínica. Quando passar por ele, a recepcionista new age poderá evocar seu espírito e fazer uma prece a todos os animais martirizados durante um contato místico com um ser humano.

Lá

Dona Orquídea não estava confortável no uniforme de empregada que dona Marcela mandara vir de uma butique em São Paulo. A renda na gola e nas mangas pinicava-lhe o pescoço e os braços. A do avental, de uma brancura e uma delicadeza constrangedoras, parecia inibir ingredientes e afastar utensílios, tornando mais difícil o trabalho de cozinhar e servir. Olha como a Orquídea carrega a travessa de salada, dizia Silvanira, parece uma modelo desfilando. As risadinhas trincavam. Dona Orquídea fingia não ouvi-las. Pisava as sapatilhas chinesinhas entre o fogão e a mesa de jantar, cuidadosa, acuada. Seu único conforto, a quentura das panelas.

As outras cozinheiras-copeiras já sabiam trabalhar com desembaraço, dentro de seus uniformes rendados, introduzidos na sede da fazenda por dona Marcela e sua percepção da arte de bem receber. Também haviam aprendido a sustentar-se o dia inteiro sobre as sapatilhas chinesinhas, apesar da dor nos calcanhares. Dona Marcela decretara obrigatório o uso do uniforme e das sapatilhas. Além de custarem um nadinha, acrescentando muito pouco ao que as empregadas deviam aos patrões, as chinesinhas evitavam a exposição aos hóspedes daqueles dedos espaçados pela roça, uma grotesquerie de bernes e unhas pintadas de barro.

Mesmo que estivesse vestida como de costume, com saia de algodão, camiseta de propaganda e chinelo de dedo, dona Orquídea se sentiria desconfortável, na cozinha da sede. Suas colegas tinham ouvido falar que ela estava recebendo o dobro para preparar só verdura, e trocavam cochichos de protesto. Implicavam com a seiva de alfazema que ela passava na sua touca de renda para espantar o cheiro de carne. Diziam que seu medo de encostar os vegetais na picanha atrapalhava o serviço. Misturavam garfos sujos de clara de ovo aos talheres que ela separara para usar. O disse-que-disse chiava na fritura, jorrava da torneira, A enjoada se acha melhor que nós, Não come pernil para não aleijar a nora, Já o filho gosta de comer Mortandela. Dona Orquídea fazia de conta que caçoavam de outra. Chegou a resmungar, Se estão com inveja peçam um aumento a dona Marcela, suas miserentas. Mas torceu para ninguém tê-la escutado, primeiro porque se vexava com malcriação e, segundo, para não dar idéias de mão beijada àquelas desmerecidas.

Silvanira esquivava-se dela, escorregadiça, denunciando-se. Fora a única pessoa a quem dona Orquídea confiara o segredo. Pois não seria digna de confiança uma moça de religião, uma adventista? Dona Orquídea concluiu que não. Língua que reza também fuxica. Vegetariana e empregada dos Bezerra Leitão desde os seis anos de idade, Silvanira teria iniciado a rebelião de picuinhas por se achar com mais direito a cozinhar só verdura pelo dobro da paga do que ela.

Às vezes, nos raros momentos de descanso simultâneo na cozinha, as empregadas davam trégua a seus conflitos intraclasse para solidarizar-se na compaixão por uma infeliz da classe patronal: Megan. Foi assim que Silvanira, dona Orquídea e todas as outras juntaram-se no corredor que conduzia à sala de jantar para espiar a namorada do aniversariante à mesa.

— Que branquelinha.

— Mas linda, uma boneca de porcelana.

— Um bordado.

— Um enfeitinho para a gente pôr na cristaleira e não mexer, senão quebra.

— Tão fraquinha. Não pode isso, não pode aquilo.

— Não pode tomar sol, não pode beber leite, não pode comer carne.

— Ontem à noite enjeitou um pedacinho de bolo porque a receita levava ovo.

— Hoje cedo enjeitou manteiga e comeu pão com tomate.

— Pobrezinha.

— Pois se não pode comer quase nada...

— É doente.

— Teve câncer.

Dona Marcela não gostou de ver as empregadas à toa. Reunidas assim, fofocando baixinho, davam-lhe nos nervos. Não tinham nada que perder tempo com conversa fiada, serviço de casa não tem fim, é só procurar que acha. Dona Marcela sacudiu o sininho de prata. As empregadas voltaram à cozinha, enfileiradas, silenciosas.

Megan percebeu que as cozinheiras-copeiras cochichavam sobre ela. Achou-as divertidas. Planejou conhecer mais de perto aquela que, segundo lhe dissera Vanessa, era vegana desde menina e tinha o nome de uma flor, Orquídea. Queria compartilhar o cotidiano da extraordinária camponesa sul-americana sem educação formal, mas, supunha, fiel à sua consciência animal – provavelmente uma rara *vinciana*, por ser, como teria sido Leonardo Da Vinci, de acordo com a lenda, vegana desde a infância. A perspectiva dessa amizade era mais estimulante, para Megan, do que seu convívio com os parentes de Diogo. Eles deveriam ter lá suas qualidades, conforme lembrara Sybil em seus conselhos sobre tolerância. Mas Megan dispunha de apenas uma semana para aprender alguma coisa sobre aquele mundo feudal em que se metera e não pretendia desperdiçar tempo com a classe escravista. Já sabia o blablablá protocolar. Por favor obrigada com licença ela usava nos contatos com os Bezerra Leitão. Com dona Orquídea era mais loquaz. Muito obrigada dona Orquídea, sorria, toda vez que a serviçal, ao tilintar do sininho, surgia com um prato cheio. Estava muito gostoso dona Orquídea, sorria mais largo, quando a mulher com nome de flor levava embora seu prato vazio.

À mesa estava reunido quase todo o núcleo familiar compulsório, mais o padre. Frei Cristiano, Bezerra Leitão, dona Marcela, seus filhos Tiago e Rodrigo, e a cunhada de dona Marcela com as duas filhas circundavam o domínio das carnes, dos ovos e dos laticínios. Megan e o aniversariante ficavam numa ponta onde dona Orquídea, atenta ao sininho, apresentava suas variações em arroz, feijão, milho e tomate: espigas de milho verde cozidas e bolinhos de arroz; sopa de feijão com arroz e milho verde; salada de tomates; tomates ao forno, recheados com arroz e milho verde, e acompanhados de risoto de milho verde e tomate; milho verde ao molho de tomate, acompanhados de arroz branco. Dona Orquídea concebera e perpetrara suas iguarias praticamente sozinha. Recebera apenas uma orientação de dona Marcela, a de preparar o que soubesse, só que com um toquezinho de chiquê. A hostess, habituada a relegar os pratos de vegetais ao status de dispensáveis acompanhamentos, preferiu absorver-se no cuidado com as carnes, que julgava relevantes; com o linho, a porcelana e a prataria; com os quadros, as cortinas e os tapetes; com o viço do gramado do jardim.

Marcela Gallo Sardinha casara-se aos dezessete anos com Afonso Bezerra Leitão, quando ele tinha trinta e dois. Da união nasceram um império atrelado a fazendas de bovinos e suínos, e uma prole de cinco humanos machos. As fazendas distribuíam-se por quatro estados e tinham os mesmos nomes que eles, trocados. A Fazenda São Paulo ficava em Mato Grosso, a Mato Grosso em São Paulo, a Fazenda Goiás em Mato Grosso do Sul, e a Mato Grosso do Sul, em Goiás. Da prole de cinco morreu um. O mais velho nunca deixou a mãe. Outro se estabeleceu no Rio. Os gêmeos tardios voaram para o estrangeiro: Diogo estudava nos Estados Unidos e Diego andava na Itália. Quatro gestações, os dias na frente da tevê e um fraco por rocamboles de romeu-e-julieta triplicaram o tamanho de dona Marcela, mas não mudaram as linhas de seu rosto, ainda o mesmo das fotos de casamento, severo em cima e suave embaixo, sobrancelhas pesadas sobre olhos aquilinos, e o queixo como um cotovelo de bebê, com covinhas. A boca, uma fenda curta e sem polpa.

Dona Marcela preferia ter dado uma festança de uma semana para centenas de convidados, com missa rezada por frei Cristiano na capelinha da fazenda, jogos para os adultos, brincadeiras para as crianças, baile com orquestra para os ricos e forró para os pobres, e uma seqüência de churrascadas de animais abatidos especialmente para a ocasião. Quem sabe, daquela vez, seus esforços como anfitriã merecessem um elogio da imprensa, na coluna social. Quem sabe seu brilho derrotasse a animosidade do dono d'O Correio Perobinha-Campense em relação a seu esposo, dando a ela o lugar que lhe era devido, na página das celebridades locais. Mas Diogo pediu-lhe que não matasse animais nem servisse carne. Festança sem carne?, berrara dona Marcela ao telefone, e eu vou oferecer o quê aos convidados, arroz com salada de tomate? Mãe e filho acabaram negociando um jantar petit comité, com carne à vontade para os onívoros, em respeito à manutenção da harmonia familiar. A matrona determinou-se a dispensar aos comensais uma atenção apropriada às famílias reais européias. Para conferir um pouco de viço ao evento, na sua opinião anêmico e opaco, ela caprichou na roupa, um tailleur de seda carmim com gola e punhos de vison.

A cunhada de dona Marcela, uma gorducha vivaz de nome Antonia, tirara uma folguinha na editoria de uma revista masculina publicada na capital, só para ir à fazenda e conhecer a gringa vegana que virara a cabeça de seu afilhado. Depilem direito os púbis das modelos, recomendara à equipe antes de viajar, As fotos da última edição mostraram tantos pontinhos pretos que parece que foi Georges Seurat que pintou aquelas bucetas. Esbelta e graciosa na juventude, e simpática a certas idéias de Simone de Beauvoir, tratara de levar uma vida que harmonizasse uma aspiração e um sentimento conflitantes: seu ideal feminista de independência com sua vergonha patriarcalista de ficar sem marido. Entre casamentos longos e curtos, informais e de papel passado, tivera seis. Com as avarias do tempo, o advento da obesidade e a drenagem da fortuna em divórcios, homem nenhum candidatou-se a sétimo.

— Tive seis maridos — dava sempre um jeito de informar a todos que encontrasse pela frente, para então saborear-lhes a surpresa, a admiração ou o espanto. E concluía, forçando uma careta: — Digo, com conhecimento de causa, que tudo que os homens procuram no casamento é um encosto.

Suas filhas Vanessa e Patrícia não serviriam de encosto a homem nenhum, quanto mais seis, prometia. E as entupia de comida. De Patrícia, fizera uma adolescente redonda e engordurada. Mas Vanessa parecia ter um metabolismo especial ou o gene da esbelteza; comentava-se que comia como um frade e tinha corpo de modelo.

— Six husbands! — desabafou Antonia para Megan, com disfarçado orgulho, os olhos à caça de expressões de assombro ao seu redor. E num muxoxo: — Seis maridos, seis problemas.

A pequena fenda que constituía uma boca no rosto juvenil de dona Marcela reproduzia-se no primogênito, Tiago, quarentão magro e comprido, em quem afligiam-se olhos fugidios. Tiago passara a juventude na fazenda para aprender a tocar os negócios da família e chegara a matricular-se em agronomia para agradar os pais. Mas o contato com o esterco causava-lhe asma; os insetos, alergia. Cavalos lhe davam coices, e as vacas, chifradas. Paióis, currais e estábulos davam-lhe asco ou tédio; o confinamento e o transporte dos animais, dó. Os leilões o confundiam e os políticos o assustavam. Assim que o jovem deu lugar ao adulto e as possibilidades às certezas, Bezerra Leitão e a mulher reconheceram que Tiago não tinha a vocação sonhada, se é que tinha alguma, e mudaram o objeto de suas esperanças. Tiago não suportou o vexame de decepcionar os pais. Esfacelou-se. Ao se recompor, viu-se um homem de idéias. Rabiscou poemas, poucos demais para formarem um livro. Consolidou-se poeta inédito.

— Mamãe, a farofa esfriou — disse timidamente, o guardanapo contra a boca.

Dona Marcela sacudiu o sininho. Silvanira brotou da cozinha e levou de volta a farofa, com ordens para esquentá-la no fogão a lenha.

Na autoridade do sininho, na presteza da mãe e na humildade da serviçal, o primogênito viu sinais do próprio poderio em territórios domésticos. Sentiu-se encorajado a criticar o irmão:

— Em seu lugar, Diogo, eu não perderia tempo com faculdade de floresta. Eu não perderia tempo com faculdade nenhuma. Eu não perderia tempo com o futuro porque não há futuro. A biosfera do planeta está condenada. Na metade deste século não haverá floresta na Amazônia, gelo no Ártico e peixe no mar, só para citar três exemplos.

— É verdade — disse Vanessa, de boca cheia, enquanto Diogo traduzia a Megan o que Tiago dissera. — Lutar por um futuro melhor é dar murro em ponta de faca e gastar energia à toa. É por isso que desisti da carreira de modelo. — E acrescentou uma segunda bisteca de porco à colina de arroz tropeiro que se erguia em seu prato.

— A melhor forma de economizar energia é ficar parado — continuou Tiago para Diogo. — Se você quiser mesmo salvar as florestas, comece boicotando livros e cadernos.

Rodrigo, um ano mais novo que Tiago, entrou na conversa:

— Nesse ponto, Tiago, o meio ambiente deve muito a você. É um poeta que nunca publicou um livro.

Tiago apertou o guardanapo com os longos dedos trêmulos:

— Deve mais ainda a você, Rodrigo, um cineasta que nunca conseguiu fazer um filme. Dado que a quantidade de material envolvida em uma modesta produção cinematográfica é maior do que a envolvida em uma pequena edição de livros, você economiza mais recursos naturais do que eu.

Risadas curtas rebentaram. Dependente da tradução de Diogo, Megan riu atrasado. Dona Marcela lembrou aos filhos que mesa de jantar não é lugar para bateção de boca. Vanessa disse que já voltava e deixou a sala, acompanhada pelas íris circunspectas de frei Cristiano.

— Não vou ser "ambientalista" para sempre — ironizou Rodrigo, os olhos ansiosos voltados para o pai. — É só uma questão de tempo até eu conseguir verba para alavancar a produção de meu filme. Minha reunião com aquele produtor do Rio está agendada para a semana que vem.

— E vai ser cancelada na última hora, pela quinta vez — riu o primogênito.

Rodrigo ignorou o comentário, olhos agarrados a Bezerra Leitão:

— O produtor não vai ter peito de me negar verba, papai. Deve favor ao senhor. Filmou não sei quantos rodeios aqui na fazenda, para aquela novela, sem lhe pagar um tostão.

Bezerra Leitão evitou o olhar do filho. Não se interessava por projetos que não perpetuassem a tradição agropecuária e suinocultora da família. Sempre deixara bem claro: quem quisesse investir em outro ramo que cavasse o próprio dinheiro. Também não queria olhar nos olhos de Rodrigo sem ter olhado nos de Tiago. Decantados por décadas de idéias escassas, estruturações capengas e iniciativas abortadas, os projetos dos filhos mais velhos tinham se reduzido à sua essência, uma competição verbal entre irmãos. O patriarca morreria seco, antes de dar a impressão de tomar partido naquela disputa entre artistas fracassados. Preferia entregar todas as suas fazendas a uma filha, se tivesse gerado alguma, a deixar um hectare que fosse nas mãos daqueles dois frouxos, um solteirão e o outro, estéril. Alimentava uma esperança secreta em relação a Diogo. Ainda que interessado nas artes e nas diversões, o rapaz tivera o trabalho de obter uma bolsa de estudos para estudar numa faculdade de floresta. Aquilo era sinal de pendor para o aproveitamento da terra, das plantas e dos animais, garantia Bezerra Leitão a dona Marcela. E de gosto por mulheres o rapaz também dava mostras de ser dotado. Um gosto propenso ao mistério e à esquisitice, a julgar por sua nova namorada, ressalvou. Mas sem dúvida um gosto.

Vanessa voltou à sala de jantar. Parecia cansada. Trazia um rosto de lividez lunar, perfurado por íris fundas e oleosas, e rabiscado por longos fios de cabelos úmidos. Se drogou, cochichou Diogo para Megan. A beldade sentou-se diante de seu monumento à abundância, erigido em arroz tropeiro e bistecas de porco, e procedeu à sua demolição com o garfo e a faca.

— Você precisa comer mais carne, está anêmica – disse-lhe Antonia, adicionando um filé malpassado a seu prato.

As pupilas discretas de frei Cristiano procuraram, sem encontrar, sintomas de anemia no busto de Vanessa. O religioso passou a língua nos lábios e secou-os com o guardanapo. Pela primeira vez, desde que agradecera em voz alta a mesa farta ao Todo-Poderoso, abriu-os para algo que não fosse pão nem vinho:

— E Diego, Marcela, deu notícias?

Dona Marcela afobou-se:

— Escreveu uma carta e mandou fotos. – Sacudiu o sininho, fazendo aflorar uma empregada. – Deuzicreide, traga o envelope que está no meu criado-mudo.

Bezerra Leitão levantou-se e saiu sem pedir licença. Arrastava uma perna, seqüela de uma paralisia parcial do corpo, que o médico atribuíra à ingestão de porco malcozido. Na varanda, de onde podia ver os comensais, o patriarca acendeu um cigarro e pigarreou alto, como se quisesse avisar a todos onde estava. Não gostava de falar sobre Diego, o gêmeo de Diogo. Diego também não queria saber do pai, do Brasil e muito menos das fazendas. Optara por tentar uma carreira de estilista de moda, na Itália. No último telefonema à mãe, contara que estava de sociedade com um velho barão milanês. Os dois tinham acabado de abrir uma confecção de bichinhos de pelúcia na Tailândia.

Deuzicreide entregou a dona Marcela a correspondência enviada por Diego. As fotos passaram de mão em mão. Diego e o barão assistem a um desfile de moda masculina. Diego e o barão afagam bichinhos de pelúcia. Diego, o barão e vários rapazes de torso nu, fantasiados de bichos, festejam em cima de um carro alegórico nas cores do arco-íris.

— Meu filho finalmente se acertou na Itália – explicou dona Marcela. – Diz que os bichinhos de material sintético que fabrica em sociedade com o barão estão tendo muita saída na Europa porque são uma fofura e imitam com perfeição os pêlos e as penas de verdade. – Escolheu uma foto e sacudiu o sininho. – Deuzicreide, pregue esta aqui na porta da geladeira, perto da do frei Cristiano apertando a mão do papa.

Frei Cristiano concentrou-se em remover uma salsinha de seu paio.

Terminada a apreciação das fotos e esquecido Diego, Bezerra Leitão atirou o toco do cigarro no tanque de tilápias e voltou à sala de jantar. Anunciou sua chegada aos comensais com um pigarro mal calculado, que lhe desencadeou um acesso de tosse floreada de assobios. Dona Marcela acudiu-o com um copo d'água e tapas nas costas. O banquete encontrava-se naquele estágio em que os participantes, empanturrados, não têm mais nada a fazer a não ser repetir pequenas porções, enquanto esperam a anfitriã dar-se conta de que a única razão que os mantém pregados a suas cadeiras é a perspectiva da sobremesa. Vanessa limpou o fundo de seu prato com um pedaço de pão e meteu-o na boca.

— Não vejo a hora de experimentar o tal bolo vegano — disse a Diogo.

Ele riu:

— O primeiro bolo com cobertura de tofu na história da Fazenda Mato Grosso.

Antonia observou-o traduzir a frase para Megan e trocar com ela risinhos cúmplices, parecidos com pios de pintinhos. Sentiu certo incômodo. Não soube localizar onde, ou a causa, mas sabia a cura: comer mais. Repetiu a feijoada. Ainda não tivera a oportunidade de conversar, de madrinha para afilhado, sobre a nova fase existencial de Diogo, a de conversão a uma crença que ela interpretava como uma espécie de vegetarianismo fundamentalista. Gostaria de lhe comunicar, para seu próprio bem, que estava um tanto decepcionada por vê-lo submeter-se, aparentemente para impressionar a namorada, a um de tantos modismos dietéticos americanos ditados pelo marketing de empresas que têm, como único interesse, lucrar ao máximo com a arrogância de consumidores convencidos da superioridade de seu estilo de vida e seus valores morais.

— Quem te viu, quem te vê, Diogo — começou. — De carnívoro inveterado a vegano! Me conte como isso aconteceu. Cada coisa que a gente faz por amor...

Diogo sentiu um silêncio de guardanapos. Por cima das taças, todos os olhos pregaram-se em seu rosto. Sorriu:

— Quem teve seis maridos deve saber melhor do que eu o que se faz por amor.

Risadas tilintaram com as taças. Antonia espiou ao redor, envaidecida. Diogo tomou um gole d'água. Conseguira evitar a armadilha da madrinha. Não se fala em veganismo durante uma refeição com comedores de carne, dissera-lhe Megan durante o vôo, repetindo uma lição de Sybil. A mesa de um comedor de carne é um campo de batalha coberto dos despojos dos indivíduos que nós, os veganos, tentamos defender. À mesa de um comedor de carne, a batalha, para nós, já está perdida.

— Seis maridos, seis encostos — disse Antonia, purgando, por um franzido da testa, sua satisfação com a memória do passado. E tentou o ataque por outro flanco. — Me explique uma coisa, Diogo. E as plantas? Você não quer matar os animais, mas precisa matar as plantinhas para não morrer de fome. Não acha isso contraditório?

As cabeças dos comensais balançaram como flores ao sopro de uma brisa, É mesmo, e as plantas?, Antonia sabe bolar perguntas, tem prática em entrevista, edita uma publicação.

Diogo traduziu para Megan a fala da madrinha. Megan voltou para ela um sorriso de cubos de açúcar:

— Oh, I'm glad that you're so interested in the subject of abolition of animal exploitation, Antonia. We'll give you a book about it. You can also read the Frequently Asked Questions at an animal rights website.

As flores voltaram-se para Antonia. Book, website, ninguém precisava ser peagadê em inglês para entender o que a americana havia dito. Antonia sentiu a expectativa dos olhares. Endureceu:

— Eu não quero ler um livro nem procurar respostas às perguntas mais freqüentes em um website. Só quero saber o seguinte: e as plantas, Diogo?

Megan apertou a mão do namorado por baixo da mesa. Plantas, plants. A tal pergunta sobre as plantas, que tédio. A objeção mais comum à abordagem dos direitos animais. Paradoxalmente, a que fazia os críticos desinformados da causa se sentirem mais espertos. Bastava alguém se anunciar vegetariano, ou vegano, para que um antagonista, quase sempre um sujeito sem qualquer preocupação com o destino do reino vegetal, levantasse a questão, E as plantas?, por que não poupar também as plantas? Megan deu outro apertãozinho na mão de Diogo. Que ele não sucumbisse ao confronto. A tática do momento era manter a concórdia.

— Eu não gostaria de falar sobre o consumo de animais à mesa de jantar — safou-se ele. — O assunto me tira a vontade de comer.

Antonia repetiu o filé e serviu chouriço a Patrícia. Bezerra Leitão pegou mais picanha. Vanessa lembrou-se de que precisava vomitar outra vez e pediu licença. Dirigiu-se ao banheiro, as pálpebras de frei Cristiano desenrolando-se no chão para a passagem de seus formosos pés.

Dona Marcela roeu uma asa de galinha para disfarçar sua irritação. Era nisso que dava convidar a cunhada jornalista para as recepções. Antonia era uma peça necessária naquele evento, não só por ser madrinha do aniversariante, como também por ter sido casada – e ainda manter boas relações – com o proprietário do jornal em que dona Marcela gostaria de aparecer. Mas era irrequieta, afeita às polêmicas, e pretendia transformar em debate o evento que a anfitriã visualizara como uma prazerosa e elegante comunhão da família, abençoada pela presença do padre. Dona Marcela pensou em servir o bolo e calar aquela conversa chata com um alegre parabéns a você. Teve medo, porém, de cometer uma gafe. Se oferecesse a sobremesa antes da hora, daria a impressão de estar expulsando os convidados.

Tiago, o primogênito, tocou os lábios com o guardanapo. No emblema bordado estampou-se seu beijo de vinho tinto.

– Titia Antonia não lhe fez uma pergunta sobre o consumo de animais, Diogo, e sim sobre o consumo de plantas – observou.

– Tiago está certo – disse Rodrigo, para a surpresa de Bezerra Leitão. O patriarca nunca tinha visto os dois filhos mais velhos concordarem em nada. – Não há razão para você não explicar o porquê de poupar as plantas.

Megan não precisava de tradução. Plantas. Por que não poupar também as plantas?, reverberava a pergunta infernal.

– Com licença por favor – disse ela, e saiu da sala de jantar. Diogo que se virasse.

No quarto, ela deixou um recado de emergência para seu cirurgião, Boa noite doutor Stanley, estou ligando do Brasil, curiosa sobre o corvo que seguiu o senhor durante suas caminhadas, Ele acabou aparecendo ou não?, No mais tudo bem, Se puder me telefone, o número é tal, Obrigada. Desligou. Arrependeu-se. Engano achar que o médico lhe telefonaria de volta só para falar de um corvo. Ela deveria ter inventado que encontrara outra verruga suspeita e queria saber que providência tomar. O doutor Stanley retornaria a chamada na mesma hora. Ela diria, Não era verruga, doutor, e sim um cravo, um cravo que eu mesma espremi, Mas me diga uma coisa, e aquele corvo?

A caminho da sala de jantar, ouviu alguém vomitar no banheiro. Pensou em oferecer ajuda. A porta do banheiro abriu e por ela resvalou uma Vanessa diáfana, de nariz úmido, cabelo suado, um desmaio no sorriso pálido. Megan retribuiu-lhe o sorriso. A beldade meneou seus contornos de volta à mesa.

Megan ainda fez hora diante das fotos antigas dos Bezerra Leitão, nas paredes do corredor. Temia ver Diogo debater-se na rede atirada por Antonia. Para a ativista, era pouco provável que o grupo na sala de jantar estivesse, de fato, interessado em se informar sobre direitos animais. Humanos comedores de carne são veganos enrustidos, ela afirmara a Diogo uma vez, mencionando um livro da ecofeminista Carol J. Adams (e perdendo um ponto no bloquinho, acusada de panfletária). Treinados, desde crianças, a reprimir sua aversão à carne e a fechar os olhos à opressão dos animais, os veganos enrustidos atormentam-se com seu conflito íntimo e investem, irados, contra os assumidos. A briga com os veganos distrai os enrustidos do próprio bloqueio, explicara Megan (e Diogo fechara o bloquinho para esconder a vontade de brigar com ela). Se Diogo respondesse à pergunta sobre as plantas, seria atacado com uma disparada de novas objeções. Os humanos precisam da proteína da carne. Os humanos precisam resolver primeiro os problemas humanos. Os humanos fazem uso da razão. Os humanos receberam de Deus o direito de dominar as outras criaturas. Essas e outras objeções já estavam mais do que contestadas em livros e websites acessíveis a qualquer interessado. Quem quisesse que os consultasse! Diogo não deveria oferecer-se ao ataque dos enrustidos. Não deveria distraí-los de seu bloqueio, sobre os restos das vítimas de uma batalha perdida.

Se a saída de Megan da sala de jantar possibilitou-lhe refletir e reafirmar suas orientações estratégicas, deixou Diogo mais à vontade para decidir, por si mesmo, como lidar com o interrogatório sobre as plantas. Ele encheu a boca de tomate e mastigou devagar.

— Então, meu filho, e as plantas?, responda logo sobre as plantas! – impacientou-se o patriarca.

Diogo apontou a boca e fez um sinal para que Bezerra Leitão esperasse um pouco. Dona Marcela interveio:

— Deixe o menino engolir, Bezerra. É falta de educação falar de boca cheia.

Diogo prosseguiu com a mastigação. Enrustidos sempre podem sair do armário, ponderou. Para muitos, o passo decisivo só depende de um pouco de informação. Não à mesa de jantar, preconizava Megan, não enquanto se ingerem corpos amigos. Mas será que não mesmo? A probabilidade de os parentes de Diogo lerem um livro ou visitarem um website sobre o assunto era muito menor do que a de prestarem atenção a alguma explicação que ele pudesse dar ali mesmo, entre a última mordida nas sobras de tomate e a primeira na sobremesa. Respirou fundo, organizou um texto comedido e de fácil deglutição e decidiu expô-lo antes que Megan voltasse à sala de jantar.

— Acho que a melhor forma de responder a questão das plantas é resumir a teoria dos direitos animais – começou.

Mirou seu auditório, um lugar frio de olhos em branco e guardanapos à boca. Avançou:

— Meu resumo é bem simplesinho mesmo, só para dar uma pincelada geral no pensamento. É baseado nas idéias do filósofo Tom Regan e do advogado Gary Francione.

— Esse Tom Regan é parente daquele presidente americano que teve Alzheimer? — perguntou a hostess, certa de estar animando uma conversa que, no seu entender, definhava.

— Não sei, mãe. Um é Regan, sem a. O outro é Reagan, com a.

— Deixe Diogo explicar logo essa filosofia, Marcela — rosnou o patriarca.

Diogo retomou o fôlego:

— Bom, é o seguinte. Primeiro eu quero deixar claro que ninguém deve passar por cima de um direito, tá? Ninguém deve violar os direitos humanos nem os direitos animais, mesmo que a violação traga muitas vantagens a muitos indivíduos. Então... vamos lá. Tom Regan diz o seguinte. Da mesma forma que os humanos, muitos, mas muuuuuuitos animais mesmo, têm uma consciência complexa, uma identidade psicofísica, emoções e vida social. Esses animais são alguém, não coisas. Portanto, têm valor intrínseco. Então, como os humanos, eles têm direito à vida, à liberdade e à integridade física.

O lugar frio e quieto nos olhos em branco como guardanapos. A impertinência dos talheres na porcelana. Diogo mexeu-se na cadeira. Continuou:

— O advogado Gary Francione pensa um pouco diferente. Ele acha que ninguém precisa ter consciência complexa para ter direitos. Basta ter senciência, quer dizer, basta ser capaz de sentir dor, prazer, etc... basta ter consciência das próprias sensações. Em outras palavras, basta ter consciência de si mesmo. Quem é senciente, seja gente ou animal, tem valor intrínseco e portanto tem um direito básico, que é o de não ser tratado como propriedade dos outros. Francione é um abolicionista. Ele quer o fim da exploração de todos os animais sencientes, assim como os abolicionistas queriam o fim da escravidão humana. E para conseguir abolir a exploração dos animais as pessoas têm que, antes de mais nada, ser veganas.

Patrícia guinchou:

— Prefiro essa filosofia aí! Parece que é um pouco mais simples!

Dona Marcela desconstruiu:

— Acho que o advogado tentou fazer ela mais simples para os animais também entenderem, né?

E catou as risadas em volta, o gozo vazando da fenda sobre o queixo infantil. Sua sensibilidade de anfitriã indicou-lhe que aquele era o momento de preparar a mesa para o bolo de aniversário. Seus dedos rechonchudos sacudiram o sininho.

A voz de Bezerra Leitão emergiu das gargalhadas gerais como um golfinho das águas brilhantes:

— Se esse negócio de direitos animais pegar, daqui a pouco vai ter burro se formando advogado e tirando o emprego de muito doutor por aí!

E mergulhou de volta, espalhafatosa.

— Falando nisso, lembrei de uma piada — disse Rodrigo. — O motoqueiro ia a mil por hora entregar uma pizza, não viu uma pombinha e pá!, atropelou a coitada. Esse motoqueiro ficou com tanto dó da pomba que desistiu de entregar a pizza e levou o bichinho ao veterinário. O veterinário deu um sedativo para a pomba, tratou dela e disse ao motoqueiro, Ela vai precisar ficar em repouso. O motoqueiro comprou uma gaiolinha, colocou a pomba dentro, botou a gaiolinha no quarto dele, com água limpa e um pedacinho de pão seco, e saiu para prestar satisfação no emprego. Daí a pouco a pombinha acorda, olha em volta, vê as grades da gaiolinha, vê o pão seco, vê a água, bota as asinhas na cabeça e arrulha: Putaquepariu, matei o motoqueiro!

Entre risadas, dona Marcela passou um pito em Rodrigo, Não diga nome feio, meu filho. A voz de Patrícia irrompeu:

— Eu tenho uma piada de planta. Mas é meio suja. Posso contar, tia Marcela?

Todos olharam para o padre.

— O que o senhor acha, frei Cristiano, a Patrícia pode contar a piada? – consultou dona Marcela.

O clérigo pensou rápido, Nada acontece por acaso, Deus deve ter agraciado a irmã gorda e feiosa de Vanessa com algum talento, quem sabe o de contar piadas, para demonstrar Sua infinita misericórdia.

— Se não for suja demais, uma piadinha bem contada sempre serve como expressão da inspiração divina – consentiu.

Dona Marcela espiou o corredor vazio. Nenhuma empregada atendera seu chamado. O sininho badalou com mais vigor. As bochechas de Patrícia moveram-se como arraias, afogueadas:

— A horta de uma mulher ia muito bem, só que os tomates não ficavam vermelhos. Então ela pediu um conselho à vizinha. A vizinha disse que conhecia uma simpatia para avermelhar tomate que era tiro e queda. Olha, a vizinha falou, hoje, quando der meia-noite, a senhora vá lá na horta e tire toda a roupa na frente dos tomates. Eles vão sentir vergonha e vão ficar vermelhinhos. A mulher achou a coisa muito esquisita, mas resolveu fazer a tal simpatia assim mesmo. De manhã, a vizinha apareceu na cerca e chamou a mulher, E daí, deu certo a simpatia? A mulher respondeu, Deu mais ou menos, ficar vermelhos os tomates não ficaram, mas os pepinos cresceram quinze centímetros!

Frei Cristiano sorriu e pousou os olhos no prato como quem se desfaz de dois caroços de azeitona.

De volta à sala de jantar, Megan enredou-se nas gargalhadas. Diogo lhe disse baixinho que brasileiro faz piada com tudo, Foi tranqüilo, honey, resumi a teoria para eles e ninguém me atacou, Dá a impressão que o que eu disse entrou por um ouvido e saiu pelo outro, mas tudo bem, alguma coisinha sempre fica, Plantei a semente, Se vai vingar só o futuro poderá dizer. Megan achou ótimo, Ainda bem que não agrediram você, honey, As pessoas são imprevisíveis, Já vi que, à mesa dos debochados brasileiros, o sistema enrustido/assumido apresentou uma dinâmica diferenciada. Caçoou de Diogo, Lembra quando era você que marcava pontos contra minha pregação naquele bloquinho? Os dois riram ri ri ri. Megan teve vontade de aprender português para contar a piada dos veganos trocando a lâmpada. Deixe que eu conto, disse Diogo.

— Sabem quantos veganos são necessários para trocar uma lâmpada?

Silêncio. Ninguém estava interessado em piada de vegano.

— De quantos? — balançaram as bochechas solícitas de Patrícia.

— De dois. Um para trocar a lâmpada e outro para checar se ela contém ingredientes animais.

Patrícia foi a única que riu:

— Eu acho que você e Megan têm toda a razão em ser veganos, Diogo. Não entendi direito sua explicação sobre direitos animais, mas deve estar certíssima. — Virou-se para Antonia. — Mãe, também quero ser vegana.

Antonia fincou seu garfo em um chouriço:

— Vai ser vegana depois que virar maior de idade, se não tiver mudado de idéia. Por enquanto sou responsável pela sua saúde. Agora coma esse chouriço ou fica sem bolo.

Patrícia mordeu com satisfação o cilindro apimentado, feito de sangue e tripa de porco. Vanessa mordeu outro. Frei Cristiano guarneceu o chouriço na boca de Vanessa com as azeitonas pretas dos olhos.

Antonia não deixou a verve piadista brasileira diluir o debate:

— Não estou convencida de que as plantas não sejam capazes de sentir dor e não tenham consciência de si mesmas, Diogo.

Dona Marcela miou seu desespero:

— Por favor, Antonia, Diogo, todo mundo. Vamos esquecer essa polêmica das plantas. Vamos continuar a rir e brincar num clima leve e aconchegante. — Berrou, furiosa, na direção da cozinha: — Como é que é, alguém se habilita a vir aqui tirar esta mesa ou será que eu e o Bezerra vamos ter de ir até aí? — Suave, pediu desculpas aos comensais. — Tem gente que só obedece no grito.

Enough, chega de falar de plantas, honey, pediu Megan a Diogo. Mas a resposta a Antonia já pulava da língua dele, transposta dos livros, websites e das conversas com sua namorada:

— Plantas não têm cérebro nem sistema nervoso. Não sentem dor. Não foi provado, até agora, que tenham senciência.

— Mas só porque uma coisa não foi provada, não quer dizer que não vá ser, um dia — disse Tiago.

— Se for provado que as plantas têm senciência, isso não vai mudar o fato de sabermos que os animais têm e que devemos respeitar seu direito de não ser usados. A questão sobre as plantas desvia a atenção do assunto que realmente importa.

Bezerra Leitão sentiu-se ofendido:

— Ninguém aqui está querendo desviar do assunto.

— Diogo subestima nossa honestidade — disse Rodrigo.

— E nossa inteligência — disse Tiago.

— Ele está complicando a explicação de propósito — disse Antonia.

Vanessa nublou seus lindos olhos de corça:

— Vai ver que ele considera a gente um bando de criminoso, só porque a gente gosta de um bifinho.

O padre viu-se no dever de conciliar os antagonistas:

— Animal, planta, tanto faz. O Senhor deu aos homens o domínio sobre todas as coisas.

E comungou um tomate com toucinho, fervoroso.

Diogo reprimiu o impulso de criticar a falácia religiosa da supremacia humana. Megan disse-lhe alto, para que todos ouvissem, em inglês mesmo, e com um sorriso cintilante nos olhos laminares, Por favor, honey, vamos mudar de assunto, peça a Tiago que declame alguns de seus poemas e a Rodrigo que nos conte o enredo de seu filme. Mas Diogo teimou. Já que tinha ido até ali com a bendita questão das plantas, por que não encerrar o debate com apenas mais um esclarecimentozinho?

— A criação e a matança de bilhões de animais todo ano estão entre as práticas que mais destroem a natureza. Para o bem dos animais, dos humanos e das próprias plantas, é melhor comermos só plantas — concluiu.

Rodrigo raspou uns olhos titubeantes na cara do pai. Bezerra Leitão mastigava um palito e olhava a parede. Rodrigo arriscou:

— Talvez você tenha razão, Diogo. — Espiou a reação do patriarca outra vez. De olho na parede, Bezerra Leitão quebrou o palito. Rodrigo reviu seu ponto de vista: — Mas e daí que tenha razão? Quando se trata de hábitos alimentares, as pessoas não são racionais.

— Rodrigo falou muito bem — concedeu Tiago, esticando seus dedos de garfo sobre a toalha. — Outra pessoa que abordou o assunto com muita sagacidade foi o grande escritor Machado de Assis. Ele disse que a razão o inclinava ao vegetarianismo, mas admitia ser um vegetariano por princípio e um carnívoro irrecuperável na prática. Para ele, Deus é vegetariano, mas o homem não pode escapar do carnivorismo.

— Pois eu concordo com os escritores Machado de Assis e meu irmão Tiago — reforçou Rodrigo, bajulador. — As pessoas nunca vão parar de comer carne.

— Vão sim — faiscou Patrícia com a polêmica e a pimenta. — Se Diogo, que era carnívoro inveterado, virou vegano, qualquer um pode virar.

— O que Diogo virou foi um chato! — grasnou Antonia. — Os politicamente corretos fizeram uma lavagem cerebral nele, lá nos Esteites.

Diogo tentou parecer tranqüilo. Veganos bloqueados, repetiu em pensamento. O problema são eles, não eu. Eles têm medo de mudar, eu não. Sou uma ameaça às suas patéticas certezas.

As contestações estilingavam:

— Plantação também destrói o ambiente.

— Se todos os animais forem soltos, não vai sobrar lugar para gente.

— Animais não têm alma.

— Animais também matam animais.

— Animais não respeitam os direitos humanos.

Antonia riu:

— Se Diogo vivesse na Idade Média, ele ia defender o direito dos ratos de espalharem a peste bubônica!

Rodrigo rugiu:

— Na opinião dele, nós é que somos as pragas!

— Por ele, a gente ia tudo para a cadeia — provocou Vanessa, fazendo beicinho.

Dona Marcela lamentou a tempestade de argumentos que açoitava sua atmosfera de cristais e porcelanas. Sentia-se um fracasso como hostess. A conversa não se mantivera amena o tempo todo, como seria de bom-tom. Entre os comensais não reinara a concórdia, como rezava a etiqueta. O que pensaria frei Cristiano da anfitriã? O que diria Antonia aos outros familiares, amigos e, principalmente, ao dono do jornal local? O que comentaria a namorada de Diogo, lá nos Estados Unidos? Dona Marcela apalpou o ombro acolchoado, em busca de conforto. Não era capaz nem de fazer uma copeira tirar a mesa.

Um vulto na passagem que levava à cozinha atraiu seus olhos cheios d'água. Arregalou-os:

— O que é isso? Perdeu o juízo, criatura?

À entrada do corredor plantava-se dona Orquídea, de camiseta de propaganda, saia de algodão e chinelo de dedo. Nas mãos, seu uniforme dobrado e as sapatilhas chinesinhas.

— Quero cozinhar para a senhora mais não, dona Marcela. Vim pedir as contas.

Dona Marcela espiou Antonia e cravou os olhos nos dedos dos pés de dona Orquídea. Precisava poupar a seus hóspedes a visão daqueles horrores, cinco raízes na ponta de cada pata, avançando para as laterais — dez lombrigas, aqueles dedos, monstros cegos e surdos investindo contra os comensais. Dona Marcela levantou-se da cadeira, despachada, Vamos ter uma conversinha. Tocou dona Orquídea para um quarto cheio de livros que Tiago tratava como sua biblioteca.

— Bezerra, entretenha os convidados que eu já volto — disse ao marido, e marchou no rastro da empregada.

Bezerra Leitão não gostava de receber ordens da mulher na frente dos outros. Não iria entreter convidado nenhum. Até porque ali não havia convidado propriamente dito, só gente da família e o padre, além da americaninha. Meteu uma orelha de porco na boca e nela trabalhou os dentes, austero.

— Os pés, criatura, pelo menos calce as chinesinhas! — ordenou dona Marcela.

Dona Orquídea obedeceu e disse:

— As moças implicaram comigo porque estou ganhando o dobro só para cozinhar planta. Elas mandaram dizer à senhora que estão paradas. E que querem ganhar mais do que eu porque o trabalho delas é mais difícil.

Se dependesse de dona Marcela, ela daria tchau e bênção àquelas atrevidas. Mas havia um evento comemorativo do aniversário de seu filho a ser concluído aquela noite, de preferência com um bolo. E havia mais seis dias pela frente de outros zelos com alguns hóspedes. Se dona Marcela se visse de repente sem as empregadas, minhanossassenhora. Já podia imaginar Antonia futricando, A falta de respeito pela Marcela é tamanha, naquela sede, que as cozinheiras entraram em greve e uma delas teve o topete de pedir as contas na frente dos convidados.

— Pois você vista de novo o uniforme e volte para a cozinha. Explique às outras que seu uniforme foi de butique, foi mais caro. Diga que, no frigir dos ovos, quando pagar tudo o que me deve, vai acabar ganhando o mesmo que elas.

Dona Orquídea não gostou de descobrir que estava sendo ainda mais embromada do que normalmente era. Não teve coragem de reclamar. Mas conseguiu desafiar os olhos aquilinos de dona Marcela com os próprios:

— Vá lá a senhora, que é a patroa, e explique.

As pálpebras altivas de dona Marcela tremelicaram. Ela conseguiria colocar todas as empregadas em seus devidos lugares, se falasse com uma de cada vez. Mas ficou com medo de enfrentá-las em grupo, durante um motim, e ainda mais na cozinha, com todas aquelas facas à disposição.

— Espere um momentinho, Orquídea. Vou chamar Vanessa para resolver seu problema.

Ao sinal da tia, Vanessa deixou a mesa à qual se falava, para o grande interesse de Diogo e Megan, sobre a campanha de castração de cães e gatos organizada anualmente pelo frei Cristiano na cidade de Perobinha do Campo. Dona Marcela conduziu a beldade à biblioteca, colocou-a a par dos acontecimentos e passou-lhe a obrigação sob o peso das sobrancelhas:

— Foi você que inventou a história de pagar o dobro para a Orquídea. Agora vá à cozinha, acabe com a rebelião e mande uma daquelas vadias servir esse maldito bolo, antes que azede. Anda!

Vanessa assustou-se com o olhar de águia da tia, rondando a cozinheira encorujada. Achou que a melhor maneira de resolver depressa a situação seria pagar dobrado a todas, por aquela semana:

— Pago do meu próprio bolso, tia Marcela. Não quero que a senhora tenha despesa extra por minha culpa.

A empregada desenterrou uma vozinha raquítica:

— Pagar o dobro a todas você pode pagar, Vanessa, acho até bom. Mas então tem de pagar um pouquinho mais, ainda, para mim. Meu uniforme de butique é mais caro que o delas.

Vanessa não entendeu, De butique? Que os empregados dos Bezerra Leitão contraíssem uma dívida com os patrões ao usar as ferramentas de trabalho ela achava mais do que justo. Pois aquelas patas brutas não eram uma espécie de mãos de Midas ao contrário, conforme dissera seu tio? Enferrujavam antes do tempo tudo que fosse metal, quebravam tudo que fosse madeira, rasgavam tudo que fosse tecido. Sangravam antes da hora tudo que fosse carne. Ninguém podia imaginar o prejuízo que teria Bezerra Leitão, se fosse obrigado a assumir os estragos sozinho. O prejuízo era tamanho, garantira o patriarca, que a maioria dos empregados tinha de ficar trabalhando o resto da vida na fazenda, sem conseguir quitar as dívidas. Mas eles estavam acostumados à servidão. Pertenciam a uma longa linhagem de vassalos. Não traziam o gene da independência nem o da dignidade. Assim como as longas linhagens de criação de gaiola, chiqueiro e curral não trazem o gene da vontade de ser livre, acreditava ele. Vanessa observou a mão calosa de dona Orquídea coçar as áreas da pele irritadas pela renda. Passar a conta do desgaste dos instrumentos de trabalho para os empregados era uma coisa. Mas daí a esbanjar em butique, em vez de comprar um artigo similar em um estabelecimento mais econômico, eram outros quinhentos e cinquenta. Fazer dona Orquídea pagar por um artigo de luxo era quase que explorar, por assim dizer, uma pessoa sem condição de achar um trabalho melhor. Pela primeira vez na vida, Vanessa sentiu vergonha de ser sobrinha de dona Marcela. Já dissera que pagaria dobrado a todas a empregadas pela semana e cumpriria a palavra. Mas exigiria que dona Marcela calculasse a diferença de preço entre um uniforme de copeira comum e aquele usado por dona Orquídea, e assumisse sozinha o pagamento dessa diferença.

Dona Marcela não aceitaria o dinheiro oferecido pela sobrinha nem em sonho. Ex-modelo publicitária na cidade de Perobinha do Campo, Vanessa posara por dois anos para catálogos de uma loja de roupas e uma revendedora de automóveis, até a aposentadoria precoce na fazenda dos Bezerra Leitão. Sua única renda era uma mesada da mãe. Não seria difícil, para dona Marcela, prever a publicação, na coluna social d'O Correio Perobinha-Campense, de mais uma daquelas notas maledicentes, inspiradas (ela não tinha dúvidas) em fofocas de sua cunhada Antonia: Louca para aparecer às custas dos outros, Marcela Gallo Sardinha Bezerra Leitão abriu as portas de sua vivenda local, a sede da fazenda Mato Grosso, à linda sobrinha Vanessa, rutilante estrela no firmamento de celebridades deste nosso augusto município, e usurpou-lhe o dinheiro, que inescrupulosamente utilizou para pagar não apenas suas assistentes de copa e cozinha, como também um uniforme de luxo envergado por uma delas, de nome Orquídea, a qual assinou as exóticas refeições gourmets isentas de produtos animais servidas na ocasião.

— Não se preocupe com a minha despesa, Vanessa querida. Fique com seu dinheirinho. Você e sua mãe precisam mais dele do que eu — disse a hostess, com uma ponta de desdém.

Da sala de jantar, chegou a elas um clamor dos convivas:

— Bolo! Bolo! Bolo!

Dona Marcela agitou-se, gelatinosa, o buço orvalhado.

— Orquídea, vista o uniforme e volte para a cozinha. Vou mandar o Bezerra conversar com vocês.

Dona Orquídea estremeceu:

— Precisa não. Imagine, seu Bezerra bulindo na cozinha!

— Pelo amor de Deus, vista esse uniforme e sirva o bolo. Depois a gente resolve seu problema.

— Mas eu não terminei de fazer o bolo — disse a empregada. — Faltou Vanessa me ensinar a mexer com aquele coiso lá, esqueci o nome.

Vanessa bateu a palma da mão na testa:

— Ô cabeça! Esqueci de ensinar dona Orquídea a fazer a cobertura de tofu.

A idéia da cobertura de tofu batido no liquidificador com pitanga, baunilha e melado de cana fora de Diogo, inspirado em uma que Megan fizera uma vez, na casa dela, com morango, baunilha e melado de ácer. Fora um custo encontrar tofu. Vanessa perdera quinze minutos inteiros vasculhando em vão todos os supermercados e vendinhas de Perobinha do Campo, até que teve a feliz lembrança de procurar o produto em um dos sete sushi bares que haviam se estabelecido, durante os últimos anos, com grande sucesso, na avenida principal e arredores.

Dona Marcela baixou as sobrancelhas, duas nuvens negras em tempestade:

— Pois com bolo ou sem bolo, com tofu ou sem tofu, eu vou chamar o Bezerra agora mesmo.

Vixe, sussurrou dona Orquídea, e chispou-se até o banheirinho de serviço para vestir o uniforme. Vanessa aproveitou para vomitar no outro banheiro.

Bezerra Leitão compareceu à biblioteca e inteirou-se da situação, duro e impermeável como uma rocha. Sabia com quem as empregadas estavam aprendendo a se rebelar. Elas eram casadas ou amasiadas com trabalhadores contrários à modernização da fazenda. Aquela gente andava se reunindo com uma escumalha de sindicalistas e ambientalistas na vendinha do Norato para lhe aprontar alguma. Bezerra Leitão não deveria fragilizar-se resolvendo pendenga de copa e cozinha. Não deveria gastar cartucho em negociação sobre artigo de butique, muito menos com empregada, e ainda por cima vegetariana, ou vegana, ou a putaquepariu. O patriarca não deveria ridicularizar-se perante a peãozada. Precisava resguardar sua autoridade para a briga feia que talvez estivesse por vir.

— Marcela – disse ele, – meu terreno é o pasto, o curral, os peões, os negócios, os políticos. Para resolver picuinha de cozinheira, é melhor você chamar o padre.

Dona Marcela ergueu o queixo, briosa. Uma gargantilha de ouro enterrava-se entre as camadas de seu pescoço.

— Frei Cristiano é meu convidado. Longe de mim cometer a gafe de expô-lo a uma situação embaraçosa.

— Então chame Diogo! – disse o patriarca. No íntimo, cumprimentou-se pela excelente sugestão. Baixou a voz: — Já que estou considerando a idéia de me aposentar e passar todas as fazendas para ele...

A testa hercúlea de dona Marcela ergueu-lhe as pesadas sobrancelhas:

— Eu teria mais cuidado com isso, no seu lugar. Nosso filho agora é esse troço aí, "vegano". Como é que pode um vegano se responsabilizar por fazendas de gado e porco?

— Por que não? Uma coisa não tem nada a ver com a outra. Mal comparando, veja os chefes do tráfico de drogas. Eles ganham dinheiro com a venda da droga mas não usam a droga, percebe?

— Mas Diogo agora também tem essa coisa de direitos animais. Pelo que entendi, ele acha que ninguém devia ter bicho. Bicho, para ele, só na natureza. Os bichos lá e os humanos, cá.

— Pois é, ele é contra os animais — ressentiu-se o patriarca. Reagiu levando os dedos aos lábios, como se fumasse um cigarro: — Mas eu garanto que quando ele se vir dono de quatro fazendas extremamente lucrativas, vai deixar de frescura. Vai reconhecer que o progresso da civilização depende da cooperação entre bichos e gente.

Dona Marcela concordou. Por que não aproveitar a pequena insurgência das cozinheiras para testar a capacidade de Diogo de lidar com os empregados? Por que não inaugurar a carreira do herdeiro favorito com um prelúdio de subalternos mais dóceis e problemas mais amenos?

Dona Orquídea voltou, engomada no uniforme, engolfada em perfume de alfazema. Vanessa ressurgiu numa sonolência lunar, miasmática. Dona Marcela e Bezerra Leitão decidiram que a sobrinha e a empregada entrariam na cozinha com Diogo. Enquanto elas fizessem a cobertura do bolo, ele negociaria com as revoltosas.

Megan aproveitou o fato de os pais de Diogo terem se afastado por algum tempo do banquete e subiu ao quarto para telefonar a Weekeewawkeeville. Queria saber como iam as coisas em casa. A linha estava ocupada. Digitou o número de Sybil para desabafar sobre seu desgosto de ter de conviver com os Bezerra Leitão durante uma semana. O telefone de Sybil também estava ocupado. Megan resolveu aguardar uns minutinhos antes de ligar outra vez.

A cozinha de Sybil, em Cambridge, abrigava um conflito diferente daquele que se estabelecera na cozinha da sede. Livre dos excessos de temperos, utensílios e garrafas d'água de Bob, dos cadáveres e das secreções animais que ele empregava em seus preparados, e da imundície que ele produzira durante anos de muito cozer e pouco limpar, a cozinha de Sybil respirava agora um ar puro de vegetais crus – mas eternamente virgens. Cebolas, batatas e pepinos; abóboras, laranjas e cenouras; bananas, berinjelas e alcachofras; couves, couves-flores e abobrinhas... uma constelação colorida, suculenta e perfumada de frutas, verduras e legumes, orgânicos, vegânicos ou não, resplendia – nas cestas de vime sobre a mesa, nas sacolas pendentes das paredes, nas prateleiras dos armários e despensas, nas gavetas do fogão e da geladeira – desde a chegada do mercado até o apodrecimento, intacta. Todas as manhãs, ao alimentar os seis gatos, e no início de cada noite, ao alimentá-los outra vez, Sybil confrontava-se com aquele exuberante desperdício de vitaminas, sais minerais, fibras e antioxidantes, e desesperava-se ao ponto de quase chorar. É verdade que às vezes, antes ou depois de um dia de trabalho duro pelas vítimas da violência doméstica, sobrava-lhe algum tempo para preparar um prato ou dois. Mas faltavam-lhe a paixão e o talento. Muito competente para resgatar e assistir a crianças, mulheres e animais abusados, não conseguia resgatar do fogão um refogado prestes a se carbonizar, nem assistir ao cozimento a vapor de um simples maço de brócolis sem deixar-se seqüestrar por algum pensamento distraído, que só a devolveria à realidade quando seu cozido estivesse desfeito, aguado e flácido como um pudim. Pelas suas mãos, de onde precipitavam-se o sal, a pimenta e o azeite em quantidades catastróficas, o preparo de qualquer refeição era uma guerrilha de queimaduras, cortes, quebradelas e pequenos incêndios. Para piorar as coisas, ela decidira parar de consumir produ tos de soja e de trigo que imitassem carne, restringindo ainda mais as possibilidades de um cardápio caseiro já paupérrimo. Claro que ela poderia apelar para os vegetais crus, como fazia com as frutas, quando se lembrava de comê-las. Chegou a produzir charutos de ramos de coentro com pepinos inteiros, embrulhados em folhas de mostarda para serem comidos com a mão. Mas entre ela e um ancestral plistoceno contente em mastigar folhas cruas, acocorado ao pé de um arbusto ou agarrado a um galho de árvore, já se iam alguns milhões de anos. Para Sybil, mimada pelas mágicas de um chef e familiarizada com a culinária alternativa de Boston, Nova York e São Francisco, o salutar crudivorismo envolvia mais elaboração do que meia-dúzia de dentadas em uma cenoura.

Um pouco antes de Megan tentar lhe telefonar, Sybil alimentou os seis gatos, comeu um tomate e começou a roer um pimentão. Ficou olhando Fah, La e Sol lavarem o rosto com as mãos molhadas em saliva. Às vezes dois cortes laminares abriam-se em cada um daqueles universos negros e sinuosos, deixando escapar uma luz da cor da grama. Sybil apagou a lâmpada e acendeu uma pequena vela. Na penumbra, a cintilação dos olhos felinos encantou-a para longe de sua frustração gastronômica.

O telefone tocou. Ela esperou a gravação da mensagem, olhando as faíscas que perfuravam a calmaria escura. Ouviu o recado. Era Bob. Faz tempo que não nos falamos, Sybil, Estou com tanta saudade dos seus gat... de você e dos seus gatos, Gostaria de lhe mostrar minha casa nova, Meus gatos vão ficar contentes em revê-la, Se você quiser posso lhe preparar um jantar – cem por cento do jeitinho que você gosta, naturalmente ri ri ri, Aguardo sua ligação.

Sybil mordeu o pimentão. Cínico. Ela preferia morrer de fome a aceitar uma refeição feita por aquele cara-de-pau. Mesmo sentindo falta dos gatos que tinham ficado sob a custódia dele, evitava-o como o diabo evita a cruz. Três meses de celibato talvez a tivessem deixado mais faminta, mas por certo deixaram-na mais feliz. E mais lúcida. Cada milímetro cúbico e cada segundo do espaço-tempo que era outra vez só seu (a presença dos seis gatos remanescentes tinha a leveza de uma cultuada abstração) atestavam o absurdo que fora seu concubinato com o chef. Ela desfrutava sua solidão voluntária, a elasticidade de seu novo cronograma para tecer a teia miúda da vida doméstica, a desobrigação de expressar, reagir, trocar, aprovar, criticar, ser política e diplomática. Podia distender-se e flutuar sem rumo na circunscrição de sua célula, no fluido de sua casa. Queria ser solteira para sempre. No seu espaço-tempo, nunca mais um evento como Bob. Ou Karen.

Karen. Há muito que não recebia notícias dela. Desde a briga definitiva com Bob, para ser exata. Karen devia estar magoada. Sybil prometera lhe telefonar para discutir sua proposta de voltarem a viver juntas, e nunca mais dera sinal de vida. Ter tratado a doce e generosa Karen com tão pouco caso deixava-a com vergonha de si mesma. Digitou o número da ex-amante e grande amiga para pedir-lhe desculpas.

Quem atendeu foi a doutora Hernandez:

— Sou a companheira de Karen. Ela está preparando o jantar. Quer deixar recado?

— Diga-lhe que Sybil ligou, por favor.

Silêncio. Sybil completou:

— Estou ligando só para saber como ela está.

Silêncio. E uma voz seca:

— Só isso?

Sybil teria ouvido uma nota hostil na pergunta? Quem sabe sua vergonha e sua culpa estivessem distorcendo a intenção da interlocutora.

— Só isso, quero dizer, diga-lhe também que meu celular não mudou. E que meu e-mail continua o mesmo.

Silêncio. Sybil deveria dizer Thank you e desligar? A aridez da doutora Hernandez arranhou o aparelho:

— Está bem. Mas acho que ela não vai ter tempo de entrar em contato com você. Estamos muito atarefadas no santuário. — Sua voz hidratou-se e pintou-se de algumas cores. — Acabamos de trazer uma adulta tuberculosa do Alasca e uma nenezinha subnutrida do México. A coitadinha foi contrabandeada de uma floresta da Índia para ser a atração principal de um pequeno zoo da aldeia de Puebla.

Sybil afobou-se, preocupada:

— Então vou desligar já! Estimo melhoras às pacientes.

— Obrigada — ressecou a doutora.

Sybil acendeu a lâmpada e apagou a vela. Estava curiosa quanto à nova companheira de Karen, mas não muito. Queria que Karen tivesse uma união feliz, mas não muito. Não porque sentisse inveja de seu novo romance. Desejava-lhe muita felicidade, mas de outro tipo. Desejava-lhe a felicidade solitária, como a sua. Guardou na geladeira o resto do pimentão mordido. A ingestão dos vegetais crus e puros tinha operado o paradoxo de alimentá-la e excitar seu apetite. Ela sentiu um desejo primordial de empanturrar-se. Pensou em telefonar a um restaurante indiano para encomendar uma refeição fumegante e bem condimentada. Olhou os volumes vistosos e nutritivos, de contornos sensuais, em curiosas combinações de cascas, polpas, grãos e folhas, que exalavam vitalidade ao seu redor. Da cesta, da sacola e das prateleiras, os vegetais intocados denunciavam sua incompetência em economia doméstica, sua alienação da terra, sua frouxidão revolucionária. Ela ligou para a casa de Megan em Weekeewawkeeville. Quem sabe sua filha pudesse lhe passar uma deliciosa receita com vegetais que não precisassem ser cortados, temperados nem cozidos.

Deixe seu recado a Megan ou Diogo Bip, disse a secretária eletrônica.

— Megan, é a mamãe. Você e Diogo devem estar jantando ou preparando a janta, aposto. Alguém aí pode falar comigo?

Seu chamado foi atendido:

— Sybil? Aqui é River.

— River...? Como vai?

— Melhor impossível. Estou preparando a janta e adoro cozinhar. E converso com você.

Silêncio. Ele continuou:

— Megan e Diogo estão no Brasil.

— Ah, eu não sabia... – Sybil calou-se. Não queria evocar sua finada negligência materna. Corrigiu-se: – Quero dizer, saber eu sabia. Mas tinha esquecido a data da viagem deles.

— Voltam em uma semana. Vou passar algumas noites aqui e cuidar dos cães e gatos.

Um tilintar de talheres e louça pontuava sua fala.

— Você está cozinhando o quê? – perguntaram as papilas gustativas de Sybil.

— Cozinhar não é a palavra certa. Estou fazendo comida crua. O cardápio de hoje é pesto de sementes de cânhamo, espaguete de batata doce e salada de tomate com tamarindo.

A boca de Sybil encheu-se d'água.

— Pois eu queria estar aí para jantar com você – desabafou seu estômago.

A voz de River pareceu tropeçar em um utensílio e reerguer-se, um pouco ofegante:

— Eu também queria que você estivesse aqui comigo, Sybil.

Ela tentou fabricar qualquer coisa para lhe dizer. Só conseguiu produzir um riso desafinado. Fazia três anos que não via River. Mas ainda se intrigava com a lembrança de seus olhos teimosos, dois moleques brincando de azul nos relevos de seu corpo. Três anos antes, desviara-se deles, refugiando-se atrás de Bob, num jogo de pega-pega. Eles estavam por toda parte, os olhos do namoradinho de sua filha, duas pedras cristalinas fincadas na sua passagem, para ela tropeçar. Iscas em armadilhas montadas no sofá para atraí-la. Adornos brilhantes para tapeá-la. Balas de algas ao alcance de sua língua. Durante toda a semana de folga da primavera, três anos antes, não se passara um dia sem que River lhe trouxesse um livro, um chocolate, um maço de flores. Megan olhava com inveja os presentes oferecidos pelas mãos convidativas, aracnídeas, que Sybil, constrangida, evitava tocar. Quando o desejo de River tornou-se óbvio até para Megan e Bob, as duas safiras azuis foram suspensas no vazio e imobilizadas por fios invisíveis. Se quisesse, Sybil poderia admirá-las de longe, sub-reptícia. Não podia, não quis. Agora, se quisesse, poderia lançar-se à isca, lamber as balas de algas, emaranhar-se na teia das mãos aracnídeas. Poderia perder o jogo de pegador. Se quisesse, poderia sugar a voz de River até senti-la na própria garganta.

— Logo vamos poder jantar juntos — disse ela. — Megan deve ter-lhe contado que vou mudar para Weekeewawkeeville.

— Verdade? Ótimo! Sua filha não me contou nada. Quando você vem?

Sybil embatucou de novo. O fato de Megan não ter anunciado sua mudança a River tirou seus pensamentos do lugar. Ela teve de recolhê-los e realinhá-los. Talvez o golpe que ele dera em Megan, com sua irresponsabilidade e seu desejo desastrado, ainda doesse. Ficar perto da filha, oferecer-lhe apoio, inspirar-lhe coragem: essa era a razão principal da transferência de Sybil para o sul. As safiras azuis deveriam continuar paralisadas no vácuo.

— Não sei quando vou mudar. Já achei comprador para esta casa. E poderei continuar meu trabalho na Flórida, dentro da mesma organização que me contrata aqui. Mas preciso comprar uma residência confortável para uma humana com seis gatos.

— Isso vai ser fácil. Ontem vi duas casas à venda, perto da universidade. Posso pegar todos os dados e passá-los a você.

— Obrigada. Se uma das casas me interessar, irei vê-la o mais cedo possível.

— Hospedagem você já tem: no meu apartamento — amornou-se a voz, teceram os dedos de aranha, melaram as balas de alga. — Com comida crua caseira.

Sybil salivou e só disse É muita gentileza sua, antes de desligar.

Megan também desligou o telefone, no quarto na sede, depois de mais uma tentativa frustrada de falar com a mãe. Voltou à companhia dos outros na sala de jantar. De pé, Tiago começava a recitar um poema:

a perhappiness da performance?
talvez uma felicidade de recibo
embora dores-de-ficar de azar público
vigilancie a colheita de novidade achada
de recente perda ou parada
veredas douradas
um chamar a desmamar
as balanças quebradas
as ervas ser-meadas do sim e do não
dança e canto
por reclamares te chamares
acontecimentos por acaso
o tempo curto em casa.

Frei Cristiano puxou os aplausos, mais emocionado pelo vinho do que pela poesia que o primogênito acabara de recitar:

— Belíssimo poema! Excelente performance declamatória! — Com a palma das mãos voltadas para cima, indicou o poeta Tiago e a contadora de piadas Patrícia. — Não há dúvida de que o Divino Espírito Santo contemplou esta família com a marca do gênio!

Dona Marcela agradeceu ao padre pelo elogio. Estudou a reação dos outros convivas, especialmente a de Antonia, com um sorriso aflito a lhe espremer as covinhas. Queria ter certeza do sucesso de sua idéia de realizar um sarau literário à mesa de jantar, até que a rebelião das cozinheiras-copeiras fosse debelada e o bolo de aniversário, servido. Para sua alegria, Antonia concordou com o julgamento de frei Cristiano. A jornalista admitiu que a qualidade do poema do primogênito superava suas expectativas. Chegou a dizer ao autor que gostaria de ler todas os seus textos. Reconheceu na obra uma citação de Leminski e a influência desse sofrido poeta poliglota e cosmopolita, como também um esforço de busca do novo e uma vontade lúdica. Não tão excitada pelo vinho quanto o padre, prometeu informar-se, entre seus contatos no mundo editorial, sobre a possibilidade de publicar os poemas de Tiago num pequeno volume, desde que todos eles tivessem a mesma qualidade daquele.

O autor arregalou os olhos desconfiados. Seus longos dedos afagaram a toalha de mesa:

— Obrigado, titia. Mas meus poemas não estão à venda.

Rodrigo gargalhou, aliviado. Não sobreviveria ao trauma de ver uma obra do irmão nas livrarias antes de ver um filme seu em uma tela qualquer, mesmo que fosse só a do laboratório cinematográfico. Patrícia disse que não tinha entendido nada do poema, mas que ele era mesmo muito bonito. Sugeriu ao poeta que expusesse suas obras em um website e ao cineasta que realizasse seu filme com a câmera do telefone celular.

— Isso é para amadores – respondeu-lhe Rodrigo. Pregou os olhos no pai, que pregava os seus no relógio da parede. – Confie em mim, Patrícia. Um dia eu chego lá.

Megan também apreciara o poema, pela cadência e o som. Gostaria de ouvi-lo muitas vezes, como se faz com uma música, mesmo que não se entenda sua letra. Atirou ao autor um sorriso com uma grande generosidade de dentes. Tiago recolheu-o com ares de prima-dona.

Dona Marcela convocou Rodrigo a expor seu projeto de cinema. Ele esquivou-se, Há uma razão para alguém se expressar com um audiovisual e essa razão é que só palavras não bastam. Mas naquela fase do projeto ele estava trabalhando em um storyboard com um conhecido seu que era desenhista e, num futuro bem mais próximo do que se pensava, teria prazer em exibir o resultado a quem se interessasse, plano por plano.

Dona Marcela pediu licença um instantinho e foi ao seu quarto. Voltou com três bichos de pelúcia nos braços e enormes orelhas de coelho na cabeça.

— Em nosso sarau não poderiam faltar alguns trabalhos de Diego — choramingou.

Bezerra Leitão foi fumar na varanda. Megan, Antonia, Patrícia e o padre experimentaram com os dedos a textura dos pêlos e das penas artificiais, impressionados com a semelhança entre as miniaturas de pelúcia e os animais verdadeiros. Frei Cristiano aventou, só em pensamento, a possibilidade da ex-modelo Vanessa fechar o sarau com um desfile de roupas de praia e campo, e deslizou a palma da mão pelos contornos de uma gatinha e um pingüim. O cineasta Rodrigo desdenhou aquela arte industrializada de corte e costura e estofamento, que ele considerava menor, sob o desprezo ainda maior de Tiago, que tinha a poesia na conta da mais sublime entre todas as manifestações artísticas.

Parabéns a você nesta data querida, veio cantando pelo corredor um coro de empregadas com Vanessa e Zé Luiz. Na frente, Diogo com o bolo.

Dona Marcela observou a evolução do cortejo, paralisada. Que raio era aquilo, minhanossassenhora? De quantas asneiras seria capaz seu herdeiro favorito? De quanta vulgaridade? Por reflexo, seus olhos inspecionaram os pés das serviçais, ocultos pelas chinesinhas. Suas orelhas de coelho alvoroçaram-se, Antonia, frei Cristiano, afligiu-se ela, Será que, Se não se incomodam, Seria melhor... Mas os dois convidados mais importantes já repetiam o parabéns junto com o grupo híbrido e implausível. Deuzicreide e Silvanira passaram a louça suja para um carrinho, deixaram-no num canto da sala e correram a se reunir aos outros para cantar tudo de novo, só que errado de propósito, os versos encavalados. O padre também superpôs o primeiro verso à balbúrdia e recomeçou a cantoria dessincronizada, enquanto Antonia berrava a música de trás para diante. A anfitriã permitiu-se então relaxar um pouco e soltar uma risada, revertendo os músculos à habitual consistência de geléia. Nem reparou que o marido voltara à mesa com o cigarro aceso, comportamento banido da sede desde que, durante um chá beneficente, ele deixara cair cinza nos petits fours do rei da soja.

Bezerra Leitão travou as mandíbulas e retesou o couro do rosto, refratário à farra. Vanessa inaugurou o pique-pique, E pro Diogo nada? Tudo! Megan adorou o ritmo e o som daquilo, é pique é pique é pique é pique é pique, é hora é hora é hora é hora é hora, rá tim bum, pediria depois à camponesa com nome de flor que lhe ensinasse o lindo poema. Diogo concentrou-se em um desejo, o de que todos os animais do planeta vivessem livres da opressão humana, e apagou com um único sopro as vinte e quatro velinhas de soja adquiridas pela namorada no mercado Mother Earth.

Pratos de bolo em mãos, os empregados afastaram-se para perto do carrinho de louça suja. Dona Marcela espiou-os saborear as fatias, tímidos. Por mais tarimbada que fosse no entretenimento de grupos mistos, ela não conseguiria criar oportunidades para integrar todas as roceiras e o moço da porquinha à roda de convidados nobres. Não saberia sequer dirigir-se aos serviçais de maneira adequada. O vocabulário de que dispunha para interagir com eles não se aplicava às circunstâncias presentes. Como aproximar-se de Deuzicreide, por exemplo, e dizer, na frente de Antonia e do padre, A-gemada-com-leite-está-muito-rala-Faça-tudo-de-novo, sem soar como uma completa idiota? A presença dos empregados na sala de jantar, comportando-se como convivas, sabotava seu talento de hostess. Eles não se ajustavam ao espaço de salamaleques e frivolidades que tanto enobreciam como alegravam seus banquetes. Dona Marcela viu-se no dever social de acelerar ao máximo a última etapa de sua recepção. Sem perder tempo em desfazer-se das orelhas de coelho, guardou o bolo na geladeira para prevenir segundas porções. Voejou de mão em mão, roubando, com seu garfo, bocados dos pratinhos dos comensais e metendo-os na boca. Deu uma trombada em frei Cristiano, derrubando da santa mão uma garrafa prestes a verter vinho em uma taça empunhada por Vanessa. Depois atraiu o sacerdote até o jardim, onde as cadeiras eram inexistentes e a estrada, mais próxima, e empurrou-o com delicadeza até Pôncio Pilatos, seu escravo de montaria, que estava atrelado ao galho de um ipê. Frei Cristiano, meio zonzo, montou o cavalo e partiu. De volta à sala, dona Marcela dirigiu-se a Antonia e inventou que organizara um álbum com fotografias da cunhada ao lado de cada um de seus ex-maridos, e que não sabia onde o guardara. Ébria de álcool e nostalgia, Antonia convocou Patrícia a ajudá-la a vasculhar toda a sede para encontrar o registro e dar sumiço nele, começando, por orientação da anfitriã, por uma velha arca de jacarandá no quarto que ocupava com a filha caçula.

Livre dos convidados mais ilustres, dona Marcela sentiu-se à vontade para dirigir-se às cozinheiras-copeiras:

— Limpem já isto aqui. Não quero ver nem um cisco. Depois podem ir embora. Menos a Deuzicreide, que ainda tem serviço.

Dona Orquídea trocou de roupa e foi-se embora tão depressa, com Zé Luiz, que a hostess foi poupada da visão de suas fortes raízes de árvores, largas como chapas, percorrendo o assoalho patronal sobre um gasto par de havaianas. Megan lamentou a partida precoce da camponesa, a quem disse uma frase formulada às pressas com a ajuda de Diogo, Bolo com tofu estava muito gostoso dona Orquídea obrigada boa noite.

Bezerra Leitão saiu para uma caminhada com o herdeiro favorito. O exercício despertou sua perna entorpecida, e o ar livre, seus pulmões. O patriarca acendeu um cigarro, tragou-o profundamente e, engasgado com a fumaça, tossiu ao filho que lhe contasse todos os detalhes da negociação na cozinha.

Dona Marcela recolheu-se ao seu quarto, confusa. Sentia-se deslocada na própria casa. A presença de um novo Diogo com a estranha branquicela havia virado seu território de pernas para o ar. Havia tornado um banquete de fidalgos em um forrobodó de joões-ninguém, uma tradicional celebração familiar em uma festinha de caridade. Como um obstáculo em locais estratégicos, o casal Megan & Diogo determinara a interação dos elementos de um espaço que, até então, fora composto e manipulado por ela. Fizera-a comportar-se como uma atriz forçada a mudar sua atuação no final do espetáculo, por causa de um problema no cenário. Há alguma coisa errada com espaços que forçam pessoas a mudar. Ambientes não deveriam determinar a ação humana, assim como cenários não devem determinar a ação dos personagens. Ou deveriam? Dona Marcela olhou-se no espelho. Viu uma senhora gorda e exausta, com uma impecável gola de visom e esdrúxulas orelhas de lebre. Usar orelhas de animais deixa as pessoas ridículas. Já usar a pele dos animais não, pensou. A pele dos animais, sobre os corpos das pessoas, deixa-as chiques. Há um lugar certo para cada coisa, cadeira perto de mesa, porco dentro de panela, visom em roupa chique, pobre em cozinha de rico. A regra parecia simples, mas, naquela noite, dona Marcela quase ficara sem rumo, no novo espaço. Talvez ela devesse começar a pensar em parar de receber. Talvez a atividade de uma boa hostess sofresse o mesmo processo que as carreiras dos profissionais realizados: início promissor, auge invejável, crepúsculo patético e a honrosa aposentadoria. Ela tirou as orelhas de coelho, despiu-se e vestiu a camisola de seda. Meteu-se na cama para ver a novela das dez. Acordou com alguém batendo à porta.

— Entre! — ordenou, de mau humor.

Deuzicreide serviu-lhe uma xícara de gemada ao leite com uísque. Dona Marcela tomava o preparado todas as noites, antes de dormir, para evitar acordar faminta, no meio da madrugada. Experimentou um golinho:

— Falta açúcar.

— Sim senhora — murmurou Deuzicreide, levando de volta a xícara à cozinha.

Dona Marcela sempre achava defeito na gemada, não importava o quanto Deuzicreide caprichasse em seu preparo. A empregada pôs mais duas colheres de açúcar na beberagem, cuspiu nela, misturou-a, requentou-a.

— Ficou um pouco melhor — rosnou a matrona, o buço pintado pelo leite cor de ouro.

— Posso ir embora, dona Marcela? — pediu Deuzicreide.

— Que horas são?

— Quase onze.

– A que horas você começou hoje?

Toda noite era isso. Dona Marcela reclamava da gemada com leite quente e uísque. Deuzicreide voltava à cozinha, corrigia o defeito da beberagem e cuspia na xícara. Quando pedia para ir embora, precisava dizer que horas eram e a que horas tinha começado.

– Comecei às sete da manhã.

Dona Marcela suspirava, mártir:

– Tá bom, vá embora, vá.

Bezerra Leitão entrou no quarto pouco antes da meia-noite. Dona Marcela roncava estrepitosamente. Ele começou a desabotoar a camisa em silêncio. Ela acordou com o roçar de seus dedos nos botões de osso.

– Ah, que noite! – engrolou. – E só Deus sabe que outras mazelas vou ter de suportar, durante a semana.

Bezerra Leitão plantou na cama o tronco seminu onde murchavam duas pequenas tetas grisalhas. Levou à boca os dedos esticados, prendendo uma nostalgia de tabaco, e abortou a inalação da fumaça imaginária. Dona Marcela ficou alerta. O gesto inconsciente de fumar indicava que o marido tinha alguma coisa importante para dizer. Ele começou:

– O menino negociou uma semana de pagamento em dobro para as cozinheiras-copeiras.

O pescoço de dona Marcela esparramava-se sobre os travesseiros como um acolchoado. Sua fenda articulou-se:

– Então ele mostrou que é um banana!

– Ao contrário – corrigiu Bezerra Leitão com toda a delicadeza de que era capaz. – Ele driblou as cozinheiras que lidam com carne. Elas queriam receber ainda mais do que o dobro, dizendo que carne dá muito trabalho.

– E como ele driblou aquelas metidas?

O patriarca sentou-se em cima dos próprios dedos para evitar que eles subissem à sua boca e o tentassem com a lembrança do vício.

— Diogo decidiu que, durante esta semana, nenhuma delas vai precisar cozinhar produtos animais.

— Santo Deus, só me faltava essa — bufou dona Marcela. Ajeitou os travesseiros contra a parede e sentou-se, esmagando-os com as volumosas costas. — O que é que eu vou fazer com um bando de mulher parada na cozinha?

Orientei as cozinheiras a serem criativas, Megan, a inventarem receitas e temperos, a desenvolverem pratos que suportem uma prolongada permanência no freezer. Institui um concurso para eleger a idéia culinária mais original.

— Diogo é astuto — comentou o patriarca, cheio de orgulho. — As moças vão ganhar dobrado, sim. Mas vão ter de se esforçar mais!

— Isso é verdade — admitiu dona Marcela. — E não vão ter tempo para fofocas.

Mas haja criatividade para seis cozinheiras produzirem pratos originais com quatro ingredientes durante uma semana, disse Megan, abraçada ao travesseiro. Na fazenda não se planta nada além de arroz, feijão, milho e tomate? Isso é um absurdo, numa área rural tão grande.

Antes se plantava café, honey. Agora, planta-se quase que só milho para o consumo do gado e dos porcos principalmente, em rotação com o feijão para a subsistência dos empregados. O arroz e o tomate vêm mais do mercado do que do solo da fazenda.

— É a mesma coisa em quase todas as áreas rurais do planeta — disse o ambientalista da ONG Sorriso Verde-e-amarelo, na venda do Norato. — A vontade e a ciência de plantar estão desaparecendo junto com a fertilidade da terra. O agrotóxico e o rebanho estão cobrindo o mundo de desertos.

Diogo imitou Silvanira, Agora as pranta do seu Bezerra Leitão é as vaca e os porco. Depois tentou verter a frase para o inglês do caipira americano, com a voz anasalada e a boca torta, His plants is cows 'n' hawgs.

— Diogo também determinou que uma das funções de Silvanira será explorar outras possibilidades vegetais nos mercados de Perobinha do Campo — continuou o patriarca, animado.

Dona Marcela chacoalhou o corpanzil:

— Ra ra ra, explorar outras possibilidades vegetais nos mercados, ri ri ri, você está começando a falar como seu filho, já vi que esse negócio de veganismo pega. — Contraiu a fenda, tombou as espessas sobrancelhas sobre o rosto: — Na minha língua, isso quer dizer gastar dinheiro com um monte de verdura sem graça, enquanto a gente pode simplesmente matar um porco.

E desta você vai gostar, honey. Dona Orquídea bateu o pé, não quer saber de trabalhar na sede por dinheiro nenhum deste mundo.

Cool, disse Megan, largando o travesseiro e abraçando Diogo, Vou poder interagir com ela em seu próprio ambiente!

— Está ficando topetuda, a Orquídea. Disse que não vai mais aturar desaforo de colega e muito menos de patroa — contou Bezerra Leitão.

— Orgulho de pobre — garantiu dona Marcela. — Azar o dela. Vai demorar mais ainda para pagar o uniforme de butique.

Bezerra Leitão raspou a garganta, talvez de saudade da fumaça:

— Diogo aboliu o pagamento de todos os uniformes, benzinho.

— Aquele tonto! – rosnou dona Marcela. – Não sabe com que raça está lidando. Empregada, quando a gente dá a mão, arranca o braço.

— As elites, quanto mais têm, mais querem – disse o militante sem-terra ao ambientalista, na venda do Norato. – Quê que o Bezerra Leitão fez com as terras esgotadas, por exemplo? Assim que viu o Incra de olho nelas para fazer assentamento, começou a cobrir todas de concreto para criar animal preso.

Já pensou, Diogo, uma fazenda inteira nas suas mãos?

Nas *nossas* mãos, honey, Me dá cá esses peitos, Me dá um beijo.

A gente vai transformar a fazenda numa agrofloresta vegânica e comunitária, com um santuário de vacas e porcos.

Diogo soltou os seios da namorada e abraçou o travesseiro, Vamos ver, honey.

Como assim, *vamos ver?*

Well, vamos ver. As coisas são muito complicadas, Megan. Dá um beijo, tô morto de sono.

— Nosso filho não é nada tonto. Se você pesar tudo, avaliar os termos da negociação, vai concluir que Diogo obteve mais do que concedeu. E tem outra, Marcela. Sem perceber, com o aumento para as empregadas ele está dando a entender aos trabalhadores que estou disposto a resolver o problema deles.

— Pura demagogia! – gritou o diretor do Sindicato dos Trabalhadores Rurais da Região de Perobinha do Campo. – Bezerra Leitão e o fresquinho do vegetariano pensam que vão comprar a gente com um aumento de uma semana para as nossas mulheres!

— A atitude deles só vem refletir a determinação das elites de perpetuar a exclusão social do trabalhador do campo — disse o militante sem-terra.

— Proponho a imediata mobilização das bases para uma ação direta conjunta! — disse o diretor.

— Peraí, peraí — falou o presidente do sindicato. — Este não é o momento para a ação direta que o companheiro tem em mente. As bases estão desarticuladas. Olhem para esta assembléia. Tem meia-dúzia de gatos pingados.

— Concordo — interveio o ambientalista. — Falta unidade entre o projeto dos sem-terra, o dos empregados da fazenda e o dos ambientalistas.

— Precisamos nos posicionar com clareza quanto a tudo isso e insistir mais um pouco nas negociações pacíficas com Bezerra Leitão — disse o presidente.

— Discordo! — berrou o diretor. — As negociações já se arrastaram demais. Nesse meio tempo, o fazendeiro ficou ainda mais rico. E o trabalhador? O trabalhador está sendo rebaixado de explorado a desempregado.

— A ação direta não vai resolver nosso problema — afirmou o presidente. — Ao contrário, vai colocar a opinião pública e a polícia contra nós.

— Vai resolver parte do nosso problema sim — berrou mais baixo o diretor — porque vai dar prejuízo ao fazendeiro, mostrando, na prática, que temos poder: neste caso, o poder de controlar seus lucros. A ação direta também vai chamar a atenção dos setores progressistas nacionais e internacionais para a terrível situação dos empregados rurais e do meio ambiente desta região. Ou seja, a ação direta que eu proponho vai ter conseqüências positivas para nossas causas, sem dúvida nenhuma, principalmente se levar alguns de nós para o xilindró!

Dona Orquídea procurava seguir a fala de um e de outro, zonza. Se fosse capaz de decorar ou escrever algumas daquelas palavras, poderia perguntar depois, a Zé Luiz, o que elas queriam dizer. Sentiu orgulho do filho por ele compreender o que os homens berravam na venda do Norato, no meio da noite. Onde teriam aprendido a falar tão difícil? Teriam encontrado tempo para freqüentar a escola? O único sujeito com pinta de ter diploma era o ambientalista, um branquicelo de pulso fino e cheirando a citronela, chamado Goiabeira. Os demais pareciam-se com Zé Luiz e cheiravam como ele, curtidos pelo sol sobre a bosta das vacas. Seus protestos e argumentos chocavam-se na frente dela como pássaros de um bando assustado. Dona Orquídea sentiu-se estúpida e infeliz. Deveria ter ido para casa dormir, em vez de aceitar o convite do filho para conhecer uma assembléia.

— Perguntem à mãe de Zé Luiz — caçoou Norato. — Perguntem a opinião dela.

Dona Orquídea sentiu o coração disparar. Teve a impressão de que todos os olhares empurravam-na contra a parede dura e fria. Norato queria que ela falasse mais. Mas ela já falara muito, contara tudo o que se passara horas antes, na sede, com palavras simples que Zé Luiz enfeitou de difíceis: como — quase sem querer, mais de birra das próprias colegas do que da patroa — mandara as cozinheiras-copeiras pedirem aumento por aquela semana de trabalho, desafiara-as a não atenderem ao sininho de dona Marcela e servira como porta-voz da decisão de fazerem greve.

Norato insistiu, sardônico:

— Perguntem a dona Orquídea o que ela acha de vocês se lançarem a uma ação direta conjunta.

Zé Luiz não gostou de Norato caçoar de sua mãe. Guardadas as proporções, ela demonstrara ser tão combativa quanto qualquer militante pela reforma agrária, a carteira assinada ou a preservação ambiental. Norato não a trataria com tão pouco caso, se ela fosse homem ou, então, se tivesse marido.

— Faz tempo que a mãe quer vir a uma assembléia — disse Zé Luiz. — Aproveitei que hoje saí junto com ela do serviço. Aproveitei que ela tem esse assunto da rebelião na cozinha e o aumento dado pelo filho de Bezerra Leitão.

Norato caiu na gargalhada, ra ra ra, rebelião em cozinha, re re re, aumento de uma semana dado por um veadinho que tem dó de matar bezerro. Na arena circundada por rostos sérios, a risada de Norato pinoteou sozinha.

— Pois Zé Luiz fez muito bem em introduzir dona Orquídea ao nosso grupo — disse o presidente do sindicato. — É uma honra contar com a colaboração de uma senhora capaz de mostrar tanta coragem e iniciativa em seu ambiente de trabalho, qualquer que seja ele.

Dona Orquídea deixou escorrer um sorriso encabulado.

— Norato ri do que não entende — opinou Zé Luiz. — Não tem patrão nem precisa de terra. É dono de venda. Eu, quanto mais trabalho, mais devo a Bezerra Leitão. Norato, cada vez que vende uma mercadoria, lucra cinqüenta por cento.

Norato reagiu:

— Mas bem que você usa e abusa da minha venda e das minhas mercadorias. Tem dívida pendurada a perder de vista. Nas assembléias, é quem mais consome a fiambrada que eu ofereço de graça com broa de milho.

Dona Orquídea deu uma cotovelada no braço do filho:

— Coisa mais feia, Zé Luiz. — Voltou-se para o comerciante. — Não foi essa a educação que dei a esse menino, seu Norato. O senhor nos desculpe.

Norato amoleceu.

— Tem nada não, senhora — resmungou.

A reunião seguiu noite a dentro. Aos poucos, com alguns sobressaltos, dona Orquídea pôde montar o quebra-cabeça de que passara a fazer parte como uma peça estranha. Compreendeu o jogo de palavras difíceis, familiarizou-se com os jogadores e descobriu seus objetivos. Como as de seu mundo conhecido e as de todos os mundos de que ouvira falar, as palavras daquele jogo tratavam de abusos de vulneráveis por parte de poderosos.

As palavras do diretor do sindicato jorravam com uma raiva hemorrágica, quase tão intensa quanto a opressão milenar que ele combatia. Elas inflamavam sua garganta, inchavam as veias de seu pescoço, tingiam seu rosto de vermelho. Chamava-se Pé-de-anjo, o diretor, e representava os trabalhadores na condição de Zé Luiz e dona Orquídea, que Bezerra Leitão deixava morarem na fazenda para cuidarem dos animais e da roça. Ele enumerou seus objetivos e insistiu em seu ponto de vista:

— Redução da jornada. Carteira assinada. Aumento de ordenado. Fim das dívidas com instrumentos de trabalho. E curso gratuito de operação das instalações modernas, para a gente poder competir com o pessoal trazido pela Holy Hill. Mas, como nenhuma dessas exigências foi atendida, uma ação direta se faz necessária.

O presidente do sindicato insistiu:

— Não antes de esgotarmos todas as possibilidades não-violentas de negociação!

O presidente era, na opinião de dona Orquídea, a pessoa com melhores modos ali. Toda vez que ele abria a boca, ela se acanhava, com medo de que ele lhe dirigisse a palavra para mostrar respeito à única senhora presente. Tinha cabelo amarelinho de verdade, diferente do de Doralice, a loura da zona que Zé Luiz namorava. Seu nome era Alemão. Seus objetivos, os mesmos de Pé-de-anjo, com exceção da ação direta.

— Que ação direta é essa, Zé Luiz? — dona Orquídea cochichou. Zé Luiz fez que não ouviu.

— Bezerra Leitão virou puta da Holy Hill — esbravejou Pé-de-anjo. — Associou-se à empresa nas fazendas de Goiás, Mato Grosso e Mato Grosso do Sul. Agora está repetindo a putaria aqui.

— Que putaria é essa, Zé Luiz? — sussurrou dona Orquídea. Alemão olhou para ela. Ele a havia escutado! Dona Orquídea vexou-se. Pensar nome feio ela pensava bastante, achava gostoso. Mas podia contar nos dedos de uma só mão as vezes em que um nome feio passara de seu pensamento para sua língua. Puro azar um cavalheiro ter flagrado a palavra putaria em sua boca!

— Bezerra Leitão está fazendo o mesmo que vários fazendeiros do Centro-Oeste do país — explicou-lhe Alemão, enquanto os olhos dela procuravam um canto distante para se esconder. — Eles estão se associando à empresa de biotecnologia Holy Hill, na criação intensiva de animais, principalmente porcos. Quem não aderir à onda perde a competição pelo mercado, tanto o nacional quanto o de exportação. A senhora sabe o que é empresa de biotecnologia, criação intensiva, essas coisas, não sabe, dona Orquídea?

Dona Orquídea olhou para o chão. Não lhe bastasse bancar a boca-suja na frente do educado sindicalista, devia também passar pela humilhação de escancarar-lhe sua ignorância. Norato bufou, sarcástico. Zé Luiz socorreu a mãe:

— Tenha dó, Alemão, qualquer um sabe que criação intensiva é aquele mundaréu de criação presa no espaço mais pequenininho possível para dar o maior lucro possível. E que empresa de biotecnologia é a firma de agrotóxico, droga e mais um bando de coisa que dão a impressão de fazer bem, mas fazem um mal danado, tanto para a criação quanto para a gente, a terra, as plantas, a água e o ar.

O ambientalista Goiabeira tomou a palavra, para o alívio de Dona Orquídea. Ela poderia relaxar os nervos e deixar de acanhamento, enquanto Alemão não se manifestasse outra vez. Mas Goiabeira também olhava para ela:

— De certa forma, a atitude de Bezerra Leitão é compreensível. A Holy Hill entra com uma espécie de pacote completo: alimento para os animais, agrotóxicos, instrumentos, drogas, tudo interdependente. E entra também com pessoal treinado para mexer com essa coisa toda.

— A Holy Hill entra até com a porra de um veterinário! – gritou Pé-de-anjo, os olhos tentando perfurar as pálpebras baixadas de dona Orquídea. – Esse veterinário dá desconto ao fazendeiro que usar as drogas da empresa. A senhora percebe, dona Orquídea, a teia de produtos e serviços que a Holy Hill tece para prender o cliente?

Dona Orquídea fez que sim com a cabeça. Passara a ser o destino de todas as explicações. Aqueles homens por certo a consideravam uma tapada. Ela achou apropriado fazer um comentário. Seus olhos ergueram-se do chão, mas chocaram-se com os de Alemão e caíram de novo.

— O esquema da Holy Hill é caro, dona Orquídea – continuou Alemão.

— É só para fazendeiro grande, dona Orquídea — disse Pé-de-anjo.

— Mas dá lucro rápido, mãe — intrometeu-se Zé Luiz.

— E dá lucro rápido porque acelera a produção às custas de muita droga — disse o sem-terra.

Dona Orquídea afobou-se e respirou fundo.

— É droga para tudo, o tempo todo, dona Orquídea.

— Droga para curar os animais, sempre doentes por causa da superlotação.

— Droga para duplicar ou triplicar o peso deles.

— Droga para aumentar a produção de leite e ovos.

— Droga para matar pestes e parasitas.

Dona Orquídea sentiu falta de ar.

— Esse monte de droga tem efeitos colaterais terríveis, dona Orquídea.

— Para não ter prejuízo, o fazendeiro precisa mandar os animais ainda bem jovens para o matadouro, antes que os efeitos colaterais se manifestem.

Pé-de-anjo berrou:

— Eu, os companheiros aqui presentes e também a senhora, dona Orquídea, cada vez que tomamos um copo d'água, estamos tomando as drogas que a Holy Hill despeja no ambiente!

Dona Orquídea não suportou mais a pressão. Pulou da cadeira e deu um safanão em Zé Luiz:

— Tá ouvindo, safado? Toda vez que você come a fiambrada do Norato, engole junto esse monte de droga que os fazendeiros dão pros porcos!

Fez-se um silêncio de igreja. Dona Orquídea tapou a boca com a mão. Envergonhada, sentou-se. Espiou os homens imóveis nas cadeiras. Nenhum olhava para ela. Norato levantou-se e começou a encher um saco plástico com latas de refrigerantes e bolachas. Pé-de-anjo baliu:

— Questão de ordem! Sem dispersão, por favor. Vamos voltar à pauta. Eu quero dizer o seguinte. Com biotecnologia ou sem biotecnologia, com destruição de ambiente ou sem, o pobre precisa dar de comer à sua família. Eu e os companheiros por mim representados trabalharíamos com muito gosto nas instalações modernas de Bezerra Leitão, se o filho-da-puta nos desse uma oportunidade. Mas nos tornamos obsoletos. Vamos ter de deixar sua fazenda.

— Serão recebidos de braços abertos em minha comunidade — caçoou o sem-terra.

Houve uma gargalhada geral. O sem-terra disse, em tom gaiato, que estava falando sério, que seu acampamento na beira da linha de trem não era a Granja do Torto, mas dispunha de uma infra razoável, com lonas novas, instalações sanitárias no Rio Perobinha, atendimento médico no posto de saúde de Perobinha do Campo e até cesta básica mensal distribuída pelo governo federal.

— A cesta básica mal dá para o gasto — avisou — mas morrer de fome vocês não vão. Onde comem cem famílias comem duzentas.

Dona Orquídea achou muito bonito o fato de o sem-terra, um indivíduo que não tinha nem onde cair morto, fazer graça com a própria situação. Ser assim era quase como ser um filósofo ou um artista, refletiu. Chamavam-no de Pardal. Era miúdo e espevitado como o pé de um passarinho. A pobreza devastara cedo demais suas gengivas, nas quais resistiam alguns tocos.

Norato pegou duas latas de fiambrada de uma prateleira. Viu os olhos de dona Orquídea destacados num rosto rígido, voltado para ele. Pôs as latas de volta em seu lugar e pegou uma grande, de goiabada. Abriu-a e serviu fatias do doce com broa de milho. O sem-terra afundou com gosto as gengivas no petisco.

— Pardal tem uma coisa para nos dizer hoje — anunciou Norato, entregando ao sem-terra a sacola plástica que enchera de refrigerantes e bolachas.

Pardal ficou de pé. Dona Orquídea pôde ver o petisco bailar sobre sua língua, por trás das gengivas seminuas.

— Comunico aos companheiros que não tenho mais o que fazer por aqui — disse ele. — Norato já percebeu isso e desconfiou que só venho às assembléias para comer de graça... — Os homens riram. Norato espichou seu riso sardônico, lutando contra uma força que curvava seus lábios para baixo. — Sou pobre para caralho, mas tenho dois tesouros: disposição para brigar e disposição para foder. E se não sei quando parar de foder, sei quando parar de brigar. Nestas terras mortas, dominadas por Bezerra Leitão, já foram assentados porcos e vacas. Aqui não há futuro para família de gente. Esta é a última assembléia que faço com vocês.

— Pera lá, Pardal — disse Pé-de-anjo. — Você e os outros acampados vão dar toda essa moleza para o Bezerra Leitão?

— Não vamos dar murro em ponta de faca — respondeu Pardal, encostando-se na soleira da porta. — Tem muita terra devoluta por aqui, pedindo para ser invadida.

— Mas vocês podem capitalizar esse fracasso temporário — flamejou Pé-de-anjo — lançando-se à ação direta que eu propus...

— Chega de falar nessa ação direta! — interrompeu Alemão. — Não haverá ação direta nenhuma. Ponto final.

O ambientalista bocejou seu hálito de citronela. Olhou as horas. Dona Orquídea admirou a magreza de seu pulso, circundado pelo relógio, lembrando um dedo com aliança. Goiabeira coçou o couro cabeludo em círculos, com as mãos em forma de caranguejo.

— O que temos de fazer, pessoal, é esboçar um projeto comum aos empregados de Bezerra Leitão e aos ambientalistas, que identifique os trabalhadores rurais como guardiões da natureza, e não como seus destruidores — advogou. — E quando eu falo natureza, eu me refiro à fonte de alimentos, água e ar necessários à vida. Teríamos de convencer Bezerra Leitão a empregar, em condições justas, centenas ou talvez milhares de trabalhadores na recuperação de suas terras esgotadas, na descontaminação de suas águas, na plantação orgânica de diversos alimentos e na criação orgânica de animais. Para isso, teríamos de apresentar-lhe evidências do enorme potencial econômico da produção orgânica sustentável.

— Concordo — disse Alemão. — Mas Bezerra Leitão só vai pensar no assunto se contar com incentivos do governo.

— Claro — disse Goiabeira. — Mas infelizmente o interesse do governo é incentivar o agronegócio imediato, do tipo que Bezerra Leitão faz agora no Centro-Oeste, porque esse negócio gera divisas. De forma que temos de fazer um trabalho herculeo de convencer também o governo...

— Burocratas! Pelegos! — cortou Pé-de-anjo, as carótidas rompendo-lhe a pele do pescoço. — Deixar a resolução dos nossos problemas nas mãos do capitalista e do governo é admitir nossa impotência para mudar o status quo. É adiar indefinidamente essa mudança. A ação direta que eu proponho, ao contrário, vai eliminar, aqui e agora, parte do monstro de concreto que Bezerra Leitão tem criado com a exploração dos trabalhadores e com a depredação dos recursos naturais!

Dona Orquídea farejou baderna e destruição de algum tipo, entre aquelas palavras complicadas. O instinto de preservação recomendou-lhe cautela. A timidez, compostura. Mas a força da curiosidade abriu-lhe a goela e soltou-lhe a língua. Ela agarrou o braço do filho:

— Zé Luiz, me explique, pelo amor de Deus, que ação direta é essa?

Não falou cochichado. Falou alto, de propósito, para atrair todas as atenções e trazer de novo, à superfície, o desejo perverso que os homens presentes tinham de exibir seu conhecimento e humilhar uma ignorante. Quando qualquer um deles, até mesmo Alemão, voltasse o rosto para ela e lhe dirigisse a resposta tão desejada, ela não baixaria os olhos de vergonha. Não perderia o ar. Não deixaria o coração errar o compasso.

Mas ninguém tomou conhecimento de sua estridente vontade de aprender.

— Veja bem, Pé-de-anjo — disse Goiabeira ao diretor do sindicato. — Claro que nenhum de nós vai conseguir impedir que você se lance à ação direta, se estiver determinado a isso. Mas seu ato partirá exclusivamente de sua consciência, sem o encorajamento ou o endosso deste comitê.

— Eu quero fazer essa ação direta com Pé-de-anjo! — vibrou uma voz feminina.

Dois ou três segundos se passaram até que os homens reunidos na venda tivessem a certeza de haver escutado a voz de dona Orquídea. Zé Luiz puxou-a pelo braço, Vambora mãe, tá muito tarde e a senhora cansou. Norato riu seu sarcasmo, sacudindo a cabeça.

Pé-de-anjo acolheu a manifestação da voluntária com uma esperança renovada. Pouco lhe importava que dona Orquídea não tivesse a mínima noção do que acabara de dizer. Havia semanas que ele tentava recrutar ativistas para a ação direta, entre a base e a liderança, sem sucesso. A militância da região era um zero à esquerda, em sua opinião. Não contava com homens de fibra, como os que atuavam no Rio Grande do Sul, em Mato Grosso do Sul ou mesmo em outras áreas do estado de São Paulo. Era passiva, portanto reacionária. A base era ingênua: esperava sentada as providências de um governo que traía a esquerda, em conluio com os capitalistas do agronegócio globalizado. As lideranças eram covardes: pregavam medidas reformistas e conciliatórias que perpetuavam o poder dos exploradores. Pé-de-anjo espiou sua aliada pelo rabo do olho. Mal ou bem, e ainda que sem consciência política, aquela senhora participara de uma ação direta com outras cozinheiras, produzindo uma greve selvagem que lhes rendera um pequeno aumento provisório de ordenado. Dona Orquídea não era grande coisa, mas era um começo. Era uma adepta. Quando os outros militantes soubessem que Pé-de-anjo começara a encontrar adeptos, passariam a cooperar com ele e, ao mesmo tempo, entre si. Essa cooperação voluntária seria a semente de um coletivo anarquista na região de Perobinha do Campo, uma das ambições do diretor.

— Bem-vinda à luta, companheira — disse ele a dona Orquídea.

Alemão interferiu:

— O companheiro Pé-de-anjo está sendo antidemocrático. Está manobrando uma inocente. Dona Orquídea não sabe nada sobre a ação direta que o companheiro propõe, por isso não pode aderir a ela.

Dona Orquídea não gostou de ser considerada uma inocente pelo sindicalista de melhores modos ali. Gostou menos ainda de ouvi-lo dizer que ela não sabia nada sobre a tal ação. Saber não sabia mesmo, verdade fosse dita. Só oferecera seu apoio para tentar descobrir que ação era aquela, e depois, se fosse o caso, daria uma banana para todo mundo e não apoiaria coisa nenhuma. Mas quem Alemão pensava que era, para dizer a Pé-de-anjo a que ações ela poderia aderir e a que ações não? Dona Orquídea não agüentava mais ser tratada como uma simplória por aquele bando de homens, em que até um sem-terra sem dente e sem onde cair morto se metia a falar como um doutor de faculdade.

Zé Luiz atirou-se de novo à defesa da mãe. Tentou impressionar os colegas com o uso de alguns jargões da militância:

— O companheiro Alemão também está sendo antidemocrático e autoritário, ao negar à companheira minha mãe a escolha da opção alternativa de se lançar à ação direta. Proponho que um dos companheiros explique a ela a questão para que, em seguida, ela consiga poder ter condições de optar por uma escolha consciente com conhecimento de causa.

Dona Orquídea lambuzou o filho com os olhos cheios de orgulho. Não sabia que, além de entender o compliquês das assembléias, ele também sabia falar o idioma.

— Autonomia para dona Orquídea! — reivindicou, num berro, Pé-de-anjo.

— Autonomia para dona Orquídea! — repetiu Pardal, encostado na soleira da porta.

Dona Orquídea conseguia ser de novo o centro das atenções. Teve de rebelar-se contra a própria timidez, enfrentando o fluxo de sangue fervente no rosto altivo. Pé-de-anjo sentiu-se o mais indicado para dar-lhe a informação pedida. Com certo esforço, soltou uma voz baixa:

— Ação direta, dona Orquídea, é quando...

— Eu já entendi o que é ação direta — ela cortou, esganiçada. — É quando a gente mesma faz um troço, em vez de ficar esperando sentada o patrão ou o governo fazer.

Pardal tentou aperfeiçoar o conceito:

— Ação direta é quando a gente mesmo faz um troço para melhorar a vida da gente, sem esperar a ajuda da lei e do poder estabelecido.

— Não venha me enrolar não, seu Pardal! — irritou-se dona Orquídea. — Eu entendi muito bem a filosofia. O que eu preciso saber é outra coisa. Preciso saber qual a ação direta que eu vou fazer junto com Pé-de-anjo.

Norato lançou seu sorriso mordaz aos colegas. Pardal descolou-se da soleira da porta e voltou a sentar-se na cadeira. Pé-de-anjo deu uma tossidinha.

— O que nós vamos fazer, dona Orquídea — disse ele, fino e brando como um fio de azeite —, é arrebentar umas areasinhas da edificação de concreto e soltar os porcos da criação intensiva de Bezerra Leitão.

Dona Orquídea espantou-se com a ousadia da operação, mas tentou não dar na vista. Pôs os olhos a procurarem conclusões no teto. Norato gargalhou:

— Não esconda nada de dona Orquídea, Pé-de-anjo. Conte a parte mais interessante para uma vegetariana. Ou vai fazer uma surpresa?

Pé-de-anjo fez um sinal para que ele calasse a boca. Dona Orquídea não os via nem ouvia, concentrada no que aprendera com a discussão na assembléia. Refletiu sobre a proposta do diretor. Achou justíssimo diminuir os lucros de Bezerra

Leitão, destruindo um pedacinho do patrimônio que ele cons-
truíra às custas da exploração dos pobres, e que envenenava
tudo que ainda estava vivo. Lembrou-se das objeções de Alemão e Goiabeira. Perguntou sobre a possibilidade de alguém
ir para o xilindró.

— Se alguém for preso, logo vai ser solto — respondeu Pé-
de-anjo na maior tranqüilidade.

Goiabeira interveio:

— Logo vai ser solto coisíssima nenhuma! Se não me engano, o sujeito pode pegar seis anos de prisão por formação
de quadrilha, apologia ao crime e desobediência legal.

Norato arriscou:

— Ouvi dizer que a pena para essas coisas é de quatro
anos, mas o sujeito entra com recurso, recorre da sentença,
consegue anulação da pena e em um mês sai da cadeia.

Até Zé Luiz palpitou:

— O cara apresenta um álibi e em menos de uma semana está na rua.

— Peraí, gente — retomou Pé-de-anjo. — Ninguém vai ser
preso. Vamos tomar muito cuidado para não deixar pistas.

— Vão tomar cuidado mesmo? — certificou-se dona
Orquídea.

— Quanto a isso a senhora não precisa se preocupar —
disse Pé-de-anjo. — E mesmo que alguém cagüete os envolvidos, não vai conseguir provar nada.

O cenário parecia atraente à camponesa. Ficava mais
bonito ainda com os porcos deixando os galpõezões de concreto em direção à mata. Eram quantos bichinhos? Mais de
mil, dissera uma vez Zé Luiz.

— Então pode contar comigo para ajudar a soltar os animais — disse ela ao diretor. — E pode contar com Zé Luiz. Ele

tem muito jeito com porco. Soltou os do nosso chiqueiro tão bem soltinhos que eles nunca mais voltaram da mata, nem para pedir comida.

As pupilas de Zé Luiz farejaram, cismadas, as expressões dos homens. Tentaram adivinhar se, por trás daquelas testas franzidas pela responsabilidade política, a imagem dele começava a se associar, de maneira ridícula, à da porquinha Mortandela. Ele se ergueu da cadeira e tentou arrastar a mãe pelo braço:

— Vambora, mãe, tá tarde.

Dona Orquídea puxou-o de volta ao assento e disse aos outros:

— Nem Mortandela, nossa porquinha preferida, quis saber de visitar a gente. E olhem que ela vivia grudada em Zé Luiz.

A boca de Zé Luiz secou. Ele teve a impressão de ouvir uma risada. Suas pupilas pularam de rosto em rosto, sem registrar nenhum. Dona Orquídea prosseguiu com entusiasmo:

— De casa até a mata é um pulo. Fui tentar achar os danados. Vi quando eles fizeram um ninho grande na terra, reforçando as paredes com galhos, folhas e capim. Tudo limpinho de dar gosto. Eles também me viram. Nuno, Topete e Celestino sacudiram o rabo, de contentes. Jatobá espirrou terra pelo nariz, na minha direção. À noite, eu e Zé Luiz pegamos a lanterna e vimos todos dormindo juntos, no ninho. Todos, menos Mortandela, não foi, Zé Luiz?

Zé Luiz mirava o chão, para onde se voltavam seus ombros e sua cabeça. Sentia a atenção dos homens no rosto rígido. Achou melhor responder qualquer coisa. Ergueu a cabeça e arregalou os olhos:

— Foi.

Sua mãe vibrou uma foz fresca de cascata:

— Mortandela fez um ninho longe dos outros. Está com oito filhotes!

— E o pai é Zé Luiz? — perguntou Norato.

As gargalhadas explodiram. Humilhado, Zé Luiz começou a cortar fatias fininhas de goiabada A faca se mexeu na ponta de seus dedos, contando os segundos, tec, tec, dando tempo para as risadas morrerem. As de sua mãe foram as mais persistentes. O curto silêncio que se seguiu fez doer em seus tímpanos o barulho da faca na lata, tec, tec, deixou mais nítida a ventania da sua respiração. Ele desejou que alguém iniciasse um assunto diferente e espantasse sua vergonha para longe. Dona Orquídea brincou:

— Se Zé Luiz for o pai, eu sou a avó!

O deboche estourou de novo, revigorado. Dona Orquídea cutucou com o cotovelo o braço de Pé-de-anjo, divertida. Norato providenciou outra rodada de broa de milho, para dar fim às fatias do doce, cortadas à transparência pelo namorado da porquinha. Pardal ficou de pé e anunciou que, diante do exemplar entusiasmo com que dona Orquídea se dispunha a lançar-se à ação direta e da lealdade filial que Zé Luiz demonstrava ao não se recusar a segui-la, encherase, ele próprio, de coragem para aderir à proposta de Pé-de-anjo e recrutar aliados no acampamento. Norato abandonou por alguns instantes o tom cáustico, disse que dona Orquídea não era a mulher apatetada que ele julgara ser e, com um toque flácido no ombro do diretor, ofereceu a ele seu apoio logístico.

Goiabeira viu-se no dever de expor outro argumento contrário à iniciativa:

— Do ponto de vista ecológico, a libertação dos mil porcos é uma péssima idéia.

Dona Orquídea, àquelas alturas bastante à vontade até mesmo sob o escrutínio de Alemão, debruçou-se sobre o ombro de Pé-de-anjo e cochichou Ambientalista mais desmancha-prazeres. Goiabeira ouviu seu comentário e viu Pé-de-anjo incentivar a cumplicidade da novata com um leve beliscão em seu cotovelo. Um pouco irritado, continuou:

— O porco é um bicho doméstico que consegue se adaptar muito bem à vida selvagem. Mas o danado come de tudo e se reproduz com facilidade. Se a mata da fazenda, que não é grande, for entregue a mil porcos e seus descendentes, será destruída em pouco tempo.

Dona Orquídea esperou uma objeção por parte de Pé-de-anjo. Diferente do rebelde bocudo que ela conhecera, ele amaciou uma resposta melodiosa:

— Pois é, Goiabeira está coberto de razão. Até porque os animais selvagens que poderiam comer os porcos e controlar sua população foram exterminados pelos fazendeiros há muito tempo. É aí que entram os voluntários para a ação direta, né?, ficando com os porcos que conseguirem pegar para matar a própria fome, ajudando a manter o equilíbrio ecológico da mata, percebeu, dona Orquídea?

— Percebeu, dona Orquídea? — repetiu Norato com sua típica acidez.

Ela percebia. Os ativistas envolvidos na operação levariam alguns porcos inchados de drogas para suas famílias comerem. Ela se viu destrancar os cercadinhos de metal descritos por Zé Luiz e tocar para fora do galpão de concreto, com um pedaço de pau, os animais atolados na merda. Viu o atropelo de guinchos, pernas infectas e olhos aterrorizados. A desorientação, o pânico na saída. E depois a fuga, a fuga da dor, a fuga da dor das pauladas, a fuga da dor das pauladas e facadas. Mais adiante, a mata acolheria aqueles que escapassem do linchamento.

– Acho justo fazer a ação direta para diminuir o lucro de Bezerra Leitão – disse. – Mas acho injusto judiar e se aproveitar dos bichos para fazer a justiça dos homens. Eu e meu filho precisamos pensar direito em tudo isso.

Pé-de-anjo teve receio de perder o apoio da principiante e, com o dela, o de Zé Luiz. Em circunstâncias políticas normais, o afastamento da dupla não faria a menor diferença em termos de tática ou estratégia. Mas, no estágio em que as coisas estavam, a desistência de quase cinqüenta por cento dos rebeldes ameaçaria, pelo efeito dominó, a permanência dos outros quase cinqüenta por cento, compostos pelos novos adeptos Norato e Pardal. O coletivo pró-anarquismo dos sonhos do sindicalista morreria no berço.

– A senhora manda, dona Orquídea – derreteu-se Pé-de-anjo. – No que depender de mim, todos os animais irão para a mata sem um arranhão sequer, pronto e acabou.

Norato e Pardal protestaram, Que veadagem era aquela?, Os porcos eram propriedade do capitalista e como tal deveriam ser tratados pelos revolucionários, Ou dona Orquídea achava que só rico podia comer porco?, Se ela estava com dó dos porcos o problema era dela.

– Se a militância depender de vegetariano – filosofou Norato –, nunca chegará o dia em que alguém vai pôr um pedaço de carne no prato do pobre!

Alemão e Goiabeira também se manifestaram.

– A libertação de mil e tantos porcos é inviável – disse o primeiro.

– Pé-de-anjo está manipulando dona Orquídea com essa história de libertar os porcos – disse o outro. – Bezerra Leitão vai capturar todinhos na mata, um por um.

– E se não capturar, vai criar e matar mais outro tanto no lugar deles – continuou aquele.

– Mas o mais provável é ele capturar todos os porcos – profetizou Goiabeira.

– É, ele vai capturar todos os porcos – reforçou Alemão.

– E vai levar Mortandela junto! – arrematou Goiabeira.

A imagem de Mortandela condenada à morte, empestada de remédios e imobilizada em um cercadinho de metal, deu a dona Orquídea um tipo de dó que, nas manteigas-derretidas feito ela, costuma ser acompanhado de náuseas. Dona Orquídea controlou o mal-estar e matutou. Ganhasse rico, ganhasse pobre, os animais sempre saíam perdendo. Mas isso não queria dizer que ela não devia fazer nada para ajudá-los. Ao contrário, dona Orquídea sentia necessidade, quase uma comichão, de fazer alguma coisa. Alemão e Goiabeira eram muito sabidos, mas não eram adivinhos. Não eram Deus. Só Deus tinha a capacidade de saber o que aconteceria com os porcos depois da ação direta. Então, talvez dona Orquídea pudesse livrar um ou outro da infernal trajetória de privações, doenças, maus-tratos e morte entre o cercado e o abatedouro! A ação direta proposta por Pé-de-anjo dava-lhe essa oportunidade. Soltos, os porcos teriam alguma chance. Era possível que alguns conseguissem esconder-se tão bem, na mata, que nunca seriam capturados. Presos, não teriam chance alguma. E se por acaso o fazendeiro preferisse criar novos porcos nos cercados, em vez de capturar os soltos, dona Orquídea daria um jeito de libertar aqueles também. Qualquer coisa!, gritou-lhe a comichão de ajudar. Qualquer coisa, menos não fazer nada.

Dona Orquídea reiterou aos rebeldes seu apoio e o de Zé Luiz à ação direta. Teria o cuidado de manter Mortandela e seu grupo em seu antigo chiqueiro, até que Bezerra Leitão, uma vez decidido a capturar os porcos libertados, desse a tarefa por concluída. Mas tinha uma condição, a de que Pé-de-anjo lhe garantisse que nenhum militante se apoderaria de qualquer animal. Se o problema dos ativistas fosse fome, explicou, ela sabia como resolvê-lo. Em primeiro lugar, qualquer pessoa que quisesse se envolver na operação poderia jantar no acampamento de Pardal, se preferisse.

Pardal se atrapalhou:

— Bom, a comida é pouca, mas, como eu já disse, onde comem cem comem duzentos...

Dona Orquídea fez-lhe sinal para se calar:

— Peraí que ainda não expliquei o resto. Vai ter comida de sobra no acampamento. Preste atenção.

Continuou a expor sua idéia. A operação teria de ser realizada dentro daquela semana, com a ajuda das cozinheiras-copeiras de dona Marcela, casadas com os homens presentes. Por causa do acordo com o filho de Bezerra Leitão, essas empregadas, junto com outras colegas, estariam inventando e cozinhando inúmeras receitas de puros vegetais, durante sete dias. Mexeriam com tanta comida que dona Marcela, orgulhosa demais para lidar com a cozinha, perderia o controle da despensa e da geladeira (se é que tinha algum). O excesso de comida seria guardado para os famintos, em segredo. Caso dona Marcela desconfiasse de alguma coisa, as cozinheiras lhe contariam uma mentira branca. Diriam que várias receitas inventadas não tinham dado certo e acabaram indo para a lavagem dos porcos. Zé Luiz, de carroça, pegaria a comida todas as noites e a levaria ao acampamento de Pardal, onde havia tanta gente carecida.

Pé-de-anjo, Norato e Pardal acharam o projeto de dona Orquídea bastante sensato. Já Alemão e Goiabeira consideraram-no complicado e inexeqüível. Insistiram no argumento de que seu inevitável fracasso, com as conseqüentes punições dos envolvidos por parte da polícia e do empregador, combinadas à cobertura tendenciosa dos acontecimentos por parte da mídia conservadora, redundaria em um retrocesso do movimento. Numa última tentativa de dissuadir os rebeldes, sugeriram uma reunião daquele comitê com o filho do fazendeiro, o tal Diogo, que estudava qualquer coisa relacionada a florestas numa universidade americana, e que era vegetariano, ou vegano, né, dona Orquídea? Vegano, sim senhor, confirmou dona Orquídea. O fato de ser vegetariano, ou melhor, vegano, e de estudar a natureza, indicava, segundo Goiabeira, que aquele Diogo devia ter uma visão esclarecida da questão ambiental. Na reunião, o comitê objetivaria convencê-lo a intermediar as negociações entre os trabalhadores e seu pai, função que ele exerceria, na opinião de Alemão, imbuído de grande simpatia, para dizer o mínimo, pelas causas que os trabalhadores defendiam.

A proposta do ambientalista e do presidente do sindicato foi recusada imediatamente, com base no fato de que filho de peixe peixinho é, que o tal Diogo, pertencente à classe dominante, jamais defenderia os interesses da classe antagônica à dele. Estudasse esse filhinho de papai floresta, natureza ou a putaquepariu nos Estados Unidos, a realidade era que os imperialistas americanos não estavam lhe ensinando a matéria com vistas ao bem-estar da população brasileira, e sim com vistas ao controle das nossas riquezas nacionais, nossos recursos naturais e nossa biodiversidade. Quanto a ser vegano, o tal Diogo era, antes de tudo, um representante das elites; que os companheiros Alemão e Goiabeira não se esquecessem, disse Pé-de-anjo, de que o motor da história não é o vegetarianismo, nem o veganismo, nem o ambientalismo, nem o veadismo e nem o caralho a quatro, mas sim a luta de classes. Por fim, quanto à ação direta provocar ou não um retrocesso no movimento, que Alemão e Goiabeira se olhassem no espelho pois eles é que faziam o movimento andar para trás, primeiro delegando o poder de decisão ao patrão e ao governo, e agora querendo atrasar mais ainda as coisas, ao tentar enfiar, na negociação, um intermediário pertencente à classe patronal.

Ficou assentado que a proposta de dona Orquídea para a ação direta seria levada a efeito por todos os presentes, menos Goiabeira e Alemão. Os dois se comprometeram a não interferir em nenhuma etapa do processo. Dona Orquídea, Zé Luiz, Pardal, Norato e Pé-de-anjo teriam setenta e duas horas para arregimentar voluntários. Depois desse prazo, todos os adeptos deveriam ficar a postos para agir a qualquer momento.

Si

Dona Orquídea virou-se e revirou-se no magro colchão durante o resto da noite. Pela primeira vez dividia a cama e o corpo com alguém, desde que seu marido deixara este mundo para vigiar seus dois nenéns mortos, no limbo. Esse alguém que compartilhava seu colchão e seu corpo era a Orquídea de antes da sua breve atuação como cozinheira-copeira na sede da fazenda. A velha Orquídea sentia medo e vergonha da nova. Não parava de reclamar da topetuda que atiçara as empregadas a fazerem desfeita a dona Marcela e depois se ombreara com os homens de fala difícil na venda do Norato. Dizia que a atrevida não prestava:

— Ladrona de porcos! Destruidora de edificações!

A nova não engolia desaforo. Mas sabia que melhor do que ralhar é explicar. E tentava responder, no idioma de Pé-de-anjo, uma, duas, três, quantas vezes fossem necessárias e coubessem na noite cheia de solavancos, que a ação direta não iria roubar ninguém nem destruir coisa nenhuma, mas sim confiscar, de Bezerra Leitão, o que ele próprio roubara dos porcos, dos pobres e da mata. O bate-boca das duas era mais alto que o canto de ninar das rãs e dos grilos. Não deixava o corpo musculoso e de terminais de barro relaxar. Ele chutava, se encolhia e se esticava. As vozes briguentas só se calaram quando o céu começou a clarear. Dona Orquídea sentou-se na cama, estorvada pelas pernas, que estavam presas no lençol torcido feito corda.

— Mãe, a senhora falou dormindo — contou Zé Luiz enquanto ela passava o café.

— Falei o quê, menino?

— Não entendi direito. Acho que a senhora falou Holy Hill. Depois disse um monte de coisa terminada em ão, com a língua enrolada.

— Edificação, exploração — disse ela depressa. Teve medo de Zé Luiz achar que tivesse pronunciado o nome Alemão. — Ação. Ação direta. Operação.

— Cuidado, mãe, para não falar essas coisas de novo. Nem dormindo. O que foi combinado na assembléia é segredo.

— Ser besta, filho. Não vou contar o segredo para ninguém. Só para gente de confiança, capaz de ajudar na operação. Feito a Vanessa.

Zé Luiz baqueou.

— Ficou louca, mãe?

— Uai, louca por quê?

— Vanessa é da mesma raça que Bezerra Leitão, pertence à classe dominante, é nossa antagonista. — Titubeou. — Quero dizer, é uma moça boazinha, prestativa. — Baixou a voz e as pálpebras. — Uma mulher bonita e elegante.

— Uma moça rica, mas simples e justa — reforçou dona Orquídea.

Zé Luiz recuperou a verve revoltosa:

— Justa nada. Não existe justiça onde existir rico e pobre. Lembra do que Pé-de-anjo falou sobre luta de classes? Vanessa é nossa inimiga.

— Vanessa é nossa amiga e é amiga dos porcos — corrigiu dona Orquídea. — Ela que teve a idéia de soltar Mortandela e os outros do chiqueiro. Ela que teve a idéia de eu ganhar o dobro na sede.

— Isso não quer dizer que ela vá ajudar a gente a destruir a propriedade do tio dela.

— Deixe comigo. Vou explicar para ela direitinho o negócio da ação direta. Se eu fui capaz de entender, quanto mais ela, que tem estudo e fez curso de modelo. E gosta tanto de nós. Lembra quando vocês dois brincavam juntos, na beira do rio? Feito irmãos. Para mim, ela é como uma filha.

Zé Luiz chupou o café da caneca. Matutou, E daí que a mãe dele, nas suas fantasias sentimentais, considerasse Vanessa uma filha? A vida real não levava em conta os sentimentos de dona Orquídea por Vanessa. Na vida real, uma não era sequer parente distante da outra. Mal comparando, a namorada de Zé Luiz era Doralice, e essa é que era a realidade nua e crua. O fato de Zé Luiz considerar Vanessa como a uma namorada, e o fato de os homens considerarem Mortandela a namorada dele, mudavam essa realidade? Não mudavam um trisco.

— Vanessa não é sua filha, mãe. É sua patroa. É da classe que abusa da senhora.

— Olhe lá como fala da moça, malcriado. Vanessa sempre foi tão boazinha para mim. Nunca deixou de me visitar. Em minha casa, nunca fez cerimônia. Come com tanto gosto a minha comida.

Zé Luiz reconheceu, sem dizer nada, que, caso Vanessa contribuísse com a operação, não seria a primeira nem a última pessoa da classe privilegiada a lutar ao lado da oprimida. Imaginou-se conduzindo-a à renovação libertária, à supressão das diferenças sociais que quase sempre vedam o acesso sexual de homens feito ele a beldades feito ela. Entre os escombros da edificação atacada, mostraria a Vanessa por onde caminhar para não ferir os pezinhos de cetim. Aplacaria seu medo, absorvendo, nos lábios secos pelo sol e a poeira, o suor de sua testa perfumada com loção. Agradecida, Vanessa apertaria os seios contra seu peito duro e enfiaria a língua em sua boca. Doralice flagraria o beijo, louca de ciúmes.

— Vamos discutir o assunto na assembléia de hoje, mãe — ofegou Zé Luiz. — Se a maioria votar na sua proposta de tentar recrutar Vanessa para a operação, a senhora tenta.

Dona Orquídea concordou de bom grado. Achara divertido participar dos debates e das decisões na venda do Norato, cortejada por Alemão, e ainda por cima ajudando os carecidos, fossem gente, fossem porco. Repetiria a experiência sempre que pudesse.

Foi ao galinheiro recolher os ovos. Zé Luiz tinha de levá-los à sede todos os dias, o mais cedo possível. Dona Marcela gostava deles frescos, no café-da-manhã. Mandava Deuzicreide ferver dois e servi-los dentro da casca, ainda moles, com uma colherinha de manteiga e uma pitada de sal, sobre dois pequenos receptáculos de prata. Dona Orquídea voltou para a casa com dez ovos na pequena cesta de arame em formato de galinha, que pertencia à patroa. Alguns ainda estavam quase tão quentes quanto os corpos de onde acabavam de sair. Dez ovos, dez aves. Dona Marcela ficaria tranqüila. Sabia de quantas poedeiras dona Orquídea cuidava e tomava satisfação de Zé Luiz quando ele lhe levava a cestinha com menos de dez unidades. Ao fim de cada semana, devolvia dois ovos ao rapaz, quota a que ele tinha direito conforme o trato com Bezerra Leitão. Dona Orquídea entregou a cesta ao filho, que partiu na carroça puxada pelo escravo Chuvisco.

Tratou das galinhas e limpou a casa. Preparou a bóia de arroz com feijão e milho assado. Pegou a enxada no barracão e saiu para capinar o milharal. Anos antes, vencera as ervas daninhas com herbicida pulverizado sobre elas ou despejado na terra. Um sossego. Sobravam-lhe forças e tempo para aproveitar em outra coisa, geralmente um serviço extra que o patrão lhe arrumava. Mas as ervas daninhas foram renascendo cada vez mais fortes. Não havia herbicida que chegasse para dar conta das danadas. De tanto usar o agrotóxico, os empregados começaram a passar mal. Desconfiavam de que ele estivesse matando borboletas e passarinhos. O milharal ficou ralo e triste. Bezerra Leitão sentiu o excesso de herbicida mexer em seu bolso e avisou que iria parar de adquirir o produto por uns tempos. Mandou os empregados arrancarem as ervas daninhas no muque e na enxada. Goiabeira contou a Zé Luiz que quem tinha tornado as ervas daninhas fortes daquele jeito fora o próprio herbicida.

Dona Orquídea passava pelo Jardim Vanessa quando se lembrou de que não precisaria ir ao milharal. Alguém devia estar fazendo seu serviço na roça, já que ela ficara de cozinhar comida vegana na sede, em regime de tempo integral, durante aquela semana. Como desistira do trato logo no começo, sabia que Bezerra Leitão ainda não tivera tempo e condições de reverter as lides no milharal ao antigo arranjo. Dona Orquídea guardou a enxada no barracão, voltou para a casa e deixou cair na cama seu corpo de tronco e barro. Desde menina não descansava à luz do dia. Era como se estivesse vadiando. Seus olhos fecharam-se à culpa, fazendo de conta que era tarde da noite.

Acordou com o atropelamento de um sonho por um carro. Pulou do colchão e viu, pela janela, uma perua estacionar e largar quatro mulheres na direção de sua casa. A moça da frente era Vanessa. As de trás, duas gorduchas e uma branquicela, dona Orquídea demorou um tiquinho para reconhecer.

— Ó de casa! Tem visita! — gritou Vanessa batendo palmas.

A empregada abriu a porta devagar. Antonia e sua filha caçula, Patrícia, calorentas em blusas sem mangas, vinham de braços dados, como se coladas uma à outra por uma massa úmida de rosca. Escondida atrás de todas, e enfiada em um chapéu de aba imensa, deslizava a americaninha. Desde longe já esticava a dona Orquídea o sorriso largo e afoito que deixara a camponesa um pouco cismada durante o jantar de aniversário de Diogo. Tinha uma câmera fotográfica pendurada no pescoço. Dona Orquídea aprumou-se. Ligeiros, seus olhos conferiram a limpeza e a ordem da casa. Mediram os assentos das cadeiras de palha rompida e a área dos colchões sobre as camas estreitas, avaliando sua capacidade de suportar bastante peso e acomodar vastos traseiros.

A americaninha conversou em voz baixa com Antonia, que virou-se para dona Orquídea:

— Megan quer saber se a senhora se incomodaria em ser fotografada na frente da casa.

— Às ordens — respondeu a empregada, sem convicção. Colocou-se diante do casebre e ajeitou a roupa, envergonhada por ainda estar vestida para o trabalho na roça. Espichou a espinha e posou, meio não-rindo, braços grudados ao tron-

218

co, pernas juntas. A americana desviou-se para lá e para cá segurando a câmera na frente do peito, drrr, avançou, drrr, andou de fasto, drrr. Dona Orquídea manteve o meio não-riso. Lamentou o cenário de paredes esburacadas e manchadas de barro que lhe servia de fundo. Perguntou-se que graça a estrangeira estaria vendo naquela feiúra. Muito obrigada, dona Orquídea, muito gostoso, viu-a dizer por dentro do sorriso ávido.

As mulheres entraram e ficaram de pé. Vanessa buliu na marmita:

— Mmm, bóia boa, dona Orquídea.

A empregada deu uma de joão-sem-braço e não perguntou se Vanessa estava servida. Preferia o vexame de não ser hospitaleira ao de expor às outras mulheres seu parco almoço. Mal tinha o que oferecer a uma pessoa, quanto mais a Antonia e Patrícia, que comiam por dez. Antonia ralhou com a filha mais velha:

— Tire a mão da marmitinha de dona Orquídea, menina. Não lhe ensinei modos não?

Vanessa afastou-se da comida, para o alívio da anfitriã involuntária, que disse, com diplomacia:

— Deixe a moça, dona Antonia. Vanessa é de casa. É o mesmo que uma filha, para mim.

— Obrigada, dona Orquídea, mas a gente trouxe lanche — respondeu Antonia. — Marcela está nos esperando para o almoço.

Retirou da mochila de Patrícia um saco grande de batatas chips, umas latas de guaraná e inaugurou um piquenique.

— Façam o favor de sentar — murmurou a hostess, acanhada.

— Não dá, a gente já tem de ir — avisou a beldade. — Mamãe e Patrícia devem voltar a São Paulo ainda hoje. Só viemos dar um pulinho para ver a senhora e o Jardim Vanessa.

A estrangeirinha disse qualquer coisa a Antonia. Antonia virou-se para dona Orquídea:

— Megan está perguntando se pode fotografar a senhora aqui dentro.

Dona Orquídea consentiu e firmou o meio não-riso perto da mesa, drrr, do fogão a lenha, drrr, da cama exígua, drrr, sentada sobre a esteira no chão de tijolo, drrr, entre o quadro de Jesus pregado na cruz e o de São Sebastião espetado por flechas. Vanessa, Antonia e Patrícia estenderam para a câmera as latas da saborosa sodinha brasileira, o guaraná, ao lado da camponesa, e drrr.

Saíram. Dona Orquídea vicejou. Daí a quinze minutos, o mais tardar, poderia cair de novo na cama e preguiçar até a hora de fazer a janta. Depois, tinindo de fresca, iria ao encontro das cortesias de Alemão e dos debates na assembléia. Acompanhou as mulheres no tour pelo chiqueiro que Vanessa mandara Zé Luiz transformar em jardim. As plantas brotavam de pequenos vasos feitos com saquinhos plásticos, alinhados sobre uma prateleira de tábua e tijolos. Estavam identificadas por seus nomes científicos e populares, em etiquetas fabricadas por Vanessa ao computador do poeta Tiago. Seriam transplantadas para o solo assim que Zé Luiz terminasse de prepará-lo.

— Um jardinzinho só com plantas do cerrado — informou Vanessa à mãe e à irmã. — Vai ficar a coisa mais linda deste mundo.

Megan tirou fotos. Copiou alguns nomes das etiquetas no bloco antes usado para contabilizar suas observações taxadas de panfletárias e as de Diogo, caracterizadas como especistas. *Calliandra dysantha*, canela-de-ema, pacari, pau-terra. Palipalã, Vanessa leu alto para Megan repetir.

— Palipalén.

Dona Orquídea achou engraçado o sotaque da americaninha. Comentou que a menina era esforçada e combinava com Diogo, um moço muito estudioso. Antonia traduziu o comentário à americaninha, fazendo transbordar-lhe dos dentes, na direção da camponesa, o sorriso encabulador.

Vanessa despediu-se da anfitriã com um beijo em cada face. Antonia e Patrícia, só com um Obrigada e até o ano que vem dona Orquídea. Megan acenou-lhe um adeus de mão murcha, sorriso incerto, passo preso. Dona Orquídea reiterou-lhe o adeus com um aceno firme e um sorriso vivo, e ainda lhe disse Até mais ver dona Megan. Esperou a partida da perua e fechou-se dentro de casa. Mal deitou-se no colchão, ouviu o veículo voltar. Abriu a porta. Vanessa e Megan vieram em sua direção.

— Mas ô cabeça a minha, dona Orquídea! Imagine que esqueci de lhe dar um recado da tia Marcela.

— Às ordens, filha.

— Ela mandou a senhora capinar o milharal.

Dona Orquídea disfarçou seu desgosto:

— Mas hoje já tem gente fazendo meu trabalho na roça!

— Tia Marcela disse que é para a senhora ir lá ajudar. Que o que mais tem na plantação é mato para arrancar.

— E desde quando dona Marcela entende de serviço na roça? — irritou-se dona Orquídea. — Ela está me mandando carpir erva daninha porque implicou comigo. Mas eu sei que não vou fazer falta no milharal. Hoje eu não careço de ir.

Vanessa esbugalhou os olhos, arreganhou as narinas, espichou os lábios em um bico. Dona Orquídea levou um susto. Nunca tinha visto uma moça tão linda se enfeiar tanto, tão rápido.

— A senhora está dando muita dor de cabeça na gente! — berrou a sobrinha de Bezerra Leitão. — Provocou as copeiras! Atrapalhou o serviço na sede! Desobedeceu tia Marcela! Jogou para o alto o trabalho que lhe arrumei, facinho de fazer, com paga em dobro! Está ficando maluca?

Dona Orquídea recebeu a descompostura com os braços pregados ao tronco. Espiou a americaninha, com medo de que ela fotografasse a cena. Megan havia se afastado e estava de costas. Vanessa continuou:

— Você me deixou numa situação muito ruim com tia Marcela, Orquídea. Estragou a recepção que ela preparou com tanto capricho. E ainda teve a petulância de pedir as contas na frente dos convidados. Agora se recusa a fazer seu trabalho na roça! É assim que paga o modo como sempre tratei você e Zé Luiz?

Dona Orquídea sentiu arder a idéia. Entre as muitas dívidas que tinha para com seus patrões, acabara de descobrir mais uma. Faltava-lhe pagar o bom tratamento recebido de Vanessa. Zé Luiz estava certo. Vanessa, dona Marcela e seu Bezerra Leitão eram tudo farinha do mesmo saco. Tudo da classe antagonista à classe trabalhadora, diria Pé-de-anjo. De pirraça, dona Orquídea ficou ainda mais firme na decisão de não ir ao milharal naquele dia. Se dona Marcela descobrisse sobre sua ausência e quisesse tomar satisfação, dona Orquídea responderia Que eu fui fui, se ninguém me enxergou é porque estava mal das vistas.

– Você é que manda, Vanessa – suspirou, fingida. – Vou carpir o tal mato.

Os olhos de Vanessa acomodaram-se de volta às órbitas. Suas narinas se desinflaram. Mas os lábios continuaram bicudos:

– De agora em diante você pode me chamar de senhora.

– Sim senhora, Vanessa.

– *Dona* Vanessa.

– Sim senhora, dona Vanessa.

– Tenho mais uma coisa para lhe dizer. Só que antes vou passar no toalete.

Entrou no cubículo de tábuas que abrigava a privada e o chuveiro de balde. Dona Orquídea ouviu-a vomitar. Achou que a moça talvez estivesse doente mas não teve vontade de acudi-la. Não desperdiçaria seu quase-nada em quem se esbaldava no mais-que-muito.

Megan não precisava entender português para detectar a humilhação a que Vanessa sujeitara a camponesa com nome de flor. Constrangida, encolheu-se sob o chapéu de abas amplas e escondeu metade da cara atrás dos óculos escuros. Gostaria de saber como mediar a relação das duas mulheres com gentileza e serenidade, orientando dona Orquídea a fazer valer seu direito a um tratamento respeitoso e ajudando Vanessa a cumprir seu dever de dispensar tal tratamento. Mas, dadas as circunstâncias, era incapaz de fazer uma intervenção razoável. Nem por isso deixaria de tentar o que fosse possível. Como uma ave, tentou aprender a voar. Fez o que estava a seu alcance. Forçou um sorriso cintilante a pular de seu rosto e bater as asas até o rosto de dona Orquídea.

A camponesa cismou. Se soubesse falar americano, perguntaria a Megan o motivo de tanto sorriso irradiado na sua direção. Não era sorriso de fazer pouco dos outros, avaliou, era sorriso de trocar com gosto, em situação de alegria. A moça decerto sentia felicidade quando era assim tão simpática para os pobres. Mas era da mesma laia que Diogo e Vanessa. Quando cobraria de dona Orquídea aquela sorrisaiada toda? Que preço pediria? Quando trocaria o sorriso bonito de agradar pelo bico feio de mandar?

A porta do cubículo abriu-se. Vanessa empurrou para fora o rosto descorado, onde duas órbitas fundas derramavam uns olhos. Flutuou seu fantasma cansado até a empregada:

— Então, Orquídea. A outra coisa que eu tinha a lhe dizer é o seguinte. Megan vai ver você trabalhar por algumas horas.

Bisca!, pensou dona Orquídea. Nem bem chegara à fazenda, a americana de Diogo já começava a mostrar a que viera. Pois não é que ia dar uma de fiscal de dona Marcela? Esmola e sorriso demais, pobre desconfia. Se Megan começava a cobrar seus sorrisos agora, de que ignorâncias seria capaz contra os empregados, depois de casada com um herdeiro? Bem que Pé-de-anjo falara na assembléia que o imperialista americano não dá ponto sem nó na determinação de explorar o povo e as riquezas naturais do nosso Brasil. Dona Orquídea protestou:

— Mas Vanessa...

— Dona Vanessa — bicou a beldade.

— Mas dona Vanessa, com tanta coisa para a moça ver, tanto lugar para ela passear, achou de querer me olhar trabalhando por quê?

— Ela pediu. Está curiosa para ver como você vive. Acho que vai tirar bastante fotografia.

— Mas que graça tem fotografia de velha pobre, suada e suja dando duro na enxada? Êta feiúra de doer, sô.

— Também não vejo graça nenhuma, Orquídea. Mas turista estrangeiro gosta dessas coisas, as coisas da nossa cultura, tanto as bonitas quanto as feias.

Dona Orquídea deu uma chicotada em Megan com o olhar. Por culpa da branquicela, não poderia mais escapar de carpir o milharal. Pelo menos não por algumas horas.

— Quantas horas ela vai me olhar?

— Hoje? Uma, uma e meia. Ou duas. Não sei. Daí eu passo lá para pegar ela de volta.

— Então vamos logo — decidiu dona Orquídea, ávida por concluir seu trabalho, despachar a americaninha e cair na cama.

Pegou a ferramenta no barracão, seguida por Megan, e disparou rumo à perua. Antonia e Patrícia cochilavam em seus bancos, os braços de massa crua de broa pendurados por fora das janelas. O carro começou a andar antes que dona Orquídea o alcançasse. Ela gritou:

— Uai, dona Vanessa, a senhora não vai levar eu mais dona Megan até a plantação?

A beldade ao volante parou a perua e explicou:

— Tio Bezerra bem que deu a idéia de eu levar Megan. Mas como Diogo tinha falado que ela queria compartilhar do seu verdadeiro cotidiano no campo, achei melhor deixar ela seguir você a pé.

Dona Orquídea esperou o carro partir e respirou fundo. Olhou Megan pelo rabo do olho e sinalizou-lhe com a cabeça o rumo do milharal. Dez minutos depois, as duas marchavam em silêncio pela beira de uma estrada de pó.

Megan retirou o tubo de filtro solar da mochila e aplicou-o nas áreas expostas da pele, reforçando a camada que passara de manhã. Ofereceu-o à camponesa, junto com seu sorriso. Séria, dona Orquídea fez um aceno negativo com a cabeça. Megan lamentou que a admirável vinciana pudesse estar recusando não só seu creme como também seu sorriso. Sentia-se constrangida por ter entrado em seu universo de maneira estabanada e prepotente. Gostaria de fazê-la entender o quanto lhe repugnava bancar a observadora invasiva daquela vida tão primitiva quanto digna, e marcada, em todos os seus aspectos, pelo desrespeito dos poderosos. Desejava que fosse possível, a elas duas, no curto espaço de uma semana, compartilhar as diferenças de cultura e de classe que as orientavam e que poderiam, ao invés de afastar uma da outra, complementar e enriquecer as respectivas experiências. Ponderou que, apesar de dona Orquídea ser analfabeta, provavelmente fosse bastante receptiva, por conta de seu veganismo congênito, a aprender conceitos filosóficos capazes de ampliar sua consciência animal em um nível abstrato; caso munida desse instrumental lógico, refletiu Megan, a camponesa teria um grande potencial para tornar-se uma ativista educadora e aglutinadora de simpatizantes da abolição do uso dos não-humanos, divulgando e ajudando a estabelecer o veganismo em sua comunidade. Ah, o quanto lastimou não ser capaz de apresentar em português, à senhora com nome de flor, a teoria orientadora da causa!

No milharal ainda franzino, ressentido do envenenamento, dona Orquídea teve de entregar a enxada à estrangeira duas vezes. É que a moça pediu para ajudá-la a carpir, exibindo-lhe os dentes perfeitos de orelha a orelha e esticando as mãos engorduradas de creme em direção à sua ferramenta. O primeiro impulso de dona Orquídea foi responder com cara feia e um sinal de não com a cabeça. Mas sua musculatura, castigada pela turbulência da noite maldormida, cedeu ao ímpeto de relaxar-se no chão, e Megan assumiu a responsabilidade de extrair três robustos tufos de capim. Dona Orquídea sentiu o excitamento da subversão e o gozo do poder, ao ver a namorada do rico herdeiro dar o que tinha na enxada para fazer serviço de lavradora. Pediria a câmera para fotografá-la, se não estivesse curtida de preguiça, escarrapachada entre os pés de milho e um ou outro de feijão. Precisou lutar contra o sono. Vai que Vanessa chegasse adiantado e a flagrasse roncando em cima das ervas daninhas! Mas Megan criou bolhas na palma das mãos e devolveu-lhe a enxada antes de terminar seu serviço.

Gozado mesmo foi ver a americaninha salvar as minhocas expostas pela capinação. O primeiro impulso de dona Orquídea foi fazer pouco da moça, imitando Norato, com um sorriso sardônico e a cabeça sinalizando um não. Mas depois achou certo passar as bichinhas que se contorciam a céu aberto para uma área já carpida, e cobri-las com um tantico de terra.

— Minhoca também é filha de Deus — sorriu dona Orquídea para Megan, pela primeira vez. A americaninha depressa enquadrou com a câmera o rosto sorridente, queria fixar para sempre o grande evento, mas dona Orquídea foi mais rápida: ficou de cara feia, e drrr.

Miniôuca. A camponesa fez troça do jeito da moça falar minhoca. Depois ensinou-lhe outras palavras, mais para se divertir com seu sotaque do que para aumentar-lhe o conhecimento sobre a cultura e as riquezas naturais brasileiras, cobiçadas pelos imperialistas. Duas horas depois, um olho no relógio e outro na estrada, Megan praticava em voz alta o vocabulário adquirido com base no dialeto e na concepção construtivista de sua professora:

— Erva danínia. Miaral. Gral de mio. Gral de fejal.

Dona Orquídea caçoava baixinho. Depois pensava em Vanessa, que estava para pegar Megan de volta, e enchia-se de alegria com a perspectiva do descanso ilícito vespertino. A enxada subia mais leve antes de cada golpe e pescava o mato de só uma vez, por baixo da raiz. A americaninha não conseguia falar o ão. Quem sabe uma hora daquelas a professora lhe ensinasse algumas palavras no idioma da assembléia. Reunial, açal direta. Alemal. Ri ri ri, zombava dona Orquídea.

Passaram-se outras duas horas. Sentada no chão, Megan sentiu o calor do sol cozer seu nariz ao creme com filtro solar. Reforçou a camada protetora sobre a pele, com cuidado para não estourar as bolhas na palma das mãos, e ofereceu o tubo a dona Orquídea. A camponesa recusou-o, irritada:

— Vanessa esqueceu ocê. Aquilo é avoada que Deus me livre. — Aproveitou que a moça não entendia brasileiro: — Bem-feito, agora fica aí, plantada. Vai criar raiz feito um pé de milho.

Tinha sede e fome. Não levara água nem comida, certa de que estaria em casa cedo. Ao menos pudera enrolar o serviço e cansar pouco, posando para fotografias, ensinando palavras, supervisionando o retorno seguro das minhocas desalojadas ao mundo subterrâneo. Houve uma hora em que até teve um pouco de gosto de estar ali, quando a americaninha lhe mostrou imagens, na câmera, de sua mãe junto com os gatos pretos e lhe ensinou os nomes de alguns deles, com som de dó ré mi fá sol lá si. Mas mesmo esse gosto logo azedou, por causa da cisma de dona Orquídea com gato preto. Te esconjuro!, ela disse, e a tonta da estrangeirinha pensou que ela estivesse querendo lhe ensinar outra palavra.

Dona Orquídea bem que pensou na possibilidade de caminhar com a moça até a sede. Uma pernada! Mas e se a perua com Vanessa finalmente despontasse na tripa de pó que cortava a fazenda de cabo a rabo? Era melhor esperar. Procurou duas espigas temporãs e sentou-se ao lado de Megan para um almoço improvisado. A moça tentou abrir-lhe um sorriso, que saiu miudinho feito os grãos prematuros de milho.

— Cadê aquela sorrisaiada toda, sarna? — vingou-se dona Orquídea.

Uma hora mais tarde, Megan se esticava no chão do milharal à espera de que um cochilo encurtasse o tempo. Usou mímica para sugerir a dona Orquídea que descansasse também. A camponesa respondeu-lhe com outra mímica, apontando o indicador para a câmera e sacudindo-o em sinal de não. Megan ergueu o polegar em sinal de positivo e, para evitar desconfianças, guardou a câmera na mochila. Dona Orquídea fez-lhe o favor de um sorriso e acomodou-se sobre a terra revolvida. Mas não conseguiu relaxar. Vira-e-mexe levantava-se num pulo, assustada com um raspão mais forte de uma planta na outra por causa do vento, ou com o motor de algum carro distante, real ou imaginário, e depressa retomava a capina, de medo de gente chegando. Megan também não conseguiu dormir. O filtro solar se diluíra na transpiração de sua pele, ao redor dos cílios, e se misturara à lubrificação lacrimal, invadindo e queimando seus olhos. Quanto mais ardor, mais lágrima, e quanto mais lágrima, mais creme diluído a lhe corroer a córnea. Uma secreção desceu-lhe pelo nariz. Ela fungou. Coitada, pensou dona Orquídea, está até chorando de desgosto. E teve raiva de Vanessa.

Falta de consideração, esquecer uma doentinha de câncer na roça, o dia inteiro, sem água nem comida! Megan parecia uma moça boa. Pois não tinha dó até de minhoca? Se dona Orquídea soubesse falar americano, e se Megan não fosse da mesma laia que Vanessa e Bezerra Leitão, dona Orquídea era capaz de tentar recrutá-la para a libertação dos porcos.

Perto da sede, e com as pernas abertas sobre Trotamundos, Bezerra Leitão disse a Diogo que jurava, de pé junto, que seus cavalos viviam como reis e tinham nervoso de ficar à toa. Que não sofriam quando usados durante oito horas seguidas para treinar peões de rodeio, e muito menos quando montados durante oito segundos, no rodeio propriamente dito. Que estavam acostumados a dar tanto duro o dia inteiro, tocando boiada e puxando carroça, debaixo de sol, chuva, frio ou calor, que, para eles, perambular arreados pela fazenda, com um homem no lombo, era uma verdadeira festa.

— Pode montar tranqüilo — disse o fazendeiro a Diogo, pelo cigarro apertado entre os lábios. — Trotamundos e Unicórnio se sentem tão incomodados com a sela e as rédeas quanto você com o binóculo e a mochila.

Por baixo de uma vastidão de cílios, Unicórnio olhou Diogo com duas esferas brilhantes de curiosidade castanha. Exalou um mormaço pelas narinas investigativas. Diogo notou cicatrizes em sua cabeça, seu pescoço e sua barriga.

— Foi espora que fez esses machucados? — perguntou ao pai.

Bezerra Leitão semeou reticências na conversa:

— Cavalos são animais fortes...

— E o senhor tem certeza que não dá para ir de carro?

— Absoluta. Carro não consegue entrar em qualquer canto. Vamos, meu filho, vamos levar os dois bichinhos para passear!

Diogo escondeu a irritação e montou Unicórnio. Em cima de Trotamundos, Bezerra Leitão chiou um peito risonho. Os quatro mamíferos começaram a vagar juntos pela fazenda.

O herdeiro desviou o olhar das cicatrizes de Unicórnio para a paisagem. Quando achasse as áreas com a vegetação da sua infância, abandonaria ali seu incômodo sentimento de dó. Apagaria de sua mente o registro do pânico e da tortura na pele do escravo submisso que a gente dos rodeios forçava à rebeldia dentro dos limites da arena.

A sede em estilo colonial francês, aninhada num jardim de plantas nativas, onde o capricho de dona Marcela estendera um tapete impecável de gramado vivo, continuava bonita como há vinte anos. Morcegos, uma ou outra coruja, algum tucano e até um tatu-canastra cruzavam o jardim, de vez em quando. Esse pequeno bioma de cerrado e mata atlântica era um oásis no deserto que agora formava quase toda a fazenda Mato Grosso. Parecia resguardado contra o céu poeirento pelos galhos de um jequitibá quatrocentão, espalhados acima das árvores mais altas. E parecia protegido contra as águas poluídas do Aqüífero Guarani pelo solo bordado de canteiros. Mas em pouco tempo pararia de palpitar. Haviam-lhe cortado as veias e as artérias. A mata atlântica está quase extinta e o cerrado estará morto em trinta anos, avisavam os especialistas. Os sentimentos incômodos de Diogo voltaram a se imprimir nas cicatrizes de Unicórnio.

Haviam sido feridas abertas, as cicatrizes, cavadas pela espora do peão repetidas vezes e esfregadas com terebintina e pimenta para o cavalo corcovear de dor no rodeio (como se já não fosse dolorida demais a pressão do sedém esmagando a sua virilha). As cicatrizes de Unicórnio abriam feridas nos olhos de Diogo. Ele disse ao pai que precisava olhar as águas do rio.

Subiram uma colina de terra arenosa, espetada por esqueletos de árvores. De cima, através da poeira suspensa, Diogo podia colher pedaços da propriedade com o binóculo: uns currais e pastos moribundos, junto aos quais Bezerra Leitão começara a implementar sua terapia de concreto; a edificação com o campo de concentração de porcos, que o fazendeiro preferia chamar de criação intensiva; a mata que já vira vagarem onças pintadas e lobos-guarás, agora encolhida a três por cento da área da fazenda; algumas casinhas anêmicas emprestadas aos trabalhadores fixos; e o milharal onde Megan devia estar interagindo com a camponesa definida por Vanessa como vegana. A estradinha de terra intrometia-se em algumas partes. O rio barrento alastrava-se mais ao fundo. Uma mancha mutante atravessava suas águas.

— A boiada — disse Bezerra Leitão. — Zé Luiz está tocando a boiada até um pasto que fica para lá da outra margem.

— Mas o rio está tão raso! — espantou-se Diogo.

— Raso pra diabo — reiterou o pai. — Qualquer chuvinha dá enchente. Em volta é uma erosão só.

O Rio Perobinha do Campo já deixara de ser cristalino quando Diogo, ainda moleque, nadava nele. A turvação de suas águas se devia ao constante pisoteio das boiadas de todos os fazendeiros da região. Mas Diogo conseguia caracterizar o rio de sua infância como um processo da natureza, forjado na evolução e na paciência de milhões de anos. Agora, o que o estudante de floresta enxergava pelo binóculo era uma doença na epiderme do planeta, causada pela cultura da carne. Em poucas décadas, o rio tornara-se um fluxo de lama, droga e dejeto. Sufocava sob a terra caída das margens esfaceladas e achatadas pelos cascos dos bois. Era uma chaga escorrendo. Ardia nos olhos, como terebintina e pimenta. Diogo baixou o binóculo. A seu lado, Trotamundos espantava moscas com o rabo.

— Pai, me prometa que não vai mais fazer rodeio na fazenda.

Bezerra Leitão gargalhou seu chiado de peito:

— Esse é meu filho Diogo! Sempre dando idéia para os outros.

— Influência da madrinha Antonia, pai.

— É tinhosa, a Antonia. Não sossegou enquanto não levou você para estudar em São Paulo. Achava que o afilhado tinha um Q.I. de gênio.

— Não posso reclamar da minha adolescência na casa dela.

O pai tossiu risadas em tufos de fumaça:

— Nem da rotatividade de marido?

Diogo riu:

— O entra-e-sai de marido era a parte mais gozada.

Bezerra Leitão prolongou o riso dos pulmões fatigados. Largou os ombros sobre as tetas e a barriga, relaxado na sela dura, cigarro tombado no beiço. Considerou que talvez tivesse chegado a hora de informar Diogo sobre sua intenção de aposentar-se e, em comum acordo com Marcela, entregar-lhe de presente as quatro fazendas.

— Pai, o senhor não me fez a promessa.

— Que promessa?

— Prometa que vai acabar com os rodeios.

O patriarca esticou a espinha, embutiu a pança:

— Mas que implicância com rodeio, meu filho. Gente criada na cidade, feito você, tem preconceito contra a cultura do interior. Acha o rodeio violento. Ao contrário, é um esporte finíssimo. É uma belíssima tradição do vaqueiro. Você quer que eu deixe de apoiar uma tradição cultural? Francamente, Diogo, você nem parece universitário.

— Decepar clitóris de seres humanos também é uma tradição em certas regiões da África — disse o estudante de floresta, soando mais agressivo do que pretendia. — Só que a clitoridectomia é uma tradição cruel que nega os direitos das mulheres à integridade física, para dizer o mínimo. E toda tradição assim precisa mudar.

Bezerra Leitão perturbou-se, clitoridectoquê?, acendeu um cigarro novo com o toco do velho. Filho nenhum jamais conversara com ele naqueles termos. Clitóris! África! Aonde aquele menino queria chegar? Estava tentando confundir o pai.

— Não mude de assunto, meu filho — recompôs-se. — Estou falando de peão na arena e você me vem com africanas de... de... de partes cortadas. Não sei se isso é verdade, eu nunca me deparei com uma mulher dessas. Mas de uma coisa eu tenho certeza: é mais fácil eu cortar as minhas próprias partes do que parar com o rodeio.

— Então pelo menos pare de usar Unicórnio e Trotamundos nos treinos e torneios. Aliás, por que o senhor não dá alforria aos dois? Sem pôr outros no lugar deles, bem entendido.

— Dar alforria para quem? — estranhou o patriarca, achando que Diogo se referisse a alguns de seus homens.

— Para Unicórnio e Trotamundos. Por que não deixa os dois viverem livres pelas terras da fazenda?

— Porque eles iam ficar agoniados, sem saber o que fazer com o tempo — resistiu Bezerra Leitão, bufando fumaça. — Posso pensar melhor sobre tirar eles dos rodeios. Mas não garanto nada. Unicórnio e Trotamundos estão entre meus cavalos mais valentes.

— Por valentes, entenda-se corcoveando feito loucos devido ao pânico e à dor — corrigiu Diogo, duro.

Bezerra Leitão tossiu. Não fizera faculdade. Não completara sequer o curso que, em sua época, chamava-se ginásio. Nunca tivera uma namorada politicamente correta, como a americaninha. Mas era mais culto do que seu filho supunha.

— Então vamos olhar a coisa pelo ângulo da antropologia — propôs. — O peão do rodeio funciona feito o toureiro lá da Espanha. Eles são um símbolo.

— Só se forem um símbolo da arrogância e da perversidade humanas — disse Diogo, descendo do cavalo.

— São um símbolo do poder do homem sobre a natureza, filho. — Viu Diogo tirar da mochila suas garrafas d'água e uma cuia. — Preste atenção. A natureza precisa ser controlada. Senão, não existe civilização, só caos e anarquia. E gente que controla é gente poderosa, entende? Gente com autoridade. — Diogo acalmou a sede de Unicórnio com uma cuia d'água. Seu pai aumentou o volume da voz, professoral: — A doma do cavalo, por exemplo. Qual a grande lição, para a humanidade, da arte de domar cavalos? A grande lição é que se o homem souber mostrar sua autoridade, consegue ensinar até um animal irracional a obedecer. Isso de judiação, sedém, espora, se é cruel ou se deixa de ser não tem tanta importância quanto parece, percebe? Essas coisas são só detalhes pequenos, quando a gente pensa grande, pensa alto, pensa em termos de antropologia, de tradição cultural, de ensinamentos para a humanidade como um todo. Deu para entender, filho?

Diogo ofereceu a cuia d'água a Trotamundos.

— Não entendo uma coisa, pai. Por que manter uma tradição cultural de devastação e domínio, se podemos criar outra, de respeito e harmonia?

O fazendeiro desceu do cavalo e afastou-se para urinar. Não pretendia desperdiçar muito tempo nem muito latim com a defesa da domesticação da natureza e dos animais. Diogo que esperneasse à vontade contra as práticas civilizadas que considerava injustas. Mais cedo ou mais tarde, enjoaria de reclamar da realidade e a aceitaria tal como é: um sistema formado de poucos fortes e muitos fracos, onde os fortes são os responsáveis pelo que o mundo tem de adiantado, e os fracos, pelo que tem de atrasado.

— Na sua idade, eu também pensava como você — mentiu, voltando à sela. — Mas, se as coisas fossem como nos meus sonhos de mocinho, os homens ainda estariam no mesmo nível que os animais, vivendo em florestas e vestindo folha de parreira. Deus pôs o vaqueiro na Terra para vencer a natureza e trazer progresso à humanidade. Se o progresso fosse uma coisa errada, o ser humano não teria conseguido melhorar o mundo com a fossa asséptica, o antibiótico e a televisão de plasma, por exemplo.

Diogo guardou as duas garrafas vazias e a cuia na mochila. O patriarca reclamou:

— Você não precisava ter desperdiçado nossa água. Os cavalos estão acostumados a passar sede. Trabalham com mais gosto quando sabem que vão ser recompensados com água no fim do serviço.

As ferraduras de Unicórnio e Trotamundos esfarelavam as placas de excremento bovino torradas pelo sol, que queimavam a penugem do solo. Os quatro mamíferos foram en-

volvidos por um enxame de moscas decididas a plantar bernes em suas peles. Bezerra Leitão tentou afastar os insetos
com golpes dos braços, Sai, moscaiada lazarenta, praga dos
infernos. As vozes das vacas e dos bois chegavam de todos
os lados, fundas, queixosas, poeirentas. As dos porcos ficavam trancadas com seu desespero na muda edificação de
concreto. Do alto da colina, Bezerra Leitão admirou a obra
resultante de seu triunfo sobre a natureza. Encheu o peito
de ar. Foi ovacionado pelos próprios pulmões com assobios.

— Ainda quero ver esta fazenda ficar como as do Centro-
Oeste – sonhou. – Ah, o Centro-Oeste! Aquilo está que é uma
beleza. Até pouco tempo atrás era só mato, bicho e índio.
Hoje, prospera de dar inveja até no Sudeste. É tanta fazenda
de criação intensiva e tanto negócio pós-porteira que já nem
dá mais para acompanhar.

— Que é isso, negócio pós-porteira? – gemeu Diogo, cada
vez mais desolado.

— Ué, a própria palavra diz. Matadouro, frigorífico, cur-
tume, açougue, esse tipo de coisa. De cinco anos para cá, abri
vários. Até fábrica de sabão eu abri. Já nem sei mais quantos
mil empregos criei naquele Centro-Oeste. Nem sei mais quan
tas divisas gerei para este país. – Esticou o dedo indicador
para cima e ressalvou, virtuoso: – Mas não realizei tudo sozinho não. Justiça seja feita à Holy Hill, que investiu, e aos
governadores, que apoiaram.

Um vento zombeteiro esfregou excremento em estado
gasoso no nariz de Diogo. O odor vinha do curral de engorda. O patriarca inspirou fundo, até onde lhe permitiram as
cócegas nos brônquios:

— Ô cheiro bom! Só fazendeiro entende o perfume da bosta da vaca. Sabe quantas cabeças ficam no curral de engor-

da, comendo milho e ração enriquecida, todo ano, nesta época? Cinqüenta mil! Cinqüenta mil bocas-boas, sem ter de fazer nada na vida a não ser encher a pança.

Diogo fez as contas. Cinqüenta mil vezes dez quilos de excremento por dia igual a quinhentas toneladas de merda. Quinhentas toneladas de merda de prisioneiros de uma só espécie, em um só dia de uma estação de cada ano de um negócio iniciado dois séculos antes. E de uma só fazenda.

— Ração de primeiríssima! — continuou Bezerra Leitão. — Mas o veterinário da Holy Hill é tão perfeccionista que ainda recomenda combinar ela com uns troços que fazem os bichos aumentar de peso em três tempos.

— Antibiótico?

Bezerra Leitão se fez de bobo:

— Não estou a par, meu filho.

— Antibiótico sim. Misturado a uma ração que não tem nada a ver com comida de herbívoro.

— Ração de soja. Soja não é bom? Vegano não come coisa feita de soja? Você não adora tofu?

— É, mas vaca nasceu para comer capim. A ração da Holy Hill é feita com soja, animal refugado de tudo quanto é lugar e cocô de galinha.

Bezerra Leitão indignou-se:

— Mas que absurdo! Você está redondamente enganado, mocinho! Se for isso que andam lhe ensinando lá na faculdade, pode largar os estudos que vai ter todo meu apoio. Pode fazer como seu pai, que nunca precisou de diploma para tocar os negócios. — Tragou o cigarro e continuou a falar, a tosse entalada com a ira na garganta: — Pois então me acompanhe até o curral de engorda. Faço questão de comer, na sua frente, uma cuia cheinha de ração, só para lhe provar minha confiança no produto.

– Não precisa tanto, pai. Pense no seguinte. Os países chamados de adiantados, da Europa, estão desistindo de criação intensiva e agrotóxico, e investindo mais em produção orgânica. Claro que tudo continua péssimo para os animais na Europa. Os animais não devem ser escravizados de jeito nenhum, mesmo que sejam criados soltos. Mas eu estou dizendo isso só para o senhor ver que o que o senhor considera progresso, aqui, é visto como atraso, lá.

– Foi o que o Goiabeira andou dizendo n'*O Correio Perobinha-Campense*.

– Quem?

– Um ambientalista criador de caso. Ele falou que a Holy Hill está investindo pesado na América do Sul e na Ásia porque ficou malvista no primeiro mundo. Mas eu sei que isso é uma mentira espalhada pelos países ricos. Eles não querem o crescimento dos remediados como o nosso.

– Crescimento? É um crescimento temporário, pai. E predatório, às custas do desrespeito aos animais e danos irreparáveis para o ambien...

Cof cof riiim, Bezerra Leitão não pretendia ouvir o resto e acionou sua tosse chiada em alto volume, cof riiim cof riiim cof. Diogo insistiu:

– Consome-se muito mais energia do que se produz. A produção de um quilo de carne, por exemplo...

Cofcof riim cofcof riiim.

– ...gasta dez vezes mais energia...

Cof cof cof riiiiim cofcofcof.

– ...do que a de um quilo de grão.

Bezerra Leitão recolheu a catarreira na garganta, escarrou, enxugou a boca com o punho. Faltava-lhe fôlego para tossir mais. Foi obrigado a engolir o fim do discurso.

– É um desperdício a gente alimentar as criações com plantas e depois comer as criações, pai. Em vez de criar bicho, a gente devia comer direto as plantas. Ó o feijão, por exemplo, que plantinha cem por cento. Tem tudo que a carne tem de bom e nada de ruim.

– Pois para mim feijão é um veneno – disse o patriarca, apertando a barriga. – Sofro de gases.

– Experimente misturar com um pouco de arroz integral...

Bezerra Leitão interrompeu-o, aborrecido:

– Tomo um remédio para gases que é tiro e queda. E se eu tiver problema de saúde por causa da carne, faço um tratamento. Se meu caso exigir ponte de safena, ponho quantas precisar. Outro dia vi na televisão que a biotecnologia está criando um porco com gordura boa para o colesterol humano. Pois progresso é isso. O homem tem frio, inventa o casaco. Tem calor, inventa o ar-condicionado. Os cientistas estão sempre fuçando, até acharem solução para tudo quanto é problema. Meu pasto se esgota? Ergo currais de concreto e crio o gado preso, com ração da Holy Hill. O tal do efeito estufa acaba com este planeta? A humanidade toma um foguete e muda para outro. E por aí vai. Até esta perna, paralisada por causa de carne de porco malcozida, eu posso consertar com uma prótese, se me der na telha. Só ando arrastando a maldita de pura sem-vergonhice.

Sugeriu que voltassem para casa. Observou, rabugento, que poderiam passear mais um pouco, se Diogo não tivesse desperdiçado a água deles com os cavalos, e que a simples idéia de talvez passar sede já o deixava enfezado. Unicórnio e Trotamundos carregaram os humanos colina abaixo, as ferraduras pulverizando um solo impermeável, um túmulo para os escassos brotinhos e sementes que haviam escapado do apetite e do pisoteio da manada.

Bezerra Leitão chupava o cigarro e matutava. Talvez Marcela estivesse certa ao questionar a escolha de Diogo para herdeiro de todos os seus domínios rurais. Talvez Deus, já satisfeito com a contribuição bicentenária da família à poderosa cultura do churrasco, do rodeio, do couro e do sebo para sabão, estivesse enviando, ao patriarca, avisos de basta. Esses sinais chegavam-lhe na forma de filhos afeitos à tibieza da arte e do veganismo. O coração do fazendeiro sangrava. Quem sabe ele devesse passar as quatro propriedades e os negócios pós-porteira à sobrinha Vanessa. A moça optara pela vida no campo, tratava Marcela feito mãe e sabia apreciar, como ninguém, uma boa vitela malpassada. Nos rodeios, sobre Tom Cruise, enlouquecia o cavalo e os fãs. Um casamento seu com algum empreendedor do ramo agropecuário ou suinocultor era apenas uma questão de tempo. E mesmo que esse espertinho acabasse se apoderando de tudo, ao menos manteria vivo o legado dos Bezerra Leitão. O patriarca sentiu uma gota d'água debaixo de um olho. Suor, pensou. Imaginar a obra bicentenária da família escapando por entre os dedos de uma mulher — sequer uma filha, mas uma sobrinha! — para as mãos de um estranho sufocava-o.

— Pai, o senhor está passando bem?

O fazendeiro surpreendeu-se encurvado sobre o pescoço do cavalo, com a mão no peito. Aprumou-se.

— Estou bem. Tenho um pouquinho de falta de ar. É esse pó.

— Se eu fosse o senhor, sabe o que eu faria para melhorar o ar da fazenda, pai? Uma agrofloresta.

Bezerra Leitão entrou em pânico com a segunda parte da palavra, floresta. Mas o imperativo de nutrir sua débil chama de esperança em relação a Diogo forçou-o a considerar apenas a primeira parte, agro. Empurrou o chapéu de caubói para trás e mostrou-se todo ouvidos a qualquer proposta do filho que envolvesse, em algum nível, uma idéia, ainda que vaga, do aproveitamento do campo – mesmo que fosse uma idéia ruim.

– No começo, seria uma agrofloresta orgânica, pai. Nada de fertilizante sintético, pesticida ou herbicida. – Bezerra Leitão previu encrenca com a Holy Hill. Limpou a garganta e puxou o chapéu de volta para a frente. – Primeiro, eu teria de restaurar o solo. Acho que usaria pó de rocha, adubo verde e composto de palha fermentada com bosta de gado. Conhece o adubo verde, pai?

Cético, o patriarca fez que não com a cabeça. Estava na cara que a tal agrofloresta deveria levar décadas para ficar pronta. Até lá, como dizia o primogênito Tiago, nem a floresta amazônica estaria mais de pé. E Diogo pensava que ia salvar o planeta com seu adubo verde...

– Adubo verde, pai, são plantinhas que pegam nutrientes do ar e fixam eles no solo. Assim, só de olhar, acho que a crotalária funcionaria bem como adubo verde. Mas não tenho certeza. Precisaria consultar os empregados. O conhecimento empírico deles é tão importante quanto o meu, que é eminentemente teórico.

Bezerra Leitão acendeu outro cigarro. Crotalária. Conhecimento empírico. Bem se via que a faculdade de floresta freqüentada por Diogo estava ensinando alguma coisa. Mas o projeto do menino lhe soava cada vez pior. Consultar os trabalhadores? Ia-se longe o tempo em que eles entendiam de lavoura. Agora, tirando milho, boi e porco, só entendiam de uma coisa: reclamar de barriga cheia.

— Nesse solo restaurado — continuou Diogo — eu plantaria árvores que gostam de sol e crescem depressa. A mamona, por exemplo. E a sibipiruna. Não sei, teria de pesquisar outras. Pediria sugestões aos empregados...

— A capoeira branca! — disse Bezerra Leitão, com ciúme da peãozada. Pois quem melhor para dar sugestões a Diogo do que o próprio pai?

— Na sombra dessas árvores, eu plantaria outras e cultivaria minhas lavouras combinadas. Poderia formar uma de café, por exemplo, misturada com algumas pitangueiras, uns cedros, jabuticabeiras, mamoeiros...

— Feijão, abóbora, milho — contribuiu Bezerra Leitão.

— Talvez marmelo, erva-mate. Sei lá. Quanto mais espécies diferentes se sustentassem juntas, melhor para todas as pessoas e todos os animais envolvidos nessa história. — Seus olhos tentaram puxar os do patriarca de baixo do chapéu de vaqueiro. Não conseguiram. — A lavoura seria produzida com menos gasto e menos trabalho. E sem veneno, pai.

Bezerra Leitão não se entusiasmou com os planos expostos. Desconfiava de resultados a médio e longo prazo. Não gostava de correr riscos. Não admitia lucrar menos. Temia retaliação da Holy Hill. Achava perigoso consultar os empregados, demonstrar-lhes fraqueza e ignorância. Desistiria de uma vez por todas de favorecer Diogo, se não fosse por um pequeno detalhe, um único item promissor do projeto que, de seu ponto de vista, já nascia fracassado:

— Bosta de vaca, meu filho? Foi isso que você disse que ia usar para fazer composto e revitalizar a terra?

— Foi. Com tanto gado aqui, e com cada boi cagando dez quilos por dia, o que não falta é bosta.

— Olhe essa boca, menino — o fazendeiro falou por falar. No fundo, gozava uma fagulha de alegria. Acendeu um cigarro com a brasa do outro, que ainda estava pela metade. — Ah, então você acredita no uso de animais na fazenda!

— Não é bem assim, pai...

O patriarca o interrompeu, radiante:

— Por um instante cheguei a achar que meu herdeiro favorito pudesse cometer o crime de trair a tradição agropecuária da família! Desça desse pangaré, meu filho, e abrace seu pai!

Desceu de Trotamundos e abriu os braços para Diogo. O rapaz pulou de Unicórnio e ofereceu-lhe um abraço mole. Sentiu o peito dele assobiar contra o seu.

— Herdeiro favorito, pai? Eu?

Bezerra Leitão afastou-se um pouco, de frente para o filho, as mãos agarradas a seus ombros.

— E quem mais poderia ser? Seus irmãos são uns pamonhas. Se dependesse de mim, deserdaria todos os três. É Marcela que não deixa. — Soltou os ombros do filho, tragou o cigarro. — A herança deles vai ser muito menor que a sua, garanto.

— Mas não é meio cedo para falar em herança?

Bezerra Leitão não ouviu. Rosnava:

— Mesmo assim, eles vão ganhar muito mais do que merecem. As ações. O dinheiro aplicado no Brasil, na Suíça e nas Bermudas. O dinheiro de uns imóveis que eu e sua mãe estamos vendendo. — Engrossou os olhos, arregalou a voz. — Sei que os perdulários vão torrar tudo num instante, em filmes, poemas e passeios de gôndola em Veneza com aristocratas milaneses decadentes. Mas juro, Diogo, por todos os compostos de estrume que restauram a terra: nas fazendas e nos negócios pós-porteira aqueles inúteis não vão relar um dedo! – Soprou fumaça na sua escolta de moscas. Elas se afastaram por instantes e reconstituíram o movimentado véu ao seu redor. Ele pigarreou, confortando a tosse. – Estou ficando doente e preciso descansar. Quero viver minha velhice de papo para o ar, olhando Marcela comer rocambole de romeu-e-julieta na frente de uma televisão tamanho gigante com tela de plasma e efeitos em 3D, à beira de uma piscina interna com uma cascata imitando um templo asteca, na mansão que vamos comprar no bairro do Morumbi, em São Paulo. – Amornou a voz, confidencial: – Está na hora de eu dar um pouco de atenção a sua mãe. Ela quer mudar para a capital o mais cedo possível. Quer contratar um mordomo bilíngue treinado no exterior e uma equipe de dez empregadas para receber a sociedade paulistana. Está certa de que vai ser reconhecida pelos colunistas sociais de lá. – Encolheu-se entre os ombros, amargando um momento de derrota. – Coitada, tão caprichosa! Por minha culpa, jamais recebeu um elogio n'O Correio Perobinha-Campense. A imprensa local nunca gostou de mim...

– Ora pai, não diga isso – disse Diogo, sem saber o que dizer.

Bezerra Leitão abandonou a tristeza e as confidências. Arreganhou a voz outra vez:

– Me conte uma coisa, filho. Você teve aula de administração de floresta na faculdade, não?

– Tive.

– Pois então! – gritou o fazendeiro. – Com um tantinho de prática e a ajuda do meu time de executivos, você vai ficar batuta em administrar – retardou o ritmo da fala para ressaltar a importância das palavras – as quatro fazendas e os negócios pós-porteira que vou passar para seu nome, assim que você se formar!

As mãos de Diogo gelaram.

— Pai, n-n-não sei...

O patriarca recusou-se a levar em conta qualquer sinal de hesitação por parte do filho:

— Você ainda é jovem. Ainda tem cabeça, coisa que hoje em dia me falta. Desde que me associei à Holy Hill, mal consigo acompanhar o crescimento do staff e o aumento dos lucros. Esforçado, competente e responsável como é, você há de tocar os negócios com um pé nas costas.

— Grato pela confiança, pai — murmurou Diogo, petrificado, a notícia tentando aprender a voar na sua mente, ave dando voltas sem rumo.

Os dois se abraçaram. O patriarca infligiu exultantes tapas ao dorso de seu escolhido. Avisou que ele próprio anunciaria sua decisão aos outros filhos, quando chegasse a hora certa, e montou Trotamundos. Diogo subiu em Unicórnio. O legado ardia em suas costas estapeadas, chagas esfregadas com terebintina e pimenta.

Assim que eles e algumas dezenas de insetos retomaram o percurso, Diogo lembrou-se de Lacan. Sentiu a premência de consultar seu oráculo mais recôndito, de conectar-se com sua verdade mais profunda e mais adversa aos artifícios da civilidade humana, de orientar-se por sua inspiração mais íntima feita matéria e exposta ao mundo. Olhou com desânimo a paisagem vazia. Lamentou não ter acesso, naquele instante, a um vaso sanitário sobre o qual pudesse sentar-se e refletir, com a privacidade e a quietude que costumava desfrutar durante o ato da defecação, sobre seu novo status e a devastadora responsabilidade que ele acarretava. Avisou o pai a respeito de sua urgência. Bezerra Leitão lembrou que a mata não ficava muito longe dali e acompanhou o filho até ela.

Amarraram os cavalos ao galho de uma tabebuia, perto da porteira, e entraram à pé. Uma cerca de arame farpado protegia a mata do apetite bovino, mas não impedia a passagem de animais com vocação para cavar o solo. Bezerra Leitão notou um buraco grande debaixo da cerca. Porco selvagem, cismou. Pena não ter trazido a espingarda. Mas tudo bem, não seria divertido, mesmo, caçar na companhia de um filho que tinha dó até de montar cavalo.

Diogo escondeu-se atrás da proverbial moita e procedeu à comunicação com o emissário de seu âmago. O patriarca afastou-se, embrenhando-se na vegetação, quebrando pequenos galhos ao redor para marcar o caminho de volta. Fazia tempo que não passava por ali. Cheirou transpiração de planta, ouviu cochicho de inseto e fuxico de passarinho. A mata lhe dava prazer. Ele decidiu que a visitaria outras vezes, para atirar nuns bichos, depois que Diogo voltasse aos Estados Unidos. Sentia-se um tanto idiota por manter ocioso um terreno daquele tamanho, equivalente a duzentos e cinqüenta campos de futebol. Considerou que talvez valesse mais a pena desmatá-lo e substituí-lo por novas edificações de concreto do que esperar que o herdeiro se apossasse dele, ainda intocado, e o expandisse para uma agrofloresta. Teria de consultar sua mulher sobre o assunto. Sua sobrinha, Vanessa, insistira na preservação da área com base em um projeto de, num futuro a longo prazo, catalogar todas as espécies de plantas ali presentes. Dona Marcela gostava dessa idéia, achava elegante conservar um bosque inteiro só para que uma linda jovem da família pudesse nele praticar seu hobby.

Um ruído de galho quebrando mais ao longe desviou a atenção do fazendeiro. A mata que lhe dava prazer também lhe dava medo. Ele trepou numa árvore e enxergou um bando de porcos. Pareciam capados e acrescentavam ramos de arbustos a um ninho coletivo. Um pouco além do ninho, uma porca e oito bacorinhos investigavam o chão com o nariz. Ela devia estar sentindo odores vindos de até sete metros abaixo do solo, pensou o fazendeiro, que conhecia algo sobre o talento dos animais; e como porcos também conseguem farejar coisas a onze quilômetros de distância na superfície, os do bando já deviam ter detectado sua presença, além da de Diogo, Unicórnio e Trotamundos. Mesmo assim, pareciam não ter medo. Deviam estar acostumados aos homens e aos cavalos. Bezerra Leitão desceu do galho e voltou à moita perto da qual o herdeiro acabara de conferenciar com o embaixador de sua reconditeza humana. Propôs-lhe darem uma passadinha rápida num outro lugar, antes de retornarem à sede.

De nariz cozido pelo excesso de sol e olhos avermelhados pelo filtro solar, Megan trotava na estrada, atrás de dona Orquídea. A camponesa sentia-se exausta. Mas a raiva que lhe agitava o sangue era combustível para tocar sua rápida marcha de soldado. Naquele ritmo, elas chegariam à sede dentro de uma hora. E, com a ajuda de Deus, quem sabe alguém da família Bezerra Leitão agradecesse à empregada o cuidado para com a americaninha, levando-a de carro até seu casebre.

— Frumiga — ensinou dona Orquídea a Megan, quando esta apontou para os pequenos indivíduos atarefados em que evitava pisar. — Mosca — nomeou, a pedido da aluna, aqueles que ela afastava com gestos delicados, evitando golpear.

– Inchãmi. Bérni. – Megan apontou para o elemento onipresente na área e dona Orquídea ensinou-lhe, respeitosa: – Fezes bovinas.

Dez minutos mais tarde, uma mancha colorida brotou na poeira da estrada. Megan apontou para ela, com alegria.

– Pirua! – ensinou e festejou dona Orquídea.

A perua disparou na sua nuvem de terra para perto das pedestres e freou com um solavanco. Dela precipitou-se a sobrinha de Bezerra Leitão.

– Ô cabeça! – esbaforiu-se, batendo a palma da mão na testa. – Mil desculpas, Megan. Sorry, sorry, sorry. Fui acompanhar mamãe e Patrícia até a rodovia, depois fiquei ajudando frei Cristiano a levantar a campanha de castração de cães e gatos. De repente, me deu um estalo, gritei: Esqueci a Megan! O padre levou até um susto. – Abriu as portas. – Entre aí também, dona Orq... ãh, Orquídea. Vou dar uma carona para a senh... para você.

Dona Orquídea parou de espantar a poeirada, entrou no carro e sentou-se atrás de Megan. Vanessa chispou em direção à sede:

– A castração vai ser daqui a três dias e está tudo atrasado. Por isso que esqueci de voltar ao milharal.

A camponesa amarrou um bico. O mal já estava feito. Agora ela precisava tirar alguma vantagem do dia perdido. Moveu-se para o meio do assento e encontrou a cara da motorista no espelho retrovisor:

– A gente devia aproveitar para castrar Mortandela, dona Vanessa. Ela está com uma ninhada desmamando. Goiabeira disse que porco doméstico, quando solto no mato, é danado para se adaptar e se reproduzir.

Vanessa caçoou:

— Se adaptar, se reproduzir. Falando difícil, hein, Orquídea? Que Goiabeira é esse?

— O ambientalista.

A beldade alarmou-se:

— Cuidado com essa gente. Tio Bezerra falou que eles são terroristas com inveja de rico e contra o progresso da humanidade. Onde você encontrou esse Goiabeira?

A empregada hesitou.

— Em lugar nenhum. Ouvi ele falar no rádio. — Agitou-se. Vanessa corria muito. Deixava o tempo curto demais dentro da perua. Transformava o de dona Orquídea em pó. — Me ajude, dona Vanessa, a encaixar Mortandela na castração da cachorrada?

Vanessa chacoalhou a cabeça:

— Você está impossível, Orquídea. Tio Bezerra quer que Mortandela dê cria. Sempre ficou com todos os porquinhos.

— E todas as vezes que tiraram os filhos dela, gritou de fazer dó. Antes não parir filho nenhum! — Vanessa tinha o rosto duro, recortado em vidro e metal no espelho retrovisor. Dona Orquídea gemeu: — Uma judieira, só quem é mãe é que entende. — Nenhuma mudança no recorte espelhado. A empregada choramingou: — A senhora ficou má, dona Vanessa, era um moça tão boa, uma filha para mim, agora está que é uma casca de ferida, Deus te livre. — O vidro e o metal do retrovisor começaram a derreter. — Mortandela é de estimação, a senhora mesma batizou! Teve tanto dó de ver ela presa no chiqueiro que mandou soltar! Não lembra?

Ali estava uma coisa que Vanessa gostaria de ter esquecido. Não saberia o que dizer ao tio, se ele descobrisse seu ato porra-louca. Mas não podia dar a entender, a uma subalterna, que não sabia o que fazia. E muito menos que era má. Pois a sobrinha de Bezerra Leitão era uma patroa responsável e magnânima. O jardim da sede emergiu da paisagem seca. Vanessa desacelerou a perua:

— Vamos fazer o seguinte. Mande Zé Luiz castrar Mortandela. Mas não conte a ninguém que eu deixei.

— Meu filho só castra bicho macho. Bicho fêmea ele nunca aprendeu.

Vanessa começou a perder a paciência. Seu rosto tentou pular a cerca metálica do retrovisor. O espelho endureceu para contê-lo.

— Pois então faça assim: mande alguém que eu não conheço levar Mortandela ao local da castração, no primeiro dia, às sete da manhã. Invente outro nome para a porca e mande a tal pessoa dizer que é dona dela. Vou fingir que não sei de nada e vou mandar o veterinário fazer a cirurgia. Daí a pessoa vai ter de levar a porquinha de volta para você. Entendeu?

— Entendi — animou-se dona Orquídea, com a idéia de propor a tarefa a Alemão.

Vanessa estacionou à entrada da sede, esperou Megan saltar, soltou-lhe beijinhos de vento e disparou para a casa da empregada.

— Dona Vanessa? — chamou fininho dona Orquídea. A beldade fez que não ouviu. A empregada aumentou o volume da voz. — Dona Vanessa, será que daria para a senhora e o padre encaixarem também os oito filhotes de Mortandela na castração?

A moça sentiu medo. Dona Orquídea estava pirando. Precisava consultar um psiquiatra de pobre. Vanessa acelerou a perua e mudou de assunto:

— As empregadas cozinharam um almoço muito gostoso hoje. Repeti quatro vezes.

— Pena que na semana que vem já vão poder cozinhar porco. Falando em porco, a senhora não respondeu se pode encaixar os leitõezinhos de Mortandela na castração.

Vanessa enrolou:

— Espere, me deixe pensar.

A estrada finalmente lhe trouxe a casa da empregada, um caco no cenário banguela. A beldade estacionou perto do Jardim Vanessa e esperou dona Orquídea saltar. Travou depressa todas as portas, deixou uma abertura estreita na janela e mostrou o bico de dar ordens:

— Mande Zé Luiz entregar amanhã mesmo os oito porquinhos ao meu tio! Senão, não peço para o veterinário castrar Mortandela! Entendeu?

— Entendi — espantou-se dona Orquídea.

— E mande Zé Luiz plantar logo as mudinhas nesse bendito jardim! Depois de amanhã, o mais tardar!

— Me desculpe, dona Vanessa. Mas por enquanto o jardim ainda vai ser chiqueiro. Os capados e Mortandela vão ficar presos nele uns dez dias.

— O quê??

— Se ficarem separados muito tempo, depois se estranham e brigam.

— Nunca ouvi falar uma coisa dessa. Você está inventando.

— Conheço esses porcos desde que nasceram. Sei muito bem o que estou fazendo, ao contrário de certas pessoas avoadas... — alfinetou.

— Pois deixe aqueles capados na mata! — ordenou o bico.
— Entendeu o que eu disse?

— Entendi sim senhora — resmungou dona Orquídea. Seu reflexo no vidro da janela meteu-lhe medo: uma assombração de olhos esbugalhados e narinas arreganhadas, seu rosto fundido à fúria de Vanessa.

A sobrinha do fazendeiro chispou sem despedidas. Nisso que dava ficar de amizade com subalternos, concluiu. Eles acabavam esquecendo o lugar deles e, quando menos se esperava, já estavam contando mentiras e dando ordens aos patrões. Tia Marcela sabia o que dizia. Empregada a quem se dá a mão agarra o braço. Vanessa estava sendo usada e abusada por causa de sua inocência e sua boa-fé. Deveria ter parado de dar trela a dona Orquídea há muito tempo, mas, em vez disso, servia-lhe até de motorista. A coisa da cirurgia na porca fora a última gota. Era queridinha, a porquinha, não havia dúvida, e se castração melhorava a qualidade de vida dos cachorros e dos gatos de estimação, melhoraria a dela. Vanessa tinha palavra e mandaria o veterinário operar a leitoa. Era benevolente e judiciosa. Mas sua amizade com dona Orquídea terminava ali.

Metida num velho roupão descartado pela sobrinha do fazendeiro, a camponesa encheu o chuveiro de balde com água do poço. Não teria mais tempo para o ambicionado cochilo vespertino e sonhava relaxar durante o banho. Lamentava não ter conseguido convencer Vanessa da necessidade de prender os capados. Teria de arrumar outra desculpa para mantê-los no chiqueiro, antes, durante e um pouco depois da ação direta, sem despertar suspeitas. Pendurou o roupão num prego, na parte externa da porta do cubículo, e tomou sua chuveirada. Depois abriu um pouquinho a porta e tentou pegar o roupão de volta.

— Orquídea! – berrou Bezerra Leitão, a cavalo com Diogo.

Ela deixou o roupão cair, cobriu-se com as mãos, Sim senhor?, respondeu através das tábuas, na dúvida se queria ser localizada.

O patriarca constatou a ausência de porcos no chiqueiro tomado por prateleiras com plantinhas.

— Orquídea, como é que os porcos foram parar na mata? Zé Luiz sabe que não quero porco solto.

Ela ficou com medo de cagüetar Vanessa, aquela bisca podia se vingar. Enrolou na língua uma explicação inaudível, E foi assim, seu Bezerra Leitão.

Ele não entendeu mas deixou por isso mesmo. Evitou olhar o cubículo. Não era do seu feitio incomodar senhoras no toalete.

— Mande Zé Luiz prender de novo todos os porcos nesse chiqueiro! – gritou. – Quero o serviço feito amanhã cedo, o mais tardar. Entendeu?

— Entendi sim, senhor doutor! – vibrou de felicidade dona Orquídea.

Ouviu o galope se distanciar. Meteu-se no roupão e saiu do cubículo, resolvida a jantar antes do filho porque estava morta de fome. O galope retornou com Trotamundos e Bezerra Leitão.

— Ô cabeça... Eu ia esquecendo uma coisa – disse o patriarca. – Mande Zé Luiz levar todos os oito bacorinhos à edificação, amanhã cedo, o mais tardar! – Deu uma chicotada em Trotamundos e partiu.

Dona Orquídea perdeu a fome. Ficou triste ao prever o chororô de Mortandela e dos filhotes durante a separação. Tentou não pensar na prisão dos bichinhos. Procurou ignorar os malogros de sua empreitada. Consolou-se com suas vitórias e até alimentou-se delas. Passou um pouco de óleo na massa de um velho batom vermelho, pôs seu melhor vestido e amarrou os cabelos num coque com um laço de renda. Esfregou seiva de alfazema nos braços. Lustrou os sapatos de ir à missa e deixou-os perto da cama, para calçá-los antes de sair. Quando a massa do batom amoleceu, passou um pouco nos lábios e fez outro tanto de ruge.

— Mãe, para onde a senhora vai, pintada desse jeito? — estranhou Zé Luiz, de volta do serviço.

— Para a assembléia, uai.

Ele deixou as botinas sujas de esterco perto da porta e lavou as mãos:

— A assembléia de hoje foi cancelada.

— Ah, que pena! — disse Dona Orquídea, como se falasse de uma festa.

— Nesta fase da operação, a gente tem mais o que fazer fora da assembléia do que dentro. Recrutar adeptos da ação direta, por exemplo. Para isso vou sair de novo, depois do banho.

— A que horas vai voltar?

— Sei não, mãe.

Dona Orquídea desconfiou de que seu filho fosse visitar a meretriz Doralice. Lembrou-se de que estava exausta. Guardou os sapatos lustrosos, frustrada por não poder encontrar Alemão e pedir-lhe que levasse Mortandela ao veterinário. Zé Luiz sentou-se diante de sua tigela de sopa. Dona Orquídea comunicou-lhe as ordens de Bezerra Leitão. Depois, como quem não quer nada, perguntou-lhe se ele não poderia pedir um favorzinho a Doralice.

— Favorzim? Que favorzim? — cismou o rapaz, com vergonha de imaginar o que a mãe, toda pintada, pudesse querer com moça de zona.

— Miaral! — caçoou o fazendeiro.
— Gral de mio! — debochou dona Marcela.
— Frumiga! — morreram de rir juntos.
— Cada aluna tem a professora que merece. — As risadas pararam de bater asas. Dona Marcela encorujou-se: — Ela bem que podia ter passado a tarde comigo. Mandei preparar um rocambole de romeu-e-julieta com leite de soja e sem ovo, especialmente para ela. Mesmo assim a demagoga preferiu colar na empregada.

Talvez eu tenha sido grossa com sua mãe, honey, talvez devesse ter ficado com ela, hoje.

Talvez, mas agora é tarde, tente dormir, amanhã e depois você fica em casa, longe do sol, até o nariz clarear.

Sinto-me duas vezes grossa, Grossa com sua mãe por ter passado o dia longe dela, Grossa com dona Orquídea por ter passado o dia grudada nela.

— Pelo menos Megan aprendeu a falar fezes bovinas direitinho — concedeu o fazendeiro.

— Para uma quitandeira, até que está bom. Uma caixeirinha! Não é nisso que ela trabalha, caixa de mercadinho natureba?

— Mas nos Estados Unidos é normal estudante fazer serviço de pobre. Megan é uma intelectual, estuda na Faculdade de Letras.

— Faculdade de Espera-Marido, isso sim. Ela deve ser uma ótima aluna. Arrumou um partidão.

— Diogo parece gostar muito da moça, bem.

— Não sei que graça meu filho viu nessa branquicela sem presente nem futuro – resmungou a mulher, terminando um sanduíche de picanha.

Bateram à porta. Bezerra Leitão ergueu-se para ver quem era.

— Se for Deuzicreide com a gemada – disse dona Marcela –, mande-a voltar à cozinha e fazer outra, mais encorpada.

— Mas você não quer experimentar primeiro?

— Não precisa. Já sei que está ruim. Deuzicreide não tem mão para gemada com leite e uísque. Quanto mais se feita com leite de soja e sem ovo.

O marido passou o recado à empregada e voltou a sentar-se em frente ao seu prato de sobras de picanha. Dona Marcela reclamou:

— E aquelas golas! As mangas das blusas!

— O que foi, bem?

— Sempre encardidas. As golas e as mangas das roupas de Megan. A gente sabe que é por causa do filtro solar. Mas o que dirão os outros, que não sabem?

Nem filtro solar pode com aquele solzão, meu câncer vai voltar mais depressa, queixou-se Megan, encorujada no peito de Diogo.

Não vai voltar coisa nenhuma, baby, mas, se voltar, vai ter de brigar feio comigo, vou ser poderoso, vou ser milionário. Uma irresponsável, a minha prima, sempre foi.

Ela maltrata muito a camponesa com nome de flor.

Imagine, esquecer você tanto tempo no sol!

— Pelo menos o câncer dela não é letal.

— Mais cedo ou mais tarde ela vai acabar tendo um. Essa doença não poupa ninguém. Ah, Bezerra, quem dera você não ter atrapalhado o namoro de Diogo com Vanessa. Eu apostava tanto naquele namorico de criança! Aquilo podia ter dado em casamento. As posses ficariam na família.

— E correr o risco de ter neto deficiente? Procriação consangüínea é um problema sério — garantiu o criador de porcos e vacas.

— Besteira! A gente faria promessa a Nossa Senhora do Bom Parto, pediria para frei Cristiano interceder junto à santa em nosso nome. — Começou a preparar outro sanduíche.

— Mas se nascesse um deficiente, qual o problema? Você tem preconceito contra deficiente.

— Não tenho não senhora.

— Tem sim.

— Não tenho. Pois se eu mesmo sou um.

— Tirou as palavras da minha boca. Essa sua perna paralisada, por exemplo, atrapalhou sua vida?

— Atrapalhar não atrapalhou.

— Pois então. Mesmo arrastando a perna, você tem quatro filhos vivos, todos homens. — O patriarca baixou a cabeça, jururu, pensando em Diego. — Mesmo arrastando a perna, você é rico, manda no Fórum e na câmara dos vereadores, tem poder até no Senado. Claro que é melhor ter filho normal do que deficiente. Mas é melhor uma procriação consangüínea do que procriação nenhuma.

O patriarca rolou um pedaço de picanha na língua, esquecido de seu gosto. Marcela referia-se ao projeto que Diogo e Megan tinham de adotar crianças órfãs, em vez de gerarem filhos. Bezerra Leitão quase morrera de desgosto, durante o jantar, ao saber desse projeto pela boca do próprio herdeiro, cheia de arroz integral com tabule. Não queremos contribuir para a superpopulação do planeta, papai, e sim ajudar as crianças desprotegidas que já estão nele. Bezerra Leitão evocou histórias verídicas que comprovavam a propalada ingratidão dos filhos adotivos. Apavorou-se com o vazio de um futuro sem veias e artérias que veiculassem seu sangue pelas propriedades bicentenárias.

A campainha tocou.

— Deve ser o sushi de Tiago — disse dona Marcela.

É o motoboy do sushi bar, caçoou Diogo, olhando pela janela, Está entregando um pacote a Tiago.

Megan debochou, Eu vi sua mãe levar uma bandeja para o quarto, Tinha pão e carne do jantar de ontem, Acho que a comida vegana das cozinheiras-copeiras não está agradando.

Minha família é viciada em carne, honey, não consegue passar um dia sem, que dirá uma semana.

— É uma mocinha muito diferente de nós — lamentou Bezerra Leitão. — É uma americana esquisita, infelizmente. Porque eu costumo gostar de americanos. Acho bonitas muitas coisas da cultura deles. O rodeio é uma. Outra é a luta livre de crianças com porcos, num cercado cheio de barro. Vence a criança que conseguir meter um porco dentro de um barril, em menos tempo. Sempre tive vontade de importar essa tradição rural de Wyoming para Perobinha do Campo. Uma brincadeira simples, democrática, acessível a meninos e meninas de todas as classes, religiões e cores, e que incentiva formas sadias de competição. Representa muito bem o espírito americano, na minha modesta opinião.

— Pois se Diogo se casar com Megan, você pode tirar seu cavalinho da chuva. Ela não leva jeito de respeitar tradições, nem mesmo as do próprio país.

— É verdade. Ela é meio subversiva. Espero que não seja uma daquelas anarquistas pela promiscuidade sexual e a destruição das propriedades das pessoas de bem.

Dona Marcela bateu na madeira:

— Deus é pai, não é padrasto. Agora que Diogo sabe que vai mandar num agronegócio, há de abrir os olhos e fazer essa moça sumir da vida dele com dois-quentes-e-três-fervendo.

A campainha tocou outra vez.

É o motoboy da churrascaria Perobão Bovino, riu Diogo, espiando pela janela, Está entregando um pacote a Rodrigo.

Megan cobriu-se com o lençol e fechou os olhos. Caçoar dos outros também cansa. Boa noite, honey.

Diogo cobriu-a com seu corpo, me dá um beijo.

O beijo evoluiu para formas mais íntimas de expressão do amor. Alguns gritos de prazer escaparam para o quarto dos pais de Diogo. Dona Marcela persignou-se:

— Que pouca vergonha, Bezerra. Na nossa própria casa.

Depois Megan disse a Diogo que precisava marinar a notícia sobre a herança dele nas substâncias químicas do cérebro, durante o sono, Quem sabe amanhã eu consiga elaborar melhor tudo isso, honey.

Diogo não a deixou dormir, Eu também estou confuso, Por que a gente não elabora junto? Você vai ser tão dona das fazendas e dos negócios pós-porteira quanto eu.

Ela virou o nariz vermelho para cima, projetou o verde dos olhos no teto. Rascunhou um plano. Assim que Diogo assumisse os negócios do pai, as fazendas seriam transformadas em uma combinação de agrofloresta e santuário. Todos os não-humanos deixariam de ser tratados como propriedade e viveriam livres no santuário, que ocuparia a área mais vasta. Essa área diminuiria de tamanho à medida que seus moradores morressem de velhice e a agrofloresta se expandisse. Enquanto os indivíduos do sexo masculino não fossem submetidos à vasectomia como forma de prevenção da natalidade sem supressão do prazer sexual, aqueles de sexo feminino viveriam separados deles. Depois que os machos estivessem esterilizados, os namoros e as relações sexuais seriam permitidos, dado que constituem práticas do mais alto interesse de seres sencientes, ou pelo menos da vasta maioria deles. Por serem em número muito grande, os alforriados, mesmo soltos, poderiam viver um tanto confusos e estressados. Alguns poderiam causar distúrbios sociais. Neste caso, estes indivíduos teriam de ser separados da comunidade, em estábulos ou chiqueiros confortáveis e espaçosos, durante o período necessário a uma terapia para ressocialização gradativa. Assim que se mostrassem aptos ao convívio, voltariam à companhia dos demais em total liberdade. Em coisa de quinze, vinte anos no máximo, não haveria sequer um não-humano domesticado ou tratado como mercadoria nas terras de Megan e Diogo.

As agroflorestas seriam coletivizadas já no início da nova administração. Todas as pessoas que até então trabalhavam para o patriarca passariam a ter direitos ao seu uso sustentado, iguais aos de Megan e Diogo. Todos seriam igualmente responsáveis pela sua preservação e seu melhoramento. Todos seriam igualmente responsáveis pela felicidade dos animais nos santuários. E todos seriam veganos. Não faria mal que, num primeiro momento, as agroflorestas fossem orgânicas. Isso porque o composto usado para fertilizá-las seria proveniente dos animais dos santuários, e não de animais subjugados. Mas, com a morte natural de todos os alforriados, a fertilização suplementar das agroflorestas passaria a ser vegânica.

Muito bem, dona Megan!, aplaudiu Diogo. Agora me diga, o que vamos fazer com os negócios pós-porteira?

A luz dos projetores verdes apagou-se, Ainda não sei, honey, os negócios pós-porteira vão ficar marinando no meu cérebro durante mais tempo, até poderem ser processados.

De qualquer forma, achei seu plano para as fazendas maravilhoso, Não parei de ruminar a mesma utopia desde que recebi a notícia da herança.

A namorada implicou com a palavra utopia, Como assim? Utopia no sentido de descrição de lugar ideal? Ou no sentido de projeto irrealizável?

Diogo respondeu com uma pergunta, Você pensou bem na logística desse projeto?

Megan irritou-se, Utopia no sentido de projeto irrealizável, foi isso que você quis dizer!

Não foi o que eu disse. Eu fiz uma pergunta.

Se eu pensei na logística? Revirou os olhos, desdenhou, Não, eu não pensei na logística, apresentei um pré-projeto, depois a gente vê a coisa da logística.

Diogo sentou-se na cama, senhoril, Para você, que não é dona de nada, é fácil deixar as coisas importantes para depois.

Não sou a dona mas vou ser!, disse Megan, a voz mais alta do que gostaria. E se arrependeu. Ou não vou ser dona de coisa nenhuma, talvez eu prefira, mesmo, não ser dona de nada... Não quero me responsabilizar por um agronegócio erguido às custas do sacrifício dos meus iguais. E me desculpe a franqueza, Diogo, mas não gosto nem um pouco da idéia de me associar aos responsáveis por esse empreendimento!

Diogo apavorou-se, abraçou-a, Então vou abrir mão, honey, vou abrir mão da herança, não quero fazenda nenhuma e muito menos negócio pós-porteira.

Megan afastou-se, Você não deve abrir mão de nada, Tem de manter e transformar essa herança. Recusar ou vender os bens é continuar permitindo o uso dos mesmos animais que queremos libertar.

Também pensei nisso... Então ninguém melhor para cuidar dessas fazendas do que nós dois, honey!

Os olhos da ativista voltaram a perseguir sonhos no teto. Imagine só!, luziram. Ter quatro mundos nas mãos para divulgar ao resto da humanidade como exemplo de utopia realizável! Isso talvez seja mais eficaz do que todas as mesas informativas antiespecismo e pró-veganismo que eu conseguisse montar no campus da universidade! Do que todos os boicotes que eu conseguisse organizar ao consumo de peixes, laticínios e ovos, incentivando a substituição desses produtos por vegetais! Do que todas as campanhas para esterilização e adoção de cães e gatos em que eu pudesse me envolver! Do que todas as bancas de comida vegana que eu pudesse montar em festivais! E, principalmente, do que todas as teses e ensaios acadêmicos que eu conseguisse escrever sobre a preocupação de poetas e romancistas com o desrespeito aos animais! Não, Diogo, nada de abrir mão da herança. No way, honey!

Diogo deitou-se, Eu sei, tudo que você está dizendo já passou pela minha cabeça também, Mas com que dinheiro eu vou realizar o projeto?

Megan foi até a penteadeira ver se o nariz ainda estava vermelho, a logística ficava para depois e os outros detalhes práticos também.

Diogo levantou-se, insistiu, Então você faz idéia da oposição que vamos enfrentar por parte da minha família, da Holy Hill, dos executivos...?

Eu não disse que a coisa vai ser fácil.

E você faz idéia de quanto vai custar tudo, indenização a executivo demitido, investimento na agrofloresta, treinamento dos trabalhadores para os cuidados no santuário?, Faz idéia?, Eu não faço, mas, quer a gente queira, quer não, talvez eu precise vender duas fazendas para realizar o projeto nas duas que sobrarem...

Megan gritou, Nada de vender fazenda!

Mas nem que eu vendesse pelo menos uma fazenda, para transformar as outras três...

Sem venda de fazenda, Diogo!

— Estão brigando — cochichou Bezerra Leitão. Dona Marcela abriu os olhos, grogue. — Não consigo entender o que dizem, mas estão quebrando o pau.

A matrona apurou os ouvidos. Era em ocasiões como aquela que saber inglês fazia uma falta danada.

Honey, caia na real, às vezes acho que sua doutrina peca pela falta de pragmatismo.

Diogo, muitas vezes você usa palavras erradas para conversar comigo, Doutrina, pragmatismo, gimme a break!

Então vamos vender os negócios pós-porteira, devem valer muito lá onde ficam, onde o agronegócio animal prospera.

Você não está falando a sério, Diogo! Se você fosse um nazista convertido ao judaísmo, teria coragem de vender seus negócios pós-porteira de um campo de concentração para outro nazista?

Essa comparação é ridícula e ofensiva!

Megan gritou, Ofensiva é a sua idéia!

Diogo sussurrou, Honey, fale baixo senão minha família vai pensar que a gente está brigando.

Megan cochichou, Afinal de contas você quer combater ou alimentar a nossa cultura de dominação dos não-humanos? Quer combater ou reforçar o paradigma hierár-quico especista???

Claro que eu quero combater, mas acho que você não está enxergando a dimensão do nosso problema.

Nosso problema, e o problema de todo mundo, é que está errado aproveitar-se dos animais, humanos ou não, como se eles fossem meros instrumentos, seja lá para o que for!

Concordo. Mas a senhorita poderia me apontar uma saí-da para este dilema?

Megan pensou, pensou. E disse Claro, a saída é vender os negócios pós-porteira a um empreendedor que não explo-re animais!

Um empreendedor que não explore animais? No Centro-Oeste? Vai ser difícil, Megan, muito difícil. De qualquer for-ma, o dinheiro obtido só com essa venda não vai bastar.

Deve bastar para sustentar os animais alforriados por uns tempos... desde que você abra mão de fazer a agrofloresta!

Abrir mão da agrofloresta? Nem pensar! Prefiro vender uma das fazendas ou até mesmo duas.

Isso está fora de cogitação!

Discordo! Pelo menos com esse dinheiro a gente consegue ajudar alguns animais. É melhor do que não ajudar nenhum!

Mas você não deve prejudicar uns, só porque isso vai ajudar outros! Por exemplo, você acha que estaria certo os pesquisadores usarem você, Diogo, contra a sua vontade, como cobaia num laboratório, se com isso eles achassem a cura para uma doença fatal e salvassem um monte de gen-te? Hein?

Diogo se embananou, Não... não estaria certo... isso se-ria um atentado contra os meus direitos.

Então! Agora se coloque no lugar dos animais que você quer vender. Continua achando certo usar esses coitados numa transação comercial, para o benefício dos outros?

Não. Mas vou abrir mão da minha coerência ética, neste caso em particular.

Só se for por cima do meu cadáver!, ela berrou.

Megan, disse ele em voz baixa, se você quiser me chamar de reacionário, paciência. Mas o fato é que vamos ser obrigados a usar parte do dinheiro ganho com a exploração dos animais das fazendas e dos negócios pós-porteira, seja para libertar o maior número possível desses animais, seja para ganhar mais dinheiro, seja para cuidar de sua saúde, seja para nos divertirmos... É o que vai acontecer, e mesmo assim vamos poder ajudar tantos indivíduos como talvez você nunca conseguisse, Agora chega de discussão, vamos dormir.

— Não estou conseguindo ouvir mais nada, Bezerra.

— Acho que pararam de brigar.

— Não preciso ser poliglota para entender o óbvio. Esse namoro está com os dias contados. Venha cá, meu fofo, dê uma beijoca na sua fofinha.

O patriarca fez o que a mulher pediu. O beijo do casal sofreu uma evolução para outras formas de expressão do amor lentas e excruciantes.

Honey, cochichou Diogo, está ouvindo uma cama ranger?

Estou, disse ela, aborrecida, acho que seus pais estão transando.

Ri ri ri riram baixinho.

Diogo abraçou-a, Não vale a pena esquentar a cabeça com a herança ainda, honey, temos bastante tempo para estudar bem o assunto, consultar abolicionistas, pesquisar situações semelhantes, ver direitinho a coisa da logística e tudo. Love you.

Boa noite, Sleep tight, disse Megan, automática.

Ficou velando o quarto com os olhos acesos. Catou as idéias metidas na noite e organizou-as em ordem lógica. Sem ar para respirar a não ser o de uma civilização erguida sobretudo para o abuso, estava habituada a dilacerar-se por causa de conflitos éticos. Mas cada animal tem um limite para a capacidade de vencer ou administrar conflitos, e ela acabara de conhecer o seu. Assim como elefantes fenecem em zoológicos, ela definharia no elemento de Diogo. A herança prometida, portentosa e sinistra, e a disposição do herdeiro a usar um certo número de animais como se fossem mercadorias, desabavam sobre sua vida como uma tragédia. Megan sentia-se envenenar pelo mesmo amor que a alimentara. O namorado que ela ajudara a sair do atoleiro para percorrer sua trilha arrastava-a de volta ao lamaçal. O muro de pedra dura que a amparava também a oprimia. A sombra que a protegia também a cegava. Onde os namoros são troca, ela saía perdendo; onde são aprendizado, regredia. Sentiu uma saudade ampla, de objeto indefinido, que a deixou angustiada. Experimentou evocar a imagem de Sybil. Quem compareceu ao vácuo foi a ex-heroína quebrada e opaca, vencida pelas sabotagens culinárias de um marido. Experimentou evocar River. Apresentou-se o translúcido companheiro revolucionário, radiante de energia restauradora, o novo e o ágil e o impecável avançando pela mesma trilha que ela. Megan sentiu uma necessidade louca de caminhar ao lado dele. Não tinha vocação para o combate em meio a mafiosos, sobre território desértico e fedendo a carniça. Seu talento vicejava mais em ambientes menos funestos e menos injustos. River fazia parte de uma família progressista. Sua mãe era uma advogada a serviço da Anistia Internacional. Seu pai fazia lobby no governo para uma organização ambientalista. A avó, editora da revista de esquerda The Nation, era casada com um professor de ecologia. Um irmão adotivo afro-asiá-tico-americano e transexual deixara seu consultório em São Francisco a cargo de uma sócia idosa, anã, paraplégica e muçulmana, para trabalhar como voluntário do Médicos sem Fronteiras, no Congo. Megan não sabia se a tradição progres-sista da família de River era bicentenária. Mas gostava de acreditar que, caso alguma mancha de sangue inocente com-prometesse o curriculum vitae dos antepassados mais re-motos do rapaz, sua genealogia recente era imaculada o bastante para neutralizá-la.

River, o Perfeitinho. Assim costumava debochar Diogo, de pura inveja, recordou Megan. E deliciou-se: qualquer que fosse o epíteto atribuído a seu ex-namorado, os últimos três anos haviam-no favorecido com nada menos que grandes qualidades. Ele ficara mais sexy na aparência, maduro na conversa e elegante no flerte. O moleque exibicionista, infla-mado pela testosterona e fascinado por Sybil, parecia ter evoluído para um adulto sensato e perspicaz. Megan também amadurecera. Trocara uma devoção cega e ingênua por uma percepção mais realista da mãe. Agora tinha a responsabili-dade de transmitir suas descobertas a River, senão para ajudá-lo a crescer, então para deixá-lo a par de seu progres-so emocional. E se, além de informá-lo sobre a hipocrisia e a leviandade de que Sybil se mostrara capaz ao submeter-se ao jugo patriarcalista de um predador de animais, Megan lhe contasse que, em sua opinião, sua mãe preferia namorar mulheres a homens, estaria fazendo ao rapaz o duplo favor de tornar-lhe a percepção ainda mais precisa e de debelarlhe um antigo e vão fascínio – na hipótese de que o fascínio ainda existisse.

Megan olhou no escuro dois sonhos de clorofila, ela e River outra vez apaixonados, na mesma rota, sem o obstáculo Sybil. Pois River estava apto a enxergar o avesso daquela mulher extraordinária: o defectível animal humano de caráter quebradiço, a mãe negligente, a senhora de quem a idade começava a confiscar a beleza física, a lésbica indiferente até aos encantos masculinos mais absolutos.

Maravilhoso, Megan.

Ela ergueu-se da cama em silêncio. Acendeu o abajur e começou a tirar as roupas do armário.

Diogo acordou, cochichou, Honey, o que você está fazendo?

A mala. Megan precisava ir embora.

Embora? Como assim embora? Você quer ir embora da fazenda?

Isso.

Ele levantou devagar, atrapalhado, olhou-a dobrar as roupas com as mãos trêmulas, Well, Megan, acho que deve ser foda, mesmo, pra você, ficar aqui, mas pelo menos vamos esperar amanhecer! A gente levanta, toma café e vai prum hotel na cidade.

Megan precisava ir embora. Embora de verdade. Embora para a Flórida.

Pra Flórida? E qual o motivo de tanta pressa?

Ela bufou, bateu o pé, tinha de ir, pronto e acabou.

Ele ficou nervoso, retirou uma mala de baixo da cama, Se fizer questão de ir vamos, honey, eu invento uma emergência, mas pelo menos me explique o motivo...

Sozinha. Megan precisava ir embora sozinha.

What??

Diogo que a desculpasse, ele era um dos humanos mais legais deste mundo, sob tantos aspectos... mas ela havia se dado conta de que não tinha nada a ver casar com ele, ser mulher de proprietário de seres sencientes.

As mãos de Diogo gelaram, Você se deu conta? Quando?

Ela não sabia, tinha a impressão de que fora naquela noite, mas a coisa já devia vir crescendo há algum tempo, dentro dela. Casar com ele, que até para abolir a escravidão dependia de explorar escravos, não combinava com os princípios morais dela.

Diogo titubeou, pernas fracas, Ué, Megan, a gente nem precisa casar, então, a gente só namora. É simples.

Megan começou a chorar.

Ele a abraçou, Volte para a cama, amanhã a gente discute isso.

Ela se afastou, Diogo não entendia! Ela não queria investir a própria vida, que talvez não fosse durar muito, em administrar conflitos desnecessários! Conhecia um jeito de viver melhor, conforme as coisas em que acreditava! Por que procurar sarna para se coçar? Por que apodrecer num relacionamento com um comerciante de seres sencientes, se podia florescer em algum outro, livre de usurpação? Por que compactuar com um sistema de opressão, se podia cooperar com outro, de liberdade? Ao lado de Diogo, Megan acabaria contaminada.

Diogo ouvia tudo perplexo, Megan, estou chocado com o que você está me dizendo. Eu não imaginava que você pudesse encarar nosso relacionamento de uma forma tão negativa.

Nem eu... e peço desculpa por estar sendo rude com você...

Eu mesma ainda não tinha percebido todas as implicações do nosso namoro. Eu tive de ver minha mãe se degradar ao lado de Bob, para acabar me dando conta do risco de me degradar perto de você. Eu tive de ver a sua herança desabar em cima da gente, para descobrir que preciso fugir desta armadilha enquanto é tempo! Eu tenho alternativa! Desculpe, Diogo... mas se eu não disser estas coisas, você não entende! É muito fácil a gente se corromper quando convive com corruptos. Hoje, por exemplo, você, que acredita que os animais não devem ser usados, passou horas perambulando pela fazenda com o seu pai, usando um cavalo como montaria!

Megan, foi uma situação especial!

Todas as situações que a gente vivesse como casal, daqui por diante, iam ser especiais, entende, Diogo?

Não é bem assim. Durante a transição das fazendas e dos outros negócios eu ia poupar você. E ia me esforçar ao máximo para ser o mais coerente possível com o abolicionismo.

Mas seu esforço máximo, Diogo, ainda ia ser pouco. Seu máximo é o meu mínimo. Como eu disse, até para libertar um tanto de cativos você vai querer sacrificar outro tanto. É o cúmulo da contradição! Pode ser que gente mais afinada com o uso dos animais consiga aceitar uma situação dessa. Eu não consigo. Prefiro fortalecer outra, mais justa. Eu tenho saída.

Diogo cruzou os braços, Megan, você não sabe o que está dizendo. Deve estar tendo uma crise passageira, provocada por uma conflito cultural. É muito comum a gente ter conflito cultural em país estrangeiro. Tente encarar as coisas com mais maturidade...

Então tente você ser mais maduro também, Diogo. Os animais não devem pagar pelas nossas fraquezas e os nossos problemas de relacionamento. Para ajudar os animais das suas fazendas, você não precisa ficar grudado em mim!

Grudado? Quer dizer que o nosso amor, a nossa cooperação transformadora, aquela porra toda, viraram um simples grude, na sua opinião?

O que eu quero dizer é que eu posso colaborar para o seu projeto, procurando gente nos Estados Unidos que teria condições de orientar você para nenhum animal sair prejudicado. É isso que eu faria, de lá do meu país...

Então você teria coragem de abandonar estes animais daqui? Bem na hora agá, bem na hora de pôr a mão na massa?

Megan explodiu, Não seja injusto comigo, senhor Diogo Luís Bezerra Leitão! Você está querendo que eu me sinta culpada pelo sofrimento destes animais! Mas quem tem culpa pela situação destes animais são as pessoas que consomem produtos animais, e não eu! Quem ganha a vida com o negócio animal também tem culpa, mas, se não fosse pelos consumidores, as fazendas de animais não existiriam e nós dois não estaríamos tendo esta discussão terrível agora: não estaríamos tentando resolver dilemas que nem deveriam ter sido criados, para começo de conversa! Eu sempre fui vegana, desde pequenininha. Tenho me empenhado em educar as pessoas a serem veganas também e vou continuar me empenhando... Só que vou fazer tudo isto num ambiente que tem a ver comigo! E junto com gente que tem a ver comigo! Junto com River, por exemplo.

A garganta de Diogo fechou. Ele conseguiu sussurrar River!... Então agora chegamos ao xis da questão. Você quer ir atrás do Perfeitinho!

Não seja tão simplista, por favor. E não é assim, "ir atrás" do River. Mas eu gosto dele, é verdade. Acho que nunca deixei de gostar.

Diogo respirou fundo, orgulho ferido, raiva. Foi até a porta.

Então você é que sabe, Megan. Quer ir, vá. Amarrada em mim você não está.

Deixou-a sozinha e enfiou-se no banheiro. Sentado no vaso, chorou.

Clave de Fá

Quando viu o avião aterrissar, River sentiu o antigo fascínio erguer-se do almofadado leito e crescer. Escondeu a evidência de seu sentimento atrás de um ramalhete de flores-do-campo, que apertava na palma da mão para receber a visitante, e melou os olhos de bala de algas.

Sybil trazia pouca bagagem e parecia apreensiva. Cumprimentou-o, entrou no carro híbrido e, discreta, espiou-o tirar do porta-luvas uma caixinha de bombons veganos. Aceitou o mimo das mãos aracnídeas.

— Bem-vinda a sua nova cidade — disse ele por um sorriso escorreguento.

Sybil sussurrou obrigada e esbaldou-se com os bombons. Tinha fome. Ansiava por provar o almoço cru que ele prometera preparar. De barriga cheia, teria mais serenidade para avaliar as casas à venda e entender-se com os corretores.

A caminho do apartamento de River, ela comentou que tivera muita sorte em conseguir uma passagem de última hora para a Flórida, durante a folga estudantil da primavera.

— Mulheres como você não têm *sorte* – corrigiu ele. –
Mulheres como você *merecem* coisas assim.

Ela reclamou da agonia da espera por uma desistência
de algum passageiro, do preço extorsivo do bilhete, dos sobressaltos da viagem com um roteiro mirabolante e picota-
do por conexões.

— Então eu retiro o que disse – retificou o rapaz. – Você
merece coisa muito melhor.

Entre mordidas no crepe de pistache com broto de alfafa
ao molho de tangerina e goles de suco de romã com manjeri-
cão (a erva provinha da horta vegânica que ele cultivava no
próprio jardim), Sybil contou a River as razões para sua mudança a Weekeewawkeeville. Ele a ouviu com a paciência de
um confessionário e a curiosidade de um gato.

Ela se arrependia de ter sido uma mãe negligente. Ele a
corrigiu, Negligente? Muito pelo contrário, Sybil era uma mãe
exemplar! Pois que outro adjetivo conferir a uma mulher determinada a trocar um ambiente avançado do norte pela aven-
tura do desconhecido no sul, só para reverter os hipotéticos
danos de um suposto desleixo na criação da filha?

Ela sentia-se culpada por ter sido uma militante frívola
e hipócrita, quando se rendera à dominação patriarcalista
do marido, o consumidor de animais Bob Beefeater. Hipócrita?, admirou-se o anfitrião, Frívola? Sybil não estava falando da mesma pessoa que ele! Pois a mulher à qual ele se
referia era a ativista responsável que soubera romper, de
maneira digna e resoluta, uma união baseada na tolerância
piedosa a um companheiro inapto para assimilar o valor do
veganismo.

Ela confessou ter vergonha de ser um defectível animal
humano de caráter quebradiço. Ele a corrigiu, Vergonha??

Que absurdo. Ela deveria ter é orgulho, isso sim, orgulho de ser um animal que, embora condenado à torpeza da condição humana, lutava com bravura para viver conforme seus mais justos ideais éticos!

River ouvia-se estridente. Via-se ávido, lustroso. Perdera o apetite. Dormia pouco. Só pensava em Sybil. Assustava-se com a própria obsessão. De onde viria seu fascínio pela senhora com idade para ser sua mãe? Ele não conhecia todas as explicações. Mas supunha que algumas estivessem ao seu alcance, no corpo dela, acenando-lhe com um lampejo prateado de uma mecha de cabelo, espiando-o de dentro de uma ruga. Aquele universo feminino de quase meio século ocultava um segredo no qual ele queria penetrar. Ele estava fortemente impelido a peregrinar pelo caminho de carnes já um pouco lânguidas que, à mesa de sua pequena cozinha, nutriam-se, cheias de volúpia, das criações que ele oferecia em sementes, hortaliças e frutos vivos.

Dias movimentados. Curtos. Ele se enervava num vaivém de paradoxos. Quando Sybil estava próxima, ele a percebia escapar. Quando ela se afastava, ele a sentia mais íntima. Sem que ela pedisse, ele a seguiu nas visitas aos imóveis à venda e nos giros para o reconhecimento da cidade. Sem que ela precisasse, assessorou-a nos contatos com os corretores e na assinatura da proposta de compra da casa. Se ela não o cobriu de elogios por ser prestativo, também não o acusou de intrometido. Ele viu nisso um sinal verde. Planejou uma despedida com um jantar entre muitas flores na cozinha, seguido de um enlace de corpos no quarto, em meio a velas perfumadas.

O mais perto que ele conseguira chegar do segredo de Sybil fora Megan. Como se parecia com Sybil, a menina! Ou pelo menos era assim que River a enxergava. A filha, uma versão fresca da mãe. O fetiche em duplicata. Tesão dobrado. Será que, como a mãe, Megan também se descobriria homossexual, um belo dia? Ele se deleitava. Lésbicas, a suprema fantasia do macho humano heterossexual americano contemporâneo! Sybil e Megan lésbicas... e incestuosas! River dava corda aos sonhos, masturbava-se. Depois relaxava, feliz. Filosofava. A auto-estimulação solitária e secreta é a forma mais segura de um humano se divertir, à vontade e impune, com o tabu de sua escolha (por mais inviolável que seja), sem infringir os direitos de ninguém. E na falta da crença em um Criador a quem agradecer pela dádiva catártica e libertária do onanismo, contentava-se em reconhecer um sucesso da vida. Viva a vida!, celebrava com seus botões de material reciclável, Viva aquela que lhe possibilitava orgasmos inofensivos com todo e qualquer faz-de-conta, tanto o transformador quanto o conservador, tanto o correto quanto o incorreto, o supérfluo e o essencial, o óbvio e o misterioso, o sórdido e o sublime, mães-Sybils e filhas-Megans lésbicas e incestuosas em uma orgia, durante um banquete de vegano cru, em um mundo livre de aproveitadores de seres sencientes.

Sybil estava ocupada demais com os próprios assuntos para processar toda a energia de que o rapaz a cercava. É verdade que ficara seduzida pela sua adulação e sua excelente culinária. Mas também se assustava com a sofreguidão com que ele lhe desculpava os erros, fazia-lhe favores, seguia-lhe os passos e servia-lhe a comida. Ao fim do segundo dia, lamentou ter aceito hospedar-se em seu apartamento. Achou que ainda tinha tempo de evitar um possível desastre, passando o resto de sua estada em outro domicílio. Agarrou sua pequena bagagem, anunciou-se no dever de retribuir a gentileza do anfitrião e pediu a chave da casa de Megan.

– O mínimo que posso fazer por você é cuidar dos cães e gatos da minha filha – argumentou.

– Vou junto – disse ele, pegando a chave.

Sybil arrancou-lhe a chave da mão:

– Mas de jeito nenhum. Você já me ajudou muito. Não quero lhe dar mais trabalho. Vou ficar na casa de Megan até amanhã.

River voltou-lhe uma cara de flores murchas e velas apagadas:

– Então me deixe ao menos levar você até lá.

– Se não se incomodar...

Ele encheu uma sacola com frutas, nozes e sobras do jantar:

– Para seu café-da-manhã.

Ela sentiu uma ternura insuportável pelo mocinho. Escondeu-a sob um obrigada protocolar.

Sozinha na cama de Megan e Diogo, adormeceu em êxtase por ser o único humano na casa. De madrugada, acordou para fazer xixi. A luz do quarto estava acesa. A seu lado direito roncava uma mestiça de poodle com o nome Marguerite Yourcenar na coleira. Ao esquerdo, as gatas Mary Shelley e Charlotte Brontë olhavam-na em amarelo. Às cinco e meia da manhã ela despertou com o chamado do telefone, encolhida entre o labrador Mahatma Gandhi, o beagle Bernard Shaw e a mestiça de siamês Alice Walker.

– Bom dia, Sybil. Chego aí em cinco minutos – disse River.

Ela pulou, vestiu sua calça jeans e uma camisetinha de manga curta, catada às pressas do guarda-roupa da filha. Tinha programado percorrer os santuários de animais da região com seu cicerone. Ele lhe dissera que, todos os meses, doava algumas horas de trabalho aos santuários abolicionistas e, daquela vez, teria, no auxílio dela, mais motivação do que nunca para a labuta.

Ela o recebeu com a boca cheia de pasta de dente. Para seu constrangimento, ele tratou dos cães, dos gatos e, pondo a mesa para o café-da-manhã, dela também.

Sybil via com reserva os santuários que expõem os refugiados ao público. Muitos desses abrigos lhe pareciam zoológicos com uma fachada caridosa, indiferentes ao desejo de privacidade dos animais. Mas River lhe garantiu que só trabalhava para aqueles em que os ativistas explicam aos visitantes, com todos os pingos nos is, por que a existência dos santuários nem deveria ser necessária, para começo de conversa. No de primatas recolhidos de laboratórios, realejos, circos e domicílios, ele pediu a ajuda da amada para serrar galhos derrubados por um furacão do ano anterior e empilhar os tocos sobre a carroceria de uma picape. No santuário de porcos, convocou-a a partir duas dúzias de abóboras para o almoço dos moradores e a fazer a adoção simbólica de Constantine, um jovem Hampshire recém-libertado de um tiranizador de pit bulls que tencionava usá-lo como isca no condicionamento para rinhas. No santuário de cavalos, ajudou-a a escovar Asinha, um ex-puxador de carruagem de Nova Orleans ferido e traumatizado pelo furacão Katrina, e a banhar Blanca, uma Appaloosa cega, resgatada dos Everglades, onde fora abandonada aos jacarés por seu escravizador. Por fim, no santuário de grandes felinos, a dupla afixou placas com as biografias de alguns recém-chegados e conheceu o pantera-macho Wanderlust.

Wanderlust estava na puberdade quando, espremido dentro de uma caixa para transporte de cachorro, fora empurrado da carroceria de uma caminhonete para perto do portão principal do santuário, sem que o veículo sequer parasse. Na opinião dos ativistas, Wanderlust teria sido criado como um gato doméstico até começar a exibir, para o desgosto do criador, uma característica essencial dos felinos selvagens: o instinto de marcar quase tudo à sua volta com uma copiosa quantidade de urina de estonteante odor. Como se a vida de bicho de estimação não fosse suficientemente perversa para um predador das selvas, Wanderlust tivera de amargar abjeções extras. Estava anêmico, atrofiado, banguela e sem as unhas, que haviam sido mutiladas junto com a ponta de todos os seus dedos. Inepto para a vida nas florestas, aliás cada vez mais inadequadas à vida dos animais, foi assentado em um terreno do tamanho de um campo de futebol com vários arbustos, um carvalho no centro, caverna subterrânea de concreto, abrigo contra furacão e laguinho artificial. A gerência decidiu que, quando houvesse tempo e pessoal disponíveis, Wanderlust seria esterilizado para não gerar novos presidiários e depois seria testado para a vida social entre outros de sua espécie ou de espécies diferentes. Se passasse no teste, teria de morar com um ou mais colegas – ainda que a natureza tenha feito a pantera um ser solitário – e deixaria o terreno que ocupara antes para um novo refugiado.

O espaço de Wanderlust isolava-se por uma cerca metálica de cinco metros de altura que se dobrava para formar um teto, fechando-se em torno do tronco do carvalho. Sua biografia, impressa em uma das placas que estavam sendo instaladas por Sybil e River, informava que, em ambiente natural, as panteras costumam ziguezaguear até trinta quilômetros por noite. Mas, no campo de futebol a seu dispor, Wanderlust não tinha muito que fazer no escuro. Ia daqui para lá, mijava, vinha de lá para cá, mijava, subia num ga-

lho, mijava, descia. Lambia a água do laguinho. Ouvia e cheirava o ar. Mijava. O dia ele matava metido na caverna, com
os olhos fechados e irrequietos perseguindo sonhos por uma
área de trinta quilômetros de extensão, a ser marcada com
sua urina para evitar brigas e atrair namoradas. Em tardes
insones e enjoadas do mesmo sonho, ele saía da toca para
observar o vaivém dos humanos e esperar a hora da comida.
A espera era longa e impotente. Wanderlust driblava o tédio
embebedando arbustos, pedras e o carvalho com o apelo excitante de sua urina.

Antes mesmo de enxergar Sybil e River movendo-se na
direção de seu território, ele foi capaz de ouvi-los e cheirá-
los. Escondeu-se num arbusto próximo à cerca e aguardou
sua passagem. Já de longe constatou que eles traziam algo
nas mãos. Não eram coisas de matar fome ou sede, descobriu
depressa; talvez fossem coisas de machucar e humilhar. Os
dois estranhos pararam ao alcance de um pulo-de-Wander-
lust-sem-impedimento-de-cerca. Como tantos humanos já
observados, começaram a mexer nas coisas trazidas para
fazer aparecer coisas novas.

— Wanderlust. Pantera da Flórida — disse Sybil, lendo
uma das placas em suas mãos. Conferiu o número do pilar
onde deveria afixá-la. — É aqui.

Os dois trabalharam com o alicate e o martelo. Wanderlust
ficou confuso. Talvez fosse melhor fugir, calculou. Talvez ele
devesse voltar à caverna. Se não houvesse o empecilho da cerca, correria para bem longe. Seria mais fácil e mais seguro do
que tentar se defender das coisas nas mãos dos humanos, caso
elas fossem de machucar e humilhar.

O casal terminou o trabalho e sentou na grama para descansar. Deixou no chão as ferramentas e a última placa a ser

afixada. Desarmado e encolhido, parecia inofensivo. Wanderlust teve coragem de deixar o arbusto. Expôs aos poucos, com cautela, toda sua imponência. Sybil e River arregalaram os olhos.

— Coisa mais linda! — murmurou a feminista.

— Mesmo mirrado e banguela, é um dos caras mais majestosos que já vi — sussurrou o militante.

— Maravilhoso, Wanderlust...

A pantera investigou a brisa que passava pelos dois estranhos, atravessava a cerca e chegava até seu nariz. Fugir ou atacar? Esperar ou desistir? Rosnou frouxo. River rugiu:

— Nojo, Sybil! O prazer de certos humanos em subjugar criaturas magnificentes como essa, de reduzi-las a miseráveis versões daquilo que evoluíram para ser, tudo isso me dá nojo, nojo, nojo!

— Chiu... fale mais baixo para não perturbá-lo — ela sussurrou. — Também tenho nojo. Nojo e revolta.

Continuaram a conversa aos cochichos:

— O mínimo que podemos fazer por Wanderlust é respeitar sua privacidade e fingir que não notamos sua presença.

— Isso. Vamos ficar de costas e fazer de conta que ele nem existe.

Voltaram com delicadeza as costas para o inocente condenado à prisão perpétua. Sybil pegou do chão a biografia que deveria afixar perto de uma jaula mais adiante e leu-a para River:

— Ivan. Ligre. Nascido do cruzamento em cativeiro de uma leoa com um tigre, Ivan, como todos os ligres, está fadado a uma vida curta e doentia por causa de problemas genéticos.

Sentiu uma leve pressão sobre a cabeça. Um besouro, supôs. Continuou a ler:

— Foi confiscado de um zoológico de beira de estrada, em estado de inanição.

Conteve a vontade de se coçar. O besouro estaria correndo por seus cabelos, nuca e costas. Melhor tolerá-lo mais um pouquinho, pensou, em um instante ele encontraria sua rota no chão ou no ar. Terminou a leitura:

— A existência do ligre, que não ocorre em ambiente natural, é mais um infeliz resultado da manipulação dos animais como objetos sem outro valor que não o lucro dos empreendedores e o entretenimento de um público deseducado.

Um forte tapa acertou-lhe o nariz: uma súbita ênfase no odor felino. River deu um pulo, Cuidado!, correu, Sai daí, Sybil!, mas era tarde. Wanderlust havia atingido a cabeça, as costas e os cotovelos da dupla com sua lasciva e pegajosa urina.

O casal espirrou-se dali. Largou o material de trabalho na guarita, meteu-se no carro e voou em direção à casa de Megan. Seus corpos, convertidos em uma extensão móvel do território da pantera, eram agora o veículo de um contundente comunicado oficial: a mensagem de auto-afirmação e erotismo que Wanderlust compusera nos rins, transmitira pelos ureteres à bexiga e enfim exportava de seu asilo.

Sybil e River arrojaram-se casa adentro, depois de deixar as janelas do carro abertas para tentar aliviar o estofamento do denso almíscar. Receosos dos vapores por eles emanados, os cães e gatos preferiram não saudá-los.

Os dois tiraram rapidamente as roupas, exceto as de baixo, e jogaram-nas sobre a máquina de lavar. Enfrentaram um segundo de indecisão quanto a quem tomaria banho primeiro. Poderiam fazê-lo ao mesmo tempo, determinou Sybil, desde que River continuasse de cueca, na ducha, e ela de calcinha e sutiã, na banheira. E séria, dedo em riste, avisou, Que nenhuma idéia equivocada passasse pela cabeça dele!

River desapontou-se com a advertência. Sentiu-se constrangido por ser tratado como um fedelho traquinas pela sua deusa. Mas achou cedo demais para desanimar. Afinal, quer Sybil quisesse, quer não, ela acabava de se referir à possibilidade de um relacionamento entre os dois — uma possibilidade refutada, bem entendido, mas ao menos reconhecida. Já era um começo.

Lavaram repetidas vezes as marcas quase indeléveis deixadas pelo grande felino.

— Por que será que Wanderlust urinou na gente? — perguntou Sybil, enrolando a toalha ao corpo.

— Acho que ele não urinou na gente, mas na cerca — disse River, sob o jato d'água. — Deve ter atingido a gente sem querer.

Sybil tirou o sutiã por baixo da toalha e dirigiu-se à porta. Riu:

— Com todo respeito às panteras, esta foi a primeira vez na minha vida em que senti urgência de me livrar do perfume de fluidos sexuais!

Na sala, de volta do Brasil, Megan acabara de ser recebida por três cães prudentes e quatro gatos desconfiados. A primeira coisa que notou foi o forte odor de mijo felino. A segunda, vozes humanas no banheiro, de homem e de mulher, encobertas pelo chiado da ducha. River metido com mulheres, afligiu-se Megan, River dando banho em alguma sirigaita, em vez de limpar o xixi dos animais. Por um instante arrependeu-se de ter retornado da fazenda antes do dia combinado. Tentou engolir em seco uma pelota na garganta. Não conseguiu. Olhou em volta. Uma bolsa feita de cânhamo, sobre o sofá, atraiu sua atenção. Abriu-a depressa, pegou documentos. A carteira de motorista pertencia a Sybil e sua foto sacudia de rir, na mão da filha traída.

Megan reprimiu um começo de choro, meteu de volta os documentos na bolsa. A voz de Sybil ficou mais nítida, ...me livrar do perfume de fluidos sexuais! Ela entrou na sala, envolta por uma toalha.

— Megan! — festejou, dirigindo-se à filha com uma pose pronta para um abraço. — O que você está fazendo aqui?

Megan evitou-a:

— O que *você* está fazendo aqui? Esta é a *minha* casa!

Sybil encolheu-se. No rostinho de sua filha abatiam-se uns olhos vermelhos, vergavam-se uns lábios presos. No banheiro, River cantarolava. Sybil prendeu melhor a toalha ao corpo.

— Megan, eu sei o que você está pensando — disse com cuidado. — Mas não é nada, nada disso, OK? Só vim comprar uma casa. River encontrou-a para mim. Ele tem sido um santo este tempo todo.

— Posso imaginar... — resmungou a moça.

Sybil tentou chegar perto da filha outra vez:

— Houve alguma problema no Brasil? Diogo veio com você?

Megan sentiu que perdia o controle sobre o choro. Virou as costas para Sybil e endureceu a voz:

— Vá se vestir, mãe. Depois a gente conversa.

— Não quer me acompanhar ao aeroporto? Poderemos conversar até a hora do meu embarque.

— Não vai dar. Tenho um compromisso... — vacilou — um compromisso de caráter ativista.

A mãe capitulou, conscienciosa:

— Ah bom, então vá firme, minha filha. Essas coisas não podem ficar para depois. Mas dê uma passada no quarto daqui a pouco que a gente se fala rapidinho.

Pegou sua bolsa feita de cânhamo e deixou a sala, observada com reserva pelos gatos Kafka, Platão e V. S. Naipaul.

A moça foi à cozinha beber água para tentar desentalar da garganta o limão grande e cascudo do desengano. River apareceu em seguida, cabelo molhado, toalha nos quadris.

— Megan! Que boa surpresa! Veio mais cedo do Brasil?

— O que você acha? – disse ríspida.

— Well, bem-vinda! Conversou com sua mãe?

— Conversei.

— Então já deve estar sabendo de tudo.

— Claro que estou sabendo de tudo! – rosnou. – A coisa está tão evidente! Posso senti-la no ar!

— É porque ainda não lavei nossa roupa – disse ele, ligando a máquina e jogando dentro dela uma medida de sabão biodegradável. – A minha ficou encharcada! O líquido grudento saiu em jatos vigorosos, desses que só gatões em plena juventude conseguem produzir.

Megan sentiu-se nauseada. Machãozinho metido! Diogo tinha toda razão em caçoar daquele bosta.

— Eu bem que tentei evitar – continuou River. – Mas quando vi já era tarde. Obra daquela pantera safada!

A moça olhou-o empurrar as roupas sujas para dentro da máquina. Lembrou-se de que ele costumava chamá-la de gatinha, quando namoravam. Já Sybil ele acabava de comparar a uma pantera. Estava claro qual o lado mais forte daquela competição, na idéia dele. River pegou uma cueca de Diogo de dentro da secadora e dirigiu-se ao banheiro para vesti-la.

— Sua mãe também ficou toda molhada – disse, encostando a porta. – Nunca vi uma pessoa com tanta pressa de tirar a roupa.

Megan tinha os nervos arrebentados. Os joelhos, bambos. O olho ela não pregava há pelo menos quarenta e oito horas. Amargara três dias em um inferno sul-americano, rompera o namoro com um futuro milionário brasileiro e abalara-se de volta a Weekeewawkeeville a fim de tentar reatar um relacionamento idealizado, só para descobrir que seu eleito... só para descobrir que ele e sua mãe... Uma lágrima engatinhou por sua bochecha. Ela a secou com um dedo trêmulo e piedoso. Precisava dar um jeito de relaxar... Mas como? Não sabia meditar, não acreditava em reza e tinha horror a remédios. Lembrou-se de um exercício, ensinado em um livro da ecofeminista Carol J. Adams, para tranqüilizar vegetarianos obrigados a sentar à mesa de refeições com comedores de carne. Quem sabe pudesse criar um exercício similar, para acalmar mocinhas ciumentas e curar corações partidos! Consultou o livro na estante da sala. O exercício combinava respiração, postura e uma espécie de mantra. Agradeço meu vegetarianismo, deveria dizer o praticante, antes de inspirar. Oriento-me por meu vegetarianismo, diria ele, antes de expirar. No que fosse inspirar outra vez, proferiria Estou em paz. Depois diria Transmito minha paz a todos, e expiraria.

Na cozinha, por telefone, River contratava um táxi para levar dois passageiros, chamados Sybil e River, ao aeroporto. Megan acendeu um incenso com perfume de jasmim. Sentou-se no sofá, espinha esticada, o polegar e o indicador de cada mão juntos, formando um círculo. Inspirou fundo e devagar. Expirou lentamente. Repetiu a respiração ritmada com sua paródia do mantra vegetariano, dita em voz baixa:

— Agradeço minha autonomia feminina. Oriento-me por minha autonomia feminina. Estou em paz. Transmito minha paz a todos.

Irritou-se com o tec tec da faca na tábua de vegetais preparados por River para Sybil jantar no avião. Esforçou-se para concentrar-se em seu exercício. Praticou-o durante mais alguns minutos. O resultado foi tão bom que ela resolveu avançar. Procurou mentalizar uma cor. Verde. Mas a escuridão por baixo de suas pálpebras empurrou para longe umas tintas frouxas. A moça insistiu. Um espectro relutante, entre o verde-claro e o azul-turquesa, filtrou-se do preto e, aos poucos, suprimiu-o. Megan sentiu-se pronta. Dirigiu-se ao quarto para encontrar seu oráculo de superioridade opressiva entre duas montanhas intimidadoras: a mãe.

Seria breve. Tinha coisa mais conseqüente a fazer do que bancar a figura patética e desamparada. Não tocaria no assunto River. Noticiaria o fim do namoro com Diogo sem choramingar. Óleo e água, diria, agora Diogo e eu somos óleo e água, seria impossível ficarmos juntos, viveríamos como você e Bob, entre a guerra declarada e o pacto de hipocrisia. Daria um tom bem-humorado a uma narrativa secundária de sua breve saga no hemisfério sul, riria, dona Marcela, mãe, depois lhe mostro as fotos daquele bucho, nunca foi com minha cara nem eu com a dela, o corpo daquele monstro é um verdadeiro laboratório de diabetes tipo dois. Filha, censuraria Sybil, seja respeitosa ao referir-se aos problemas dos outros, e Megan mudaria o tom, coitada da dona Marcela, mãe, aquela mulher precisa se instruir, se educar sobre nutrição, mas eu ia dizendo que assim que Diogo, no meio da noite, contou à dona Marcela que eu e ele tínhamos desmanchado e eu estava pronta para voltar à Flórida, ela voou para o telefone, antecipou minha viagem, fez questão de pagar a multa à empresa aérea e ainda mandou o filho, Rodrigo, um cineasta frustrado, me levar ao aeroporto. Depois Megan trocaria de assunto. Mencionaria as duas coisas que realmente lhe importavam (direitos animais e carreira) e se despediria, Boa viagem, mãe, não vejo a hora de você fazer a mudança, agora preciso ir, tenho de ver como ficou o lance de um corvo ameaçado e depois quero retomar minha dissertação.

Bateu de leve na porta do quarto. Agradeço minha autonomia feminina, inspirou. Nenhuma palavra sobre River, expirou. Transmito minha paz a todos.

Sybil abriu a porta. Megan sorriu, desenxabida:

— Parabéns, mãe. River é um sujeito maravilhoso. Sejam muito felizes juntos.

E armou-se para um abraço.

Em Cambridge, a noite começava a impor-se aos arredores da casa vitoriana shingle-style, poupando um protesto de lâmpadas em alguns bolsões de resistência ao escuro. Dentro da casa, a noite afrontava a claridade em seis frentes, cada uma sob um abajur aceso e em cima de um colchãozinho. Bob bateu com o dedo na janela de vidro da sala e acordou um dos gatos pretos. Viu-o entreabrir a boca e tremer o bigode. Era Bass Clef. Ela sempre fazia aquele gesto, quando miava um comentário surpreso. Bob tocou a campainha.

Não costumava passar na casa dos outros sem avisar. Achava melhor evitar imprevistos desagradáveis para anfitrião e visitante. Mas naquele caso não havia alternativa, justificou a si mesmo, já deixara vários recados na secretária eletrônica de Sybil, enviara sabe-se lá quantos e-mails. Se ela preferia não responder, que arcasse com as conseqüências. Bob apertou a campainha outra vez. E mais outra.

Queria visitar os gatos. Queria também mostrar a Sybil a carta de uma concorrente da companhia holandesa que o convidara a participar do projeto da carne de laboratório. A carta da concorrente oferecia a ele, Chef Bob Beefeater, o dobro dos honorários prometidos pela empresa da Holanda, em troca de uma colaboração exclusiva no lançamento de uma linha de produtos alimentícios realmente inovadores e auspiciosos, comparados aos quais a carne de laboratório não passava de uma quimera de troglodita. Sybil adoraria conhecer o novo projeto. Mais que isso, ela o aprovaria. Ficaria orgulhosa de Bob, ao saber que ele não só aceitara participar do empreendimento como já rompera o contrato com a firma holandesa e andara testando receitas inéditas para apresentar aos executivos da outra empresa. Bob estava disposto, inclusive, a adaptar todo o cardápio de seu restaurante às infinitas possibilidades dos novos produtos. Sybil saberia ouvi-lo, saberia reconhecer seu empenho em fazer as coisas mais ao jeito dela. Confiaria em sua promessa de nunca mais misturar produtos impróprios à comida. É quase certo que se lembraria dos bons momentos de casada com uma pessoa do sexo oposto e consideraria a idéia de unir-se outra vez a ele. Uma chance, Bob só queria mais uma chance de tentar refazer sua vida a dois – sua vida a catorze, corrigiu-se, nostálgico das noites em que ele e Sybil se deleitavam com a flutuação de doze pares de faíscas à caça de petiscos espalhados de propósito pela sala escura.

— Boa noite. A dona da casa não está no momento. Posso ajudá-lo?

Bob virou-se para ver quem acabara de falar. Uma mocinha chegara de bicicleta e caminhava em direção à porta, chave na mão.

— Pode sim – respondeu o chef. – Por favor, me diga quando Sybil volta.

— Amanhã. Hoje é meu último dia como babá dos gatos.

Bob murchou. Sybil o evitava tanto que preferira contratar uma babá a lhe pedir para cuidar dos gatos em sua ausência, coisa que ele faria de graça e com o maior prazer. A moça entrou na casa.

— Eu gostaria de ver os gatinhos — pediu ele, antes da porta fechar. O vão da porta examinou-o com um olho desconfiado. — Quero matar a saudade. Esses gatos têm seis irmãos adotivos que ficaram sob minha guarda, quando me separei de Sybil.

— Ah, então o senhor deve ser o chef Bob Beefeater — disse o vão da porta, sem muita alegria. — Sybil me falou do senhor.

Bob sorriu sua simpatia mais escancarada:

— Sou eu mesmo.

A porta trancou-se. Por uma janelinha em sua parte superior apareceu o rosto constrangido da babá.

— Sinto muito, senhor Beefeater. Não estou autorizada a receber visitas na ausência da dona da casa. — Segura dentro da fortaleza vitoriana, a jovem trocou o embaraço por um esforço para ser gentil: — Mas o senhor logo poderá entrar em contato com ela. Sugiro que lhe telefone amanhã mesmo. Ou lhe mande um e-mail já! Ela acaba de comprar uma casa na Flórida. Está voltando a Cambridge para fechar a venda desta aqui e deixar tudo certo para mudar para lá daqui a dois meses, mais ou menos.

Todos os resquícios de bom humor de Bob despencaram-lhe rosto abaixo.

— Oh... obrigado — lamentou-se.

Deu uns passos indecisos, talvez na direção da rua, ou do seu carro, se é que conseguia lembrar-se de onde o deixara.

— Sr. Beefeater! — chamou a babá.

Bob a atendeu. Pela janelinha da porta, nas mãos da moça, mostrava-se Bass Clef. A gata tremeu o bigode e miou. Bob dirigiu-se a ela e esticou os lábios em bico até seu nariz. Bass Clef ronronava alto. Bob despediu-se.

Ri ri ri ri ri quá quá quá quá quá. Megan deixou a estrada na altura da placa fosforescente onde se lia Alligator Plantation e entrou no jardim semi-selvagem da clínica do doutor Stanley. Era acometida por frouxos de riso toda vez que se lembrava do qüiproquó envolvendo Sybil, River, a pantera Wanderlust e a si própria, no papel de uma vítima tragicômica de ciúmes infundados. Sybil também rachara o bico com a trapalhada, Que imaginação, filhinha, eu e River juntos?, mas nem com afrodisíaco de pantera!, Você deveria escrever comédias de tevê e quá quá quá quá quá. Megan estava morta de vergonha de ter sido tão estúpida e mesmo assim não conseguia ficar séria. Bancara a palhaça quá quá quá quá quá.

Enxugou as gotas que rolavam de rir sobre seu rosto. Seguiu devagar pelo caminho pavimentado para não atropelar algum peru ou garça que, de susto, pudesse precipitar-se das folhagens. Aproveitou para ver se havia um corvo por ali. Não detectou nenhuma ave preta na copa das árvores ou contra as nuvens rosas e laranjas. Também não enxergou nenhum viveiro. O barco Leah pastava no gramado. Um poste de lâmpada acesa olhava o fim do dia. Ri ri ri quá quá quá, era como se Megan tivesse fumado maconha.

Estacionou perto do único carro no local e entrou na sala de espera. Sozinha e ao telefone, a recepcionista reconheceu a jovem paciente do basocelular na pálpebra.

— Sinto muito, Megan — disse ela, tapando o bocal do aparelho com a mão. — O doutor já foi e eu estou de saída. É uma emergência?

— Não, ainda bem. Desculpe-me por ter vindo tão tarde. Eu só gostaria de saber que fim levou aquele corvo que andou seguindo o doutor Stanley em suas caminhadas.

A recepcionista fez um instante de silêncio, ergueu um queixo solene, Ah sim um momento por favor, e retomou a conversa ao telefone.

Megan sentou-se o mais longe possível dos cadáveres de indivíduos caçados que decoravam o ambiente e esperou ser atendida. Riu ri ri ri ri e tentou esconder o rosto. Precisava fazer alguma coisa para ficar séria, ou a recepcionista a acharia maluca. Enumerou todas as providências que teria que tomar para mudar de casa antes de Diogo voltar do Brasil. A convite de River, ficaria no apartamento dele e, assim que a nova casa de Sybil estivesse disponível, mudaria para lá. Sentiu vontade de rir outra vez. Resolveu prestar atenção na conversa da recepcionista. Quem sabe ela estivesse consolando algum paciente desenganado e deixasse Megan triste.

— Isso, vinte e cinco de maio, às dez da manhã – disse a mulher. – Cai num domingo. A cada três meses, sempre num domingo, o Clube de Caça de Weekeewawkeeville se reúne para um brunch onde é servida uma caça trazida por um dos participantes.

Os frouxos de riso pifaram. Megan gravou a data, vinte e cinco de maio às dez.

— Todos os membros já confirmaram presença – continuou a recepcionista. – Vem, vem o governador sim. Ele disse que, se houver um imprevisto, vai mandar a esposa ou outro representante. Mas ele vem, eu garanto, porque ele adora o clube, sempre dá um jeitinho de aparecer nos brunches e é quem mais come. Pois não, senhorita. Olhe, devo dizer que o doutor Stanley já tentou convidar o senador várias vezes,

mas não obteve retorno, então me pediu para falar com a senhorita. Por favor, providencie para que seu chefe considere
o convite de coração aberto, se entende o que quero dizer. Claro! Claro que o convite é extensivo à senhorita também, o
clube não tem preconceito não, se até eu, uma reles recepcionista, faço parte dele, imagine a senhorita, que é uma emi-
nente estagiária. Vou lhe mandar a lista dos membros por
e-mail amanhã cedinho, e por favor transmita-a ao senador.
O clube conta com gente excepcional, viu, pessoas muito dis-
tintas, advogados, médicos, conservacionistas, donos de
imobiliárias e agronegócios, políticos, comerciantes de armas e de produtos farmacêuticos recreativos, compositores
de rap. A senhorita vai se dar muito bem com o grupo, tenho
absoluta certeza. Nossa única exigência para a filiação, além
da recomendação de um membro, é o amor à caça. Por ser
muito amiga do senador estadual da Flórida a senhorita já
está mais do que recomendada... O que foi que eu disse?
Muito amiga? Desculpe, eu quis dizer estagiária, Por ser estagiária do senador estadual da Flórida a senhorita já está
recomendadíssima. Quanto ao amor à caça, é o seguinte, só
pelo som da sua voz já posso dizer que a senhorita gosta de
caçar. Não gosta? Mas por que a senhorita não é fã desse esporte, por gentileza? Ah, as armas lhe dão aflição... Não seja
por isso, a clínica do doutor Stanley terá o maior prazer em
compensar o seu incômodo, brindando-a com um tratamento tonificante e embelezador de pele, ao longo de um ano. Mas
não tem nem o que agradecer, senhorita, estamos aqui para
atender os amigos. Olhe, se o senador ainda ficar na dúvida
quanto a entrar para o clube, ou quanto a pelo menos com-
parecer ao brunch, peça para ele consultar o ex-senador
Harry Badcock, hoje deputado estadual. O deputado Badcock

é um membro assíduo e um dos nossos colaboradores mais generosos. Eu que agradeço, passar bem.

Desligou o telefone e agarrou a bolsa. Dirigiu-se com pressa ao banheiro, esticando para baixo uma blusa estreita que lhe cobria de flores um tronco de fartos balões. Saiu penteada e empelotada em um casaquinho curto de malha justa. Sentou-se na beira do sofá, ao lado de Megan, o rosto voltado para ela, grave e imóvel, o corpo voltado para a porta, em posição de arranque.

— Então, Megan. O corvo.

— Pois é – dissimulou a moça –, eu estava passando aqui perto por acaso e daí pensei, Poxa, não custa nada ir lá na clínica dar uma perguntadinha...

— O corvo nunca mais apareceu.

— Oh – gemeu Megan, na dúvida entre preocupar-se menos ou mais.

— Mas deu uma ótima idéia ao doutor Stanley! – vibrou a recepcionista.

— O corvo? Deu uma idéia? Qual?

— A de promover torneios de tiro ao corvo aqui na Flórida.

Megan sentiu a pálpebra operada tombar mais. Levantou-a, arregalando os olhos:

— Perda de tempo do doutor Stanley. Torneios de caça como o tiro ao corvo já foram proibidos por lei, na Flórida.

— Mas sabe como é lei. Num governo é instituída, no outro é revogada. E fica nesse vaivém.

— A verdade é que enquanto houver gente a fim de caçar, lei contra a caça não vai fazer a menor diferença.

— Mas o doutor Stanley faz questão de proceder dentro da mais absoluta legalidade! – salientou a funcionária. – Por isso quer a revogação da lei contra o torneio de tiro ao corvo.

Ele não dorme no ponto. Preside um clube de caça que congrega legisladores e lobistas. Preciso lhe dizer mais?

— Precisa – resmungou Megan. – Por favor, me explique que tipo de prazer faz essa gente poderosa gastar tanto recurso em matar seres desarmados e inocentes.

A recepcionista sacudiu-se na ponta do sofá, espichou para baixo a blusa e o casaquinho:

— A coisa é mais complicada, Megan. Antes de julgar os caçadores, você tem de compreender muito bem a natureza da caça e da morte.

— Compreendo o direito de não ser ferido nem assassinado. E direito tem de ter prioridade na vida da gente.

— Claro que tem de ter prioridade, longe de mim e do doutor Stanley contradizer isso. Está até no estatuto do clube, a coisa dos direitos humanos.

— Estou falando de direitos animais.

A recepcionista sentiu calor, arregaçou as mangas do casaquinho:

— Olhe, na minha humilde opinião, a comida no meu prato não tem direitos. Humanos precisam matar animais. Humanos estão no topo da cadeia alimentar, conforme...

— Errado! – interrompeu Megan. – Já ouviu falar em veganos? Eles vivem muito bem sem comer animais. E aposto que nenhum membro do clube de caça come corvos.

— Se alguém do clube come corvo eu não sei. Neste mundo tem gosto para tudo. Mas isso não tem a mínima importância.

— Tem importância para o corvo.

— Não se ele souber que faz parte de um projeto divino maior, em que a morte não é o fim, mas uma etapa de um processo perene. – Ergueu-se do sofá, puxou a barra do casaquinho sobre o volumoso abdômen. – Vamos embora, estou atrasada.

— Espere. Como a senhora sabe que o corvo está consciente de fazer parte desse projeto divino maior?

A recepcionista suspirou, muniu-se de paciência. Sentou outra vez. As coisas que ela tinha de fazer para manter satisfeita a clientela do patrão!

— Não dá para entender tudo direitinho, Megan. Quando se trata de caça, os mistérios são muito mais importantes do que as explicações.

— Você acha que os animais caçados não morrem?

A funcionária passeou uns olhos serenos pelo urso-polar em pose de ataque, o crocodilo africano de mandíbulas abertas, a cabeça do alce pregada na parede. Baixou a voz, respeitosa:

— Desencarnam. Mas o espírito deles permanece. E a coisa não pára aí. Os espíritos se comunicam com o nosso mundo. Conversam com pessoas escolhidas. Por exemplo, eu tenho uma amiga médium que fala com a alma de um dodô das Ilhas Maurício. — Olhou para os lados, cochichou: — Cá entre nós, ela me confessou que, sem desmerecer as almas dos outros animais, comunicar-se com um pássaro de uma espécie extinta foi o auge de sua mediunidade.

Megan gargalhou quá quá quá quá quá ri ri ri ri ri, enxugou com a manga da camisa as lágrimas que lavavam o filtro solar de seu rosto. Parou de rir. Sentiu-se culpada. Acabara de mostrar desrespeito à fé religiosa de uma semelhante.

A recepcionista não se abalou:

— O animal acuado pelo caçador sabe que precisa morrer. Ele pode dar a impressão de que quer resistir, evitar a dor, fugir, viver. Mas não é nada disso.

Megan sacudiu a cabeça:

– Não é possível que a senhora acredite de verdade no que está dizendo.

– A idéia pode parecer absurda para você, que pelo visto é uma dessas pessoas pelos direitos animais ou coisa assim. Mas está divulgada até em livro de intelectual. – Afobou-se, ajeitou os cabelos. – No momento não me vem o nome do autor. Ou será que era mais de um? Quem sabe fosse uma autora. Bom, vou tentar fazer um apanhado de tudo o que eu já li a respeito, é mais ou menos o seguinte. O animal que é caçado está cumprindo a função de conectar o ser humano com a força criativa da natureza, em que uns morrem para que outros possam viver. Entende? Essa conexão é uma experiência sagrada porque conecta o homem com o animal, a natureza e o criador.

Megan cuspiu uma caçoada curta:

– That's stupid! Existem várias formas da gente fazer conexão com a natureza sem precisar assassinar ninguém.

– Por favor, não insulte a crença dos outros.

– Mas o que a senhora afirmou é uma falácia! É uma enganação para disfarçar de sagrado o sadismo dos caçadores e evitar que gente de bem se revolte contra eles!

A recepcionista apertou a bolsa, levantou-se. Estava vermelha. Esqueceu de puxar a barra do casaquinho, que ficou espremida entre seu busto e seu estômago:

– ·Já chega. Paciência tem limite. Não vou ficar aqui sentada, ouvindo a senhorita ofender o doutor Stanley e os honrados membros do clube. Se a senhorita não tem cultura nem espiritualidade, o problema não é meu. Por favor, saia.

– Com o maior prazer! – berrou Megan, arrancando-se dali. – Já ouvi disparates demais, por hoje. E dê um recado ao doutor Stanley. Diga que ele acaba de perder uma paciente para a concorrência!

Entrou no carro e deu a partida. A recepcionista esperou o carro ir embora e dirigiu-se à porta. Antes de sair, parou na frente do guaxinim empalhado, vestido de rastafári, e olhou no fundo de seus olhos de vidro:

— Viu só que moça agressiva, Alphonse? Ainda bem que ela não gosta de caçar! Imagine o que seria capaz de fazer, com uma arma na mão. É por causa de gente assim que eu às vezes me lembro de dar graças a Deus por Ele ter criado o câncer.

— Pois é. E ainda há quem não acredite num projeto divino maior! — ela ouviu o guaxinim responder.

Clave de Sol

A volta repentina da americaninha para os Estados Unidos foi o assunto principal do dia entre as cozinheiras-copeiras de dona Marcela.

— Era muito doentinha.

— Teve uma recaída, aposto.

— Não confia em doutor daqui.

— Prefere hospital de lá.

— Quer o cuidado da mãe.

— Cuidado maior vem de Deus — filosofou Silvanira. — Vai ver que Ele já está chamando a moça para o céu.

Deuzicreide cuspiu no antepasto de abobrinhas, preparado para acalmar o apetite da patroa antes da janta. As outras fingiram que não viram.

— Pois eu acho que a estrangeira foi embora brigada com Diogo por causa da dona Marcela — disse Deuzicreide. — Ninguém pode com aquele bucho.

Dona Marcela, que colhia flores no quintal, sentia-se alegre demais com a partida de Megan para implicar com o insulto entreouvido pela vidraça. Mesmo assim ralhou com as moças porque estava acostumada e porque não tinha outra coisa para fazer.

— Menos conversa e mais capricho! — gritou por trás de um buquê de dálias. — Quem estiver à toa pode procurar serviço que acha.

Através da janela, viu desfazer-se o grupo de roceiras em seus uniformes rendados. Encantou-se com as cores dos vegetais sortidos nas travessas e caçarolas e tentou adivinhar que surpresas pulariam dali para a mesa de jantar. Tinha de dar o braço a torcer, a idéia do concurso para eleger a receita vegana mais criativa estava rendendo. Os pratos inventados por aquelas caipiras eram um mais bonito que o outro e até chiques. A disputa entre elas a divertia. Era uma narrativa opcional às novelas de tevê, seguida com igual interesse. Silvanira concebera uma escultura de purê de batatas em forma de cone, coberta com rodelas de cenoura, pepino e beterraba, encimada por um tufo de cheiro-verde, e sobre uma base de folhas de alface salpicadas de sementes de gergelim, da qual se irradiavam talos de salsão. Deuzicreide compusera um bolo salgado de mandioquinha formatado como a cara de um palhaço, maquiada de tomates, azeitonas e lentilhas, e contornada por uma gola de arroz branco. Uma terceira perpetrara amendoins cozidos na moranga com catupiri de tofu. Outra produzira uma bandeja de brigadeiros feitos com leite de soja e recheados de botõezinhos de rosa. Na categoria originalidade, apostava-se na vitória de uma árvore de natal com um tronco de tutu de feijão, de onde brotavam galhos de aspargos adornados por amoras e brotos de alfafa, e em cujo topo figurava uma fatia de carambola em forma de estrela. No quesito melhor sabor, previa-se, nenhuma criação conseguiria superar o tradicional conjunto de arroz com feijão preto, farofa de cebola, couve refogada e rodelas de laranja, que, no entender de dona Marcela, passou mal e porcamente por uma feijoada completa.

Silvanira foi encarregada das compras. Diogo orientou-a a distinguir os alimentos pertinentes, escolher de tudo um pouco e não economizar dinheiro. No primeiro dia ela fez o que pôde, no comércio de Perobinha do Campo. Mas Vanessa não ficou satisfeita. Abalou-se com a moça durante uma madrugada até um supermercado gurmê na região dos Jardins, na capital, deixando de trabalhar para a campanha de castração de cães e gatos naquela manhã, e retornou à tarde com o carro repleto de extravagâncias. Das caixas e sacolas trazidas pelas duas emergiram, pela primeira vez na cozinha da sede, berinjelas brancas e minilaranjas kinkan, cogumelos japoneses e pepinos europeus, arroz integral cateto e cevadinha germinada, cupuaçus e seriguelas, uma grapefruit, parecida com a laranja e que a família achou bonita mas amarga feito fel, e um melão cantalupo que todos acharam fedido mas delicioso.

Dona Marcela tinha só uma coisa contra aquilo tudo. Era o gosto da comida. Como Bezerra Leitão, Tiago e Rodrigo, ela não entendia de onde vinha o prazer de Diogo em mastigar e engolir aquelas sem-graçuras. Temia que a influência da americana tivesse marcado o herdeiro para sempre, como o ferro em brasa marca o bezerro. Por mais ricos que os pratos fossem em formas, cores, espécies e temperos, seu apelo ao paladar do núcleo familiar nem de longe se equiparava ao dos ovos, que Diogo chamara de menstruação de galinha, do leite, que ele definira como secreção com pus de teta de vaca, do mel, que ele revelara ser vômito de abelha, e da carne, que ele descrevera como músculos, veias e nervos em putrefação.

Não fosse pela boquinha dos carnívoros na calada da noite com comida de verdade encomendada por telefone, o experimento culinário proposto por Diogo não se sustentaria por mais do que quarenta e oito horas, jurava dona Marcela.

Vanessa acostumou-se melhor à dieta vegana do que os outros. Mesmo que comesse por cinco, sentia-se tão leve ao dar cabo da sobremesa que precisava vomitar só três vezes diariamente, em vez de oito.

Depois do jantar as empregadas enchiam vários caldeirões com as sobras do dia e a comida extra, preparada sem o conhecimento da patroa, e os entregavam a Zé Luiz. O moço levava-os na carroça puxada por Chuvisco rumo à edificação dos porcos e, assim que sumia de vista, desviava-se com sua carga para o acampamento dos sem-terra. Ali, Pardal e o diretor do Sindicato dos Trabalhadores Rurais, que se proclamavam os responsáveis pelo fornecimento do banquete grátis, tentavam angariar adeptos à ação direta.

Quase todas as mulheres e crianças recebiam a ceia com curiosidade e alegria, como a uma festança após a refeição preparada a partir da cesta básica do governo federal. Não desperdiçavam sequer um grão de arroz. Se alguma, um pouco mais enjoada, enjeitasse um prato por achá-lo esquisito, outra, mais sem-cerimônia, se abria à novidade com muito gosto. Já os homens, em sua maioria, não se contentavam assim com tão pouco. Além da humilhação da esmola, amargavam a falta da carne entre os ingredientes, um sinal inequívoco, em sua opinião, do pouco caso dos fornecedores da comida para com os pobres. Um deles até se recusou a provar o repasto, suspeitando de envenenamento.

Pé-de-anjo, o diretor do sindicato, viu-se muito nervoso com o processo de recrutar partidários. Forçado a conter sua impetuosidade militante para não dar uma de intrometido nos assuntos do acampamento, ao qual era estranho, teve de se conformar com a lerdeza com que seu testa-de-ferro Pardal tentava se aproximar de um potencial candidato, sondar sua disposição e entabular uma conversa. Naquele ritmo, queixou-se, o sem-terra nunca iria sair dos entretantos e entrar nos finalmentes. Pardal pediu-lhe paciência. Mencionou um boato sobre uma infiltração de agentes da direita no acampamento, que estariam tentando instigar algumas pessoas a realizar protestos violentos, impopulares e contraproducentes. O zunzunzum, garantia, estava deixando todo mundo ressabiado com qualquer assunto que cheirasse a arruaça. Pé-de-anjo propôs-lhe então ensaiarem juntos algumas formas de abordagem bem sutis e totalmente insuspeitas. Pardal deu a desculpa de que tinha medo de se aproximar muito jeitoso de um indivíduo qualquer e ser confundido com um homossexual. Pé-de-anjo fingiu acreditar em sua preocupação e disse que não só o compreendia como também se identificava com ele nesse sentido, mas que o temor de passar aos outros uma imagem de veado não condizente com a realidade era uma emoção tipicamente pequeno-burguesa sem a menor relevância no contexto da luta pela revolução anarquista. Lembrou que o tempo corria e avisou que já conseguira o material para executar a operação. Ele e Norato haviam escondido tudo no porão da venda. Havia ferros e pedras para arrebentar paredes e grades. Alicates para cortar telas de arame e instalações elétricas. Enxadas e foices para se defender. Um pé-de-cabra. Lanternas. E três granadas.

— Granadas? — assustou-se Pardal. — Mas isso é muito perigoso. — E para não parecer covarde, emendou: — A gente não tinha combinado que não ia machucar os porcos?

— Tinha. Mas é bom contar com umas granadas para o caso de um imprevisto. Agora trate de conseguir homens. Um ou dois, que seja, e estamos conversados.

Pardal olhou o sindicalista de soslaio:

— E você? Pode me dizer quantos já recrutou?

— Três. Meus dois irmãos e um bancário.

— Bancário? A troco de quê bancário quer se meter nessa?

— Bancário desempregado, uai. Um primo meu. Agora se avie. Ou você recruta logo um cara, nem que seja um moleque, ou eu vou acabar chegando à conclusão de que você é mesmo aquilo que tem medo de dar a impressão de ser.

Pardal jurou se aviar. Mas não foi muito longe com seu ativismo. Um dia antes daquele marcado para a ação direta, enquanto jogava baralho com três moleques que convidara à sua barraca para ver se conseguia arregimentar pelo menos um, viu um âncora da Rede Globo irromper na sua tevê e berrar que membros de uma facção dos trabalhadores rurais sem-terra, dizendo-se cansados das promessas de assentamento não cumpridas pelo Incra, haviam invadido o Congresso Nacional, atacado deputados, ferido funcionários e destruído equipamentos. Esses vândalos!, vociferavam as autoridades entrevistadas, Baderneiros!, Militantes de um movimento que não deveria ser chamado de sem-terra mas sim de sem-educação!, Esses bandidos e seus líderes serão enquadrados na Lei de Crimes contra a Segurança Nacional e pegarão até seis anos de cadeia, pois de forma alguma será admitido o desrespeito às instituições democráticas, uma vez que elas mantêm sempre abertos seus canais de participação popular com vistas a resolver tensões políticas de forma pacífica e regrada, até mesmo, ou melhor, principalmente, nas crises de maior gravidade!

Os flagrantes da depredação da câmara dos deputados e seu saldo de cacos de vidro, sustos, sangue e declarações furiosas também foram exibidos pelo telejornal entre a novela das sete e a das oito. Bezerra Leitão deu um tapa na mesa, Filhos da mãe! Tiago tocou os lábios com o guardanapo, Se a moda pega hein papai? Dona Marcela indignou-se, No meu tempo quem cobiçasse um pedaço de terra tinha de trabalhar duro para conseguir, hoje o povo quer tudo de mão beijada. Vanessa raciocinou, Se todo pobre quiser um pedaço de terra, de quantos Brasis o Incra vai precisar para assentar esse mundaréu de gente? Quantas câmaras de deputados essa gente vai depredar?, ajuntou dona Marcela. Diogo sentiu todos os olhos se voltarem para seu rosto e solicitarem seu posicionamento. Ergueu-se da cadeira, emburrado:

— Quem manda o governo demorar tanto com essa reforma agrária? É nisso que dá. Com licença, acho que peguei uma gripe.

Dona Marcela lhe fez um dengo:

— Foi o sereno, meu filho. Vá deitar que mando a Deuzicreide lhe servir um chá de erva-cidreira com limão.

— Deixe a Deuzicreide em paz! – resmungou o herdeiro. – A senhora esfola essas empregadas de tanto serviço!

Dona Marcela trocou olhares com o marido. Diogo trancou-se no quarto. Tentou telefonar para Megan. Quem atendeu foi a secretária eletrônica. Ele desligou.

Deixara a família crer que ele é que rompera o namoro com Megan. Que diferença fazia? Megan não era parte dele. Não pertencia a mundos roubados dos corpos dos outros. No contexto Bezerra Leitão, ele acreditava, sua namorada sempre fora vista como uma impossibilidade. Agora se tornara assunto morto. Era provável que Diogo nunca mais a tocasse, nem mesmo em Weekeewawkeeville, onde a órbita de seu mundo se aproximava um pouco da órbita do mundo dela. Era provável que nunca mais a visse, a não ser dentro do ativismo pelos direitos animais, e com risco de chocar-se contra o planeta River.

Diogo passou a ser acossado pela mãe assim que anunciou que Megan resolvera ir embora. Dona Marcela sacudia-se para lá e para cá atrás de lhe sugerir necessidades, Um chocolate quente de soja, meu filho?, Ajudar Vanessa com a campanha?, Um brigadeiro de rosa?, Ir com Vanessa até o mercado?, Uma tigela de canjica?, Chamar Vanessa para jantar, Levar Vanessa a um passeio, Mostrar isto e aquilo para Vanessa, Fazer isso e aquilo com sua prima, Vanessa daqui, Vanessa de lá. Diogo mal tinha sossego para materializar suas inspirações filosóficas no banheiro, Filho!, gritava-lhe a mãe, apressando sua despedida de Lacan, Preciso fazer xixi, Você não quer apanhar Vanessa na igreja? Ele não tinha a menor vontade de fazer nada com Vanessa. Achava a prima uma tonta. Passou a evitar o pai. Morria de preguiça de aprender sobre as lides da fazenda, acompanhar relatórios enviados pelos executivos, checar balanço, maximizar lucro... aquilo tudo era o oposto do que importava. Remoía-se de culpa ao passar pelos casebres miseráveis onde dormiam os peões, ao olhar a pobreza oculta pelas chinesinhas nos pés das empregadas. Adoecia de uma triste impotência ao ouvir o lamento das vacas, ver a edificação dos porcos e os arreios dos cavalos. Quando calculava o número de vidas que se perderiam até seu dia de assumir a herança e alforriar os escravos, achava esse dia muito distante. Quando avaliava a própria aptidão para cumprir seu compromisso libertário, achava esse dia perto demais. Metia-se na cama e, para se vingar da dubiedade do tempo, fazia-o não prestar, digitando o número de Megan e ouvindo a secretária eletrônica.

Concluiu que tinha mais afinidade com certo predador de animais conhecido seu do que gostaria de admitir. Teve a idéia de ligar para ele. Apertou as teclas do telefone com repugnância, torcendo para o desprezível sabotador patriarcalista Bob Beefeater não atender. Quis desligar o aparelho ao ouvir o som das chamadas. Resistiu. Quando se está preso no fundo do poço, pensou, perde-se a vergonha na cara e rola-se na gosma barrenta. A semelhança com Bob o humilhava, mas também lhe servia. O chefe poderia usar a própria experiência com uma ex-companheira vegana para ajudá-lo a administrar suas decepções com a sua! O herdeiro imergiu na identificação com o traidor como quem mergulha os pés gelados na água morna.

Bob soltou sua risada acolhedora, consolou-o:

— É só a primeira briga de vocês! Sabe quantas eu tive com Sybil?

— Quantas? — perguntou Diogo, ávido.

— Perdi as contas. Mas não pense que dou o braço a torcer. Não desisto daquela cabeçuda!

Diogo subiu do fundo do poço até a beira, num jorro de água quente. Riu. Era só uma briga! Uma briguinha de nada com Megan. Ele ainda era tão novo, tinha todo um futuro de brigas com Megan pela frente! Bob riu também, cúmplice. Diogo perguntou sobre os gatos.

— Treble Clef deu para urinar nas portas e janelas de casa — disse o chef, preocupado. — Deve ser o estresse da mudança. Este período está sendo difícil para todos da família.

— Filho! — berrou dona Marcela pela fechadura. — Durma logo para acordar cedo e ajudar Vanessa com a campanha!

Diogo despediu-se de Bob e rolou insone no colchão até o dia raiar. Quando conseguiu dormir, ouviu a mãe bater na porta.

— Filho, levante para levar Vanessa à igreja!

Ele tapou o nariz para soar gripado:

— Vou ficar de cama, mãe. Peguei um vírus.

— Pegou foi sereno, isso sim. Vou mandar Deuzicreide lhe preparar um chá de alho.

Bezerra Leitão chupava o café forte de uma caneca de porcelana.

— Qual foi o problema desta vez? — resmungou.

Dona Marcela fez um muxoxo:

— Está gripado. Disse que vai ficar de cama.

O patriarca bufou:

— Puro enjoamento. Mas fazer o quê? A gente tem de ter paciência.

— A culpa é daquela americana. Ela fez muito mal ao nosso menino.

Vanessa tomou seu café-da-manhã vegano. Empanturrou-se de mingau de aveia, tofu mexido, vitamina de frutas, pão integral com homus, bolo de milho, torta de ervilhas, chocolate quente de soja, pavê de amendoim e compota de pêssego. Vomitou tudo e rumou para o pátio coberto da igreja matriz de Perobinha do Campo. Ali, onde ela ajudara a montar, na noite anterior, o ambulatório para as cirurgias de castração de cães e gatos, a equipe médica já estava a postos.

A campanha realizava-se na cidade há vinte anos. Frei Cristiano a instituíra para acabar com a sem-vergonhice da cachorrada e da gataiada no cio em sua paróquia. No início seu projeto sofreu muita resistência por parte dos fiéis, as mulheres contra a crueldade da cirurgia, os homens contra a emasculação de seus varões. Mas o clérigo disse em um sermão que, devido ao fato de os animais não terem alma, eles não podem povoar o céu depois de mortos, portanto não havia porque deixar que se reproduzissem. Disse também que as criaturas sem alma têm mais serventia para Satanás do que para Deus, porque ficam tentando os homens desta Terra com seus cios e fornicações. O argumento correu de boca em boca por alguns meses e enfim se cristalizou como dogma. O padre estabeleceu que uma parte do dízimo e das contribuições voluntárias à igreja seria destinada à realização semestral da campanha. Os donos dos animais pagariam quanto pudessem; quem não pudesse não pagaria. Se faltasse dinheiro para cobrir a remuneração da equipe médica e o gasto com os medicamentos, o padre faria uma coleta entre seus amigos da classe alta. Duas décadas depois, Perobinha do Campo tornava-se a única cidade brasileira sem cães e gatos abandonados nas ruas e – o que mais orgulhava frei Cristiano – sem bichos copulando nas vistas dos fiéis.

Os humanos começaram a chegar com os pacientes não-humanos. Os cães e os gatos vinham dentro de caixas de papelão, engradados de madeira, sacolas de plástico, ou amarrados a pedaços de corda. Os mais tímidos e miúdos encolhiam-se no colo dos guardiões. Frei Cristiano, olhos inchados e bocejantes, abençoava a todos com respingos de água benta.

Vanessa organizou uma fila e conferiu os nomes dos presentes em seu cadastro. Uma moça de unhas esmaltadas de verde, lábios pintados de roxo e cabelos tingidos de louro, chamada Doralice, trazia, dentro de um carrinho de feira, uma porca identificada como Xereta. Vanessa fingiu não reconhecer Mortandela e mandou o cirurgião esterilizá-la.

Na noite seguinte, os idealizadores da ação direta reuniram-se na venda do Norato, em torno de uma lata de goiabada e uma broa de milho, para debater a continuidade ou não de seu projeto, conforme a repercussão dos recentes eventos no congresso nacional envolvendo membros de uma facção do movimento dos sem-terra. A assembléia contava com o próprio Norato, Pé-de-anjo, Zé Luiz, dona Orquídea e a única pessoa que concordara em oferecer apoio à causa: Doralice. Goiabeira, o ambientalista, e Alemão, o presidente do sindicato regional dos trabalhadores rurais, apareceram de surpresa, decididos a convencer o grupo a desistir da ação para não prejudicar ainda mais o movimento, a seu ver já bastante ferido pela operação em Brasília, que eles qualificaram como um ato irresponsável de vandalismo. Acrescentaram que se a opinião da sociedade e do governo sobre o movimento como um todo, ou sobre os companheiros depredadores do congresso como indivíduos, não fedesse nem cheirasse para os presentes àquela assembléia, então que estes levassem em conta o risco de pegar seis anos de xadrez. Seis anos! Pensassem bem nisso. Uma pena de seis longos anos afastando-os da comunidade, desfalcando as hostes progressistas e atrasando ainda mais a construção de uma sociedade justa.

Norato mostrava uma cara fechada, braços cruzados. Foi o primeiro a responder:

— Concordo com Alemão e Goiabeira. Melhor cancelar essa ação direta. Não está mais aqui quem ofereceu apoio logístico. Hoje mesmo quero aquela tralha toda fora do meu porão.

— Está todo mundo com medo! — reforçou Zé Luiz. — Quero dizer, eu não. O pessoal do acampamento está com medo. Pardal, por exemplo, tirou o corpo fora. É ou não é, Pé-de-anjo?

O diretor do sindicato contorceu um rosto em brasa:

— E você esperava o que dum fracote que só vinha à assembléia para comer?

Dona Orquídea sentiu-se autorizada a questionar o empenho de seu companheiro, já que fora a única pessoa a conseguir uma adepta à operação:

— Mas Pé-de-anjo, como é que você não recrutou ninguém do sindicato?

— Conseguir quem, num sindicato com um presidente bunda-mole feito o Alemão? — resmungou o diretor.

Alemão não se deu ao trabalho de responder. Dona Orquídea prendeu um olho comprido nele. Naquela noite o cavalheiro não se dirigira a ela com a finura com que a tratara na assembléia em que ela debutara como ativista. Parecia não ter notado seu coque amarrado com a fita de renda e seu batom vermelho. Dona Orquídea sentiu ciúme de Doralice. A juventude e a formosura da meretriz deviam fazer um homem achá-la velha e parecida com um maracujá seco.

— Pé-de-anjo tinha convencido dois irmãos e um primo — informou Zé Luiz. — Cadê eles, Pé?

— Uns bananas. Não querem mais nada com a idéia. Nisso que dá pedir ajuda a parente — lastimou Pé-de-anjo.

— Sendo assim, não há mais dúvida — disse Alemão com um tapa na mesa. — A ação direta está cancelada.

Pé-de-anjo inflamou-se:

— Cancelada? Só por causa da reação a um quebra-quebra mixuruca? Nada disso! Não vamos baixar a cabeça à prepotência da classe patronal! A ameaça de punição aos companheiros que agiram no congresso tem um significado muito importante. Significa que nós estamos incomodando as elites!

Dona Orquídea sentiu-se inclinada a concordar com o diretor. Já que tinham chegado até ali, talvez fosse melhor levar a coisa adiante, sabotar o lucro do patrão e libertar o maior número possível de porcos logo de uma vez.

— Pé-de-anjo garantiu que ninguém vai deixar pista, né, Pé? – conferiu, cautelosa.

Pé-de-anjo voltou-lhe olhos estourados de vermelho:

— E daí se a gente deixar pista? Dane-se a pista! A direita está desesperada e nós temos de capitalizar esse desespero! Temos de nos lançar a novas ações!

— Então pode contar comigo para soltar os porquinhos na mata – decidiu-se a camponesa. – Conte também com meu filho Zé Luiz e a namorada dele, Doralice.

Disse "a namorada dele, Doralice" com ênfase, olhando para Alemão. Pé-de-anjo berrou:

— Para que desperdiçar os bichos na mata, dona Orquídea? A gente estoura a edificação e solta a porcada na rodovia! Vamos bloquear a rodovia com os animais do capitalista e com as nossas ferramentas de trabalho! E vamos protestar nós quatro! Eu, a senhora, Zé Luiz e Doralice! Se chegar a polícia, a gente usa as granadas.

Alemão esqueceu a fineza, ergueu-se num impulso, Ficou maluco homem?, Pé-de-anjo levantou num reflexo, sua cadeira caiu para trás, Goiabeira a segurou, Calma vocês dois, dona Orquídea pulou do assento, Ave-Maria, puxou Zé Luiz pela manga da camiseta. Doralice nem te ligo, já vira de um tudo nesta vida e não se abalava com qualquer bobagem. Alemão chamou a idéia de Pé-de-anjo de extremista, contraproducente, impopular, reacionária. Pé-de-anjo empurrou o peito de seu presidente, Reacionário é você, um vendido, um pelego. Norato os apartou, Sentem aí todos os dois, ou conversam como gente civilizada ou vão já para fora, nesta venda quem manda sou eu. Os sindicalistas sentaram, o bafafá abortou. Norato dirigiu-se ao porão. Dona Orquídea reelaborou seu ponto de vista:

314

– Se quiser minha ajuda na ação direta estou às ordens, Pé-de-anjo. Eu e meu filho Zé Luiz. – Espiou Alemão e disse com ênfase: – E Doralice, que é namorada dele. – Buscou os olhos de Pé-de-anjo: – Mas só se for para não bulir com os porquinhos. Eu disse na minha primeira assembléia e faço questão de repetir que acho errado usar os bichos para fazer a justiça dos homens.

Os olhos do diretor encheram-se de água:

– A senhora está preocupada com os porcos mas não está preocupada com os pobres!... Prefere proteger a propriedade do rico!... Prefere ficar do lado do capitalista!! Francamente, dona Orquídea, eu esperava mais da senhora!

Dona Orquídea confundiu-se. Como é que Pé-de-anjo podia achar que ela estava do lado do rico, se ela estava do lado dos pobres e dos porcos? Ele usava as palavras de um jeito torcido para fazê-la sentir-se uma ignorante. Ela ficou cismando.

Norato voltou do porão com uma sacola cheia e algumas foices. Abriu a porta, jogou a sacola e as foices na frente da venda, retornou ao porão. Dona Orquídea encontrou o que procurava no meio das cismas: uma posição definitiva. Cochichou ao ouvido de Zé Luiz, que cochichou ao ouvido de Doralice, que cochichou de volta a eles dois. Em segredo, o trio entrou em um acordo. Dona Orquídea disse alto:

– Olhe aqui, Pé-de-anjo. Se você quer porque quer pensar que eu estou do lado do rico, o problema é todo seu. Eu, meu filho e minha futura nora não vamos ajudar nessa ação direta. E estamos conversados.

– Sendo assim – disse Goiabeira, aliviando a atmosfera com seu suor de citronela –, esta assembléia está concluída.

Todos foram para fora. Pé-de-anjo saiu por último, bico comprido, cabeça baixa. Goiabeira lhe ofereceu uma carona de carro. O diretor fez um sinal de não e partiu à pé para a estradinha de pó.

Norato emergiu do porão com um pé-de-cabra e algumas enxadas e atirou-os na frente da venda:

— Levem essa tralha daqui. Quero dar um tempo com as reuniões. Assembléia na minha venda, só no ano que vem.

Trancou-se, abriu uma garrafa de cachaça, Putaquepariu, quanta dor de cabeça.

Dona Orquídea prontificou-se a levar o material para sua casa e desfazer-se dele com a necessária discrição. Alemão achou a idéia tão boa que se despediu dela com um abraço. Ela corou, sentiu desfazer-se seu laço de renda. Alemão ajudou Zé Luiz a pôr as coisas na carroça e foi embora de automóvel. Dona Orquídea, seu filho e Doralice partiram no veículo puxado por Chuvisco. Na estradinha de pó, alcançaram Pé-de-anjo.

— Sobe aqui, Pé — convidou dona Orquídea. — Vamos fazer outra assembléia, na carroça mesmo. Pra combinar uma ação direta.

Pé-de-anjo se assustou:

— Tá de brincadeira comigo, dona Orquídea? A senhora disse que cês eram contra, porra...

— Dizer eu disse — respondeu ela. — Mas foi só para disfarçar.

— A mãe teve outra idéia — informou Zé Luiz. — Mas tem de ficar só entre nós quatro.

— Tudo vai da gente negociar, Pé. Se você topar, todo mundo sai ganhando. Menos o patrão. Agora sobe aqui, anda.

Pé-de-anjo aceitou o convite esperançoso. Sabia que aquela camponesa tinha potencial! Seria melhor dar-lhe outro voto de confiança e entrar num acordo com aquela danada.

Colcheia

O Thorazine fez efeito em vinte minutos. De tudo que aconteceu depois, escuridão, claridade, moça desliga o circuito de câmeras, escuridão, claridade, rapaz sai com porco dentro de engradado, escuridão, claridade, velha cutuca porca com porrete, escuridão, claridade, estouro de rojões, o tratador e vigia da criação intensiva nunca mais se lembrou.

O plano para a participação de Doralice na ação direta fora revisto e quase cancelado na última hora, na casa de dona Orquídea, no meio da tarde.

— Doralice, minha filha — dissera a camponesa —, será que carece, mesmo, você se fazer de oferecida a um estranho?

— Vixe, pois se estou acostumada! — respondeu a moça. — De me oferecer eu até gosto. Ruim mesmo é dar.

Zé Luiz se incomodou, deixou cair dos dedos um canapé de trufa trazido da sede:

— Você não deve mais falar essas poucas vergonhas, Doralice.

— Só sei falar desse jeito — teimou a moça, metendo um grissini no patê de alcaparras. — Não vai ter erro. O filha-da-puta vai perceber que roubaram uns porcos enquanto ele estava bêbado e não vai contar nada para ninguém.

— E se ele procurar a polícia?

— É, e inventar que uns ladrões lhe enfiaram bebida goela abaixo! — imaginou Zé Luiz.

— Para quê? — disse a moça. — Para a polícia suspeitar dele? É mais fácil ele fazer boca-de-siri e depois, se precisar, fingir um erro na contagem dos porcos. Dopar esse safado vai ser minha saideira no ofício de puta.

Zé Luiz se aborreceu:

— Fale assim não, Doralice. Você é uma moça de respeito, agora tem família.

— E a família está crescendo — ajuntou dona Orquídea, coruja.

Doralice mordeu uma empadinha de alcachofra:

— O problema vai ser sustentar esta criança. Se depender do que Zé Luiz ganha...

— Vou melhorar de vida — disse ele, afobado.

— Acho bom! Senão, volto para a zona.

— Não vai mais precisar daquele ofício — garantiu dona Orquídea. — Teto a gente já tem. Onde comem dois comem quatro. Depois você arranja outro emprego. Agora precisa se cuidar. Acho melhor eu ir vender a caipirinha no seu lugar.

— Também acho, mãe — disse o moço. — Vai que o desgranhento se aproveita de Doralice? Acabo com a vida dele!

— Não vai dar tempo dele se aproveitar — assegurou Doralice.

— Mas e se ele não quiser tomar álcool? — perguntou dona Orquídea. — Você podia misturar o Thorazine numa garrafa de limonada também e levar, por via das dúvidas.

— Pode deixar que eu vou fazer o cara tomar a caipirinha. Tenho prática nisso. Minha clientela era quem mais con-
sumia bebida no puteiro.

Zé Luiz rasgou um pedaço da baguete de amêndoas e açafrão, emburrado.

As únicas visitas que chegavam ao tratador e vigia da criação intensiva de porcos eram os caminhões do abatedouro e
os da Holy Hill. As únicas surpresas que traziam eram inse-
ticidas, remédios e ração. Por isso o tratador achou esquisito uma moça bonita aparecer por aquelas bandas vendendo
bebida numa carroça com uma carga coberta de sacos de
estopa. A moça era uma gostosura. Mas buliçosa, enxerida,
unha esmaltada de verde, boca pintada de roxo. Coisa boa não
podia ser. Ele só não percebeu porque não quis. Comprou caipirinha para ajudá-la a criar três sobrinhos pequenos e sustentar sua tia-avó em cadeira de rodas. Pagou um copo a
dinheiro, dois fiado e bebeu todos os três, mesmo amargosos.
O que aconteceu entre um copo e outro virou uma confusão
na idéia dele, mas ele explicou à moça o que fazia no serviço
e como funcionavam as câmeras de vídeo.

Foi um suplício, para Zé Luiz, manter-se imóvel na carroça, entre dona Orquídea e os engradados, e debaixo dos sacos de estopa, enquanto sua noiva, prenha de dois meses,
conversava com o vigia. Conversava era modo de dizer, cismou o rapaz. Sabe-se lá o que aquele ordinário devia estar
fazendo com ela... Pois se era errado, como dizia sua mãe,
usar os animais para fazer a justiça dos homens, então
também era errado usar Doralice para fazer a justiça dos
animais. Zé Luiz teve falta de ar, ficou a ponto de desistir daquela loucura ali mesmo. Dona Orquídea também passou

mal, teve dor de barriga de tanto nervoso, por pouco não obrou nas calças.

No momento previsto, Doralice saiu da edificação e avisou-os de que já podiam entrar. Os três passaram pelo funcionário inconsciente e avançaram por um corredor lateral, carregando uns engradados.

O odor do excremento de mais de mil porcos concentrados em uma área reduzida trancou a garganta de dona Orquídea e espremeu vinagre de seus olhos. Ela achou que talvez os bichos gostassem daquele cheiro; com o faro apurado que tinham, era melhor que gostassem. Doralice espirrou, tossiu. Contou que o tratador lhe dissera que o ar da edificação era cheio de pêlo e amônia e dava pneumonia em quase todos os porcos. Apontou para onde devia ficar o galpão superlotado de jovens, entre fêmeas e capados, que o vigia chamava de sala de crescimento. Dali, avaliava Zé Luiz, é que deveriam ser resgatados os animais.

— Só dali mesmo? — cochichou dona Orquídea, com dó das porcas prenhes que a olhavam passar.

— A senhora não falou que não quer porco se reproduzindo na mata, mãe?

— Falar eu falei.

— Então.

— Filhote é mais fácil de carregar — explicou Doralice. — E na carroça cabe mais animal pequeno do que grande.

Dona Orquídea se conformou um pouco. A idéia fazia sentido. E os leitõezinhos já tinham idade para se virar sem mãe. Mas os gritos e gemidos de tantas centenas de Mortandelas grávidas e apertadas em pequenas prisões feriam seus tímpanos feito faca. Ela evitou olhar a série interminável de quadros de aviltamento e ruína atrás das grades. As imagens teimavam em ser notadas, escapuliam das jaulas e investiam contra ela expondo-lhe feridas, olhos lúgubres, pés enterrados em merda. Dona Orquídea foi três vezes à sala de crescimento. Sempre que voltava com um porquinho num engradado, fingia não ver as gestantes mastigando as barras das celas em sua guerra perdida de dentes contra o ferro.

De longe, na linha da terra, o olho vermelho da tarde espiou os três libertadores colocarem um último engradado na carroça e começou a fechar. Zé Luiz cobriu a carga com os sacos:

— Vambora, vai escurecer. Quero soltar estes bichos na mata antes de Pé-de-anjo explodir a granada na fundação vazia do curral.

— Pois eu, na hora do estouro, já quero estar a caminho de casa! – falou Doralice. – Cadê sua mãe?

Zé Luiz olhou ao redor:

— Deve estar no banheiro. Já vem.

Ficou vigiando a porta da edificação. Sob o relógio barato, sua veia pulsou a cada microssegundo de espera.

Não havia luz acesa no casebre de dona Orquídea quando a sobrinha do fazendeiro chegou sobre o gladiador Tom Cruise para verificar se sua ordem a Zé Luiz, de plantar o Jardim Vanessa, tinha sido cumprida. Toda semana, naquele dia e hora, o normal era o cheiro de lenha queimada anunciar que a janta de Zé Luiz estava pronta. O normal era Vanessa, no caso de estar por perto, salivar num reflexo condicionado ao odor da fumaça. O normal era dona Orquídea recebê-la e servi-la. A sobrinha do patriarca ficou cismada. Cavalgou Tom Cruise até o chiqueiro. Todas as mudas identificadas nos saquinhos plásticos haviam sido retiradas dali. O cercado fora devolvido aos porcos. Ela espichou os lábios de modelo num bico de mandar. Desceu do cavalo, amarrou-o ao galho do ipê e escancarou a porteira do chiqueiro aos chutes das botas de montaria. Os porcos se espantaram para a mata. Atrás de todos seguiu Mortandela, lenta, convalescente da cirurgia.

Vanessa sentiu o ardor das rugas patronais apertadas entre as sobrancelhas. Sentou-se à porta do casebre. Não sairia dali enquanto não apurasse tintim por tintim quais as intenções de dona Orquídea e seu filho. E só ficaria sossegada depois de ter uma conversa muito séria com seu tio exigindo a demissão sumária daqueles dois mal-agradecidos.

Na frente da edificação, Zé Luiz e Doralice penavam com a demora de dona Orquídea.

— A mãe vai atrapalhar tudo! — choramingou o moço.

— Deve ser a diarréia do nervoso, coitada.

— Vou dar só mais um minuto. Daí entro lá e arranco ela do vaso à força.

Então as porcas grávidas começaram a sair pela porta. Uma, duas, três, quatro. E enfim dona Orquídea, tocando a última com um porrete.

— Mãe, a senhora ficou maluca??? Não foi isso que a gente combinou!

— Cale a boca e me ajude com esta aqui! — afligiu-se a camponesa. — Está empacada.

A quarta porca gritava. Não queria erguer-se do chão, barriga pesada, pernas inválidas pela inércia da clausura. Confusa, assustou as outras com seus gritos. Elas se afastaram ao guinchos, num arremedo de corrida, duas para um lado, uma para o outro. Zé Luiz tentou espantá-las para a direção da mata. Elas forçaram as pernas inchadas a correr mais um pouco e pararam. Ficaram olhando Zé Luiz de longe. O rapaz correu em sua direção, sacudindo os braços para cima:

— Quê que cês estão fazendo aí, suas toupeiras? Vão para a mata, burraldas! — Elas gritaram, moveram-se mais um pouco. Pararam. Zé Luiz correu de volta à carroça: — Vambora, mãe, largue essa porca aí, está muito tarde!

Dona Orquídea havia pego um saco de cima dos engradados e tentava enfiar a parte dianteira da porca dentro dele. Levou uma mordida. Doralice a socorreu, passou cuspe no ferimento de sua mão. A porca se sacudia aos berros. Chuvisco alarmou-se, deu um tranco na carroça. Os porquinhos guincharam dentro dos engradados. Zé Luiz gritou:

— Vambora cês duas, Pé-de-anjo já deve estar na fundação vazia do curral!

Dona Orquídea teimou:

— Só saio daqui com esta coitada no colo. Você cale a boca e me ajude, puxa vida!

Zé Luiz pegou outro saco, amarrou as pernas da liberta e, junto com a mãe, carregou-a na direção da carroça.

Nesse instante deu-se a explosão. Chuvisco pinoteou, relinchou, partiu com sua carga de crianças aterrorizadas. Doralice tentou alcançar a carroça, Ôa Chuvisco, peraí filhadaputa! Mas uma segunda explosão amedrontou mais ainda o cavalo, que disparou ao encontro do escuro da noite.

Mãe e filho se abraçaram estupefatos:

— Que estouro foi esse?

Doralice correu de volta para eles:

— Pé-de-anjo não tinha combinado que ia explodir só uma granada?

— Combinar combinou — respondeu Zé Luiz. — Cês viram ele combinar, a gente tava tudo junto na carroça!

Deu-se uma terceira explosão. Doralice meteu as unhas verdes nos cabelos amarelinhos:

— Putaquepariu! Tamos fodidos...

Vanessa não conseguiu identificar se os estouros vindos do outro lado da mata eram tiros ou rojões. Mas podia apostar que dona Orquídea tinha alguma coisa a ver com eles. Sua hipótese foi comprovada assim que Chuvisco chegou a galope, atrelado à carroça sem condutor. Ele parou à entrada da estrebaria, onde ficava um coxo d'água, e nele mergulhou o beiço. De sua carga chegaram até Vanessa os gritos dos porquinhos.

O episódio surpreendeu Diogo de malas prontas para voltar a Weekeewawkeeville. Ele desfrutava seus últimos momentos de letargia masoquista em cima da cama, fazendo o tempo passar mais depressa numa conversa com o recente amigo e conselheiro sentimental Bob Beefeater sobre Quaver, Treble Clef, a morte dos mares, o efeito estufa e ex-namoradas veganas, quando dona Marcela, aos berros, esmurrou a porta de seu quarto:

— Abra essa porcaria, moleque! O mundo está desabando e você fica aí enfiado? Mostre um pouco de consideração pelos seus pais!

Confuso, ele a deixou entrar:

— Desculpe, mãe... O que foi...?

— Explodiram as fundações dos currais de concreto! — abanou-se ela, ofegante. — Soltaram um monte de porco da edificação! Seu pai tem de mandar prender aqueles bandidos! Matar um por um, se for preciso! Senão, daqui a pouco vão explodir a sede também!

Bezerra Leitão entrou em seguida, mão no peito, rosto pálido.

— Foram os empregados, tenho certeza — disse com a voz sumida. — Mancomunados com o sindicato e o ambientalista.

Orquídea e Zé Luiz estão envolvidos. Vou demitir e expulsar todo mundo das minhas terras. Vou contratar gente de fora.

Perdeu o fôlego, começou a passar mal. Dona Marcela foi atrás de Deuzicreide para lhe fazer um copo de água com açúcar.

Diogo estava atônito. Gaguejou uma opinião:

— Mas não é melhor esperar a conclusão das investigações primeiro, pai? Senão o senhor corre o risco de botar inocentes no olho da rua...

O patriarca caçou o ar com a boca arreganhada.

— Atos de vandalismo... isso é contagiante... — gemeu. — Se a gente não reagir logo, os terroristas depredam outros lugares... Ou você por acaso tem uma solução melhor que a minha, meu filho?

Diogo ficou na dúvida quanto ao que dizer. Tinha várias sugestões. Mas só uma lhe parecia a certa. Ele poderia sugerir ao pai que não demitisse ninguém e deixasse as coisas como estavam. Ou que não demitisse ninguém e negociasse melhores condições de trabalho para os empregados. Ou que não demitisse ninguém, negociasse melhores condições de trabalho para os empregados e revertesse a criação intensiva para orgânica. As três iniciativas poderiam melhorar a vida dos humanos. Só a última poderia diminuir um pouco o sofrimento dos animais. Mas todas eram esmolas degradantes aos dois grupos explorados, humanos e não-humanos. E todas se apoiavam na idéia de que os animais são coisas para o uso das pessoas... Diogo massageou a testa com a ponta dos dedos. Como explicar a Bezerra Leitão que o único caminho certo era libertar os escravos, veganizar as fazendas e coletivizá-las? Como fazer seu pai entender que todos os outros caminhos levam de volta ao velho e injusto ponto de partida?

— Fale com a mamãe e passe já para meu nome todas propriedades, pai! – ouviu-se dizer, obediente a um estranho comando. – Eu cancelo minha viagem, desisto da faculdade! Fale com os advogados! Estou disposto a assumir toda a herança amanhã mesmo, se possível.

Bezerra Leitão fixou os olhos no rosto do filho. Teve uma crise de tosse. Silenciou:

— Não tão já, menino. Volte aos Estados Unidos. Complete o curso, pegue o diploma. Depois a gente vê isso tudo.

Seu rosto estava azul. Dona Marcela irrompeu no quarto com Deuzicreide. A empregada trazia um copo d'água com cuspe e açúcar, sobre uma bandeja de prata. Dona Marcela fez respiração boca a boca no marido. Diogo chamou uma ambulância.

A ação direta ocupou duas páginas d'*O Correio Perobinha-Campense* durante toda a semana. Dona Marcela finalmente teve seu rosto estampado no periódico – não na coluna social sempre tão almejada, mas na primeira página, em manchetes remetendo à seção de crimes, fato que lhe causou um grande estresse psicológico e físico. As pessoas apontadas como principais responsáveis pelos atos de violência contra a propriedade do patriarca foram Zé Luiz e dona Orquídea. Nenhum dos dois mencionou Doralice, que também foi deixada de fora nos depoimentos do tratador e vigia da edificação. Este contou à polícia que Zé Luiz e dona Orquídea haviam lhe apontado uma arma e o haviam forçado a beber caipirinha com droga. Um terceiro membro da quadrilha teria fornecido aos outros dois as três granadas que danificaram as fundações, ainda vazias, do enorme curral de concreto onde o proprietário planejava confinar seu gado em caráter permanente. Como as granadas eram de uso exclusivo das Forças Armadas, a polícia estava estudando a possibilidade de procurar esse terceiro terrorista entre os cabos e soldados do exército.

Bezerra Leitão precisou ser internado. Na cama do hospital, dispôs de muito tempo para calcular seu prejuízo, receber do advogado a garantia de que sua apólice de seguro rural cobriria todas as despesas com o conserto da propriedade vandalizada, providenciar a demissão de todos os peões e lavradores, pensar na necessidade de blindar seus automóveis e de contratar guarda-costas e pistoleiros, e conversar com a esposa sobre o futuro.

Todos os porcos soltos da edificação foram capturados e presos outra vez.

Com Mortandela e seu grupo de capados na mata ninguém teve tempo de se incomodar.

Fusa

A recepcionista do doutor Stanley arruma a sala do clube de caça para o brunch trimestral. Afasta os defuntos empalhados contra a parede de modo a criar espaço livre entre eles e a mesa desmontável, sobre a qual será exposto o apetitoso necrotério. Cobre a mesa com uma toalha branca. Em cada ponta, ergue um mausoléu de pratos empilhados e baldes de prata contendo talheres. Espalha os guardanapos, bandagens para as bocas sangrentas. Olha o relógio. Dez para as dez. Em dez minutos chegará o pelotão de comensais com apetite pontual e ventres tumulares. A recepcionista se afoba. Corre à cozinha para buscar as garrafas de bebida que encherão um vasto cooler instalado embaixo da cabeça do alce pregada na parede. Relê a lista dos quinze pratos a serem trazidos. O principal, um veado abatido no campo de caça particular do governador, ocupará o centro da mesa, aviltado em estrogonofe. Também deverá ter destaque o rosbife do deputado Harry Badcock, perto do vaso de lírios. Um cantinho poderá ser negociado para o purê de batatas da estagiária do senador estadual. Ela ficou de comprar o prato pronto, no supermercado, porque não sabe cozinhar. Infelizmente virá sozinha. O senador não respondeu ao convite.

Sacola de garrafas na mão, a recepcionista retorna à sala. Surpreende-se com um item no centro da mesa, que não estava ali antes. Saliente na toalha branca, um corvo empalhado arqueia as asas, de bico aberto, em posição de luta. A funcionária vibra. É um momento de transcendência! O espírito que abrira ao doutor Stanley uma porta ao imponderável acaba de voltar aos domínios de seu escolhido! Quer homenageá-lo com a própria versão empalhada, assim como o caçador retorna à natureza para honrar os animais com as balas de seu rifle. A recepcionista não ousa profanar aquele instante único. Retorna de fasto à cozinha, olhos fixos no corvo, sacola de garrafas na mão.

Sete para as dez. O impacto da presença do corvo se atenua no coração da recepcionista e ela está outra vez em condições de encher o cooler de garrafas. Reverente, atravessa a soleira da porta que dá para a sala. Estaca. Ao lado do corvo se encontra outro, em pose de briga. A funcionária retorna à cozinha e encosta a porta atrás de si.

Por alguns instantes admite a possibilidade de alguém ter posto os corvos na mesa sem ela perceber. Sai do clube, olha em volta. Está distante de outras casas, em uma área morta da cidade. Não vê carro, fora o seu. Não vê ninguém. Dá outra olhada no jardim, retorna à cozinha. Está só, não há dúvida. Sente vergonha de seu lapso. Questionou a própria fé! Onde irá parar, se resolver aceitar as explicações óbvias para as coisas que a perturbam? Por certo vai se tornar uma pessoa equivocada e rebelde, feito a paciente do basocelular na pálpebra, incapaz de enxergar, na arma do caçador, um instrumento espiritual.

Sacola de bebidas na mão, olhar para baixo, a funcionária retorna à sala. Aos poucos levanta as pálpebras e move as íris na direção dos corvos. Deus do céu! Em vez de dois, agora há quatro! Todos estão arqueados. Todos parecem agressivos. Por quê? Aquele que o doutor Stanley filmara com a câmera se mostrara tão dócil, ao segui-lo... Com quem os corvos estão brigando? A recepcionista sente um arrepio. Será possível que os espíritos estejam zangados com ela? Será que têm raiva do clube? Ela solta a sacola, corre à cozinha, bate a porta. Fecha os olhos, murmura uma prece. Perdão, Criador, por duvidar outra vez de Vossos desígnios.

Consulta o relógio. Dois minutos para as dez. Ouve o ruído de carros. Os membros do clube estão chegando e ela ainda não colocou as garrafas no cooler. Respira fundo, espicha a blusa justa sobre o ventre imenso. Abre a porta que leva à sala. Um movimento atrai sua atenção para a janela. Através do vidro, vê um espírito negro flutuar sobre a calçada e tomar a forma de um corvo.

Um terror de criança em quarto escuro estrangula a funcionária. Ela fecha os olhos e reza em silêncio. Ao Criador peço perdão, ao Criador peço perdão em nome dos homens, ao Criador peço perdão em nome de todos os homens que matam, ao Criador peço perdão em nome de todos os homens que matam Sua Criação. Ouve um estrondo. A motocicleta do doutor Stanley vem arrancá-la de seu transe místico. Um rebuliço de vozes e automóveis acomoda-a de volta à clara manhã de domingo. Ela vai até a varanda.

Na calçada em frente ao clube alguém segura uma bandeira negra e ondulante estampada com a figura de um corvo. Três pessoas carregam cartazes e repetem as palavras de ordem Queremos Direitos Animais, Quando?, Já! Num cartaz se lê Pela Abolição da Caça e de Toda a Exploração Animal. No outro, Veganismo Contra o Sadismo dos Caçadores. O terceiro diz Matar é Devastar, Ser Vegano é Conservar. Uma dupla chega de carro e reforça o protesto com uma faixa onde está escrito Animais Não São Propriedade, Animais São Pessoas. Uma mulher salta de sua bicicleta para fazer uma reportagem com um telefone celular.

Confusos, alguns membros do clube ficam paralisados no estacionamento, à porta de seus carros. Os outros, iguarias em punho, marcham para dentro da sala, atrás de seu presidente. O filiado mais pródigo e mais assíduo, o deputado Harry Badcock, nem chega a largar o volante de seu Hummer. Mal vê os ativistas, arranca-se dali, cantando os pneus, avançando contra quem estiver no caminho. Lugar de palhaçada é no circo!, vocifera pela brecha da janela contra a lente de uma câmera acoplada a um laptop e operada por River, que grava e relata tudo em off.

Na frente da porta principal, hesitante entre se expor e se omitir, está o governador. Não sabe qual decisão lhe renderia mais votos em uma sonhada disputa à presidência da República. Da calçada River enquadra seu rosto, grita, Governador, não é imoral promover a matança de animais por prazer? Os seguranças do político cobrem a lente da câmera com a mão e empurram o ativista. Ele resiste, avisa, Tudo isto está sendo transmitido para telões em vários estados do país! O governador detém seus homens, aproxima-se dele, Excuse me, young man, telões onde? River o enquadra outra vez, Telões ao ar livre, governador, nas capitais da Flórida, Nova York, Wisconsin, Califórnia e Massachusetts, onde também está havendo manifestações, e depois a reportagem sobre este evento poderá ser acessada por milhões de pessoas no website do nosso grupo, Por que o senhor está apoiando a idéia de restabelecer os torneios de caça?

O governador cisma, Putaquepariu, como foi que a idéia vazou?, Não se pode, mesmo, confiar em membro de clube, É melhor negar tudo e tirar vantagem da exposição aos tais telões, Pois se menos de cinco por cento dos americanos ainda caçam e a porcentagem continua a cair, só um panaca se desgastaria com uma leizinha estadual para torneio. Oferece um rosto tranqüilo e bronzeado à câmera, Não sei do que você está falando, meu jovem, não há plano nenhum nesse sentido, mas devo lembrar que, durante nosso governo, conseguimos suplantar em mais que o dobro a média nacional de criação de empregos de verão para estudantes... River o interrompe, Então o senhor considera imorais os torneios de tiro ao corvo e a outros animais? Deixe-me terminar, diz o governador, também investimos quinhentos milhões de dólares na pavimentação de parques ecológicos... O doutor Stanley se intromete no quadro, Fora daqui!, berra para River, Não admito que extremistas conturbem as atividades do clube de caça, vocês serão punidos pela lei antiterrorismo, já chamei a polícia! Manhoso, o governador recupera a atenção da câmera, Eu diria ao amigo doutor Stanley que não há necessidade da presença de policiais aqui, uma vez que estes jovens estão expressando suas idéias pacificamente em local público e têm esse direito assegurado pela constituição, Por falar em constituição, no ano que passou conseguimos examinar dois projetos-de-lei para instituir um subsídio ao consumo de cerveja em locais freqüentados pela juventude floridense... River insiste, Governador, os cidadãos americanos estão esperando sua resposta à minha pergunta! O doutor Stanley puxa a câmera na direção do próprio rosto, rosna,

O pobre homem não consegue responder porque se sente intimidado por vocês, mas *eu* vou deixar clara a posição do clube de caça, sou o presidente! O governador mostra-se constrangido, Doutor Stanley, isso não é necessário. O dermatologista teima, Me deixe falar, governador, pegue o estrogonofe feito com o veado que o senhor caçou, leve para a sala e me deixe falar, ou a constituição não me garante esse direito? O governador sorri amarelo nos telões. O doutor Stanley encara a lente, discursa, Os torneios de caça são uma atividade sadia e festiva, Ajudam a eliminar as pestes destruidoras das lavouras e das florestas, Quem duvidar disso pode perguntar aos conservacionistas filiados ao clube, Os torneios de caça precisam ser liberados na Flórida para que cidadãos honestos e contribuintes, como os membros da nossa agremiação, possam ajudar a conservar a saúde agrícola e ambiental, dentro da lei e da ordem. River responde, Matar não é conservar, é devastar, e os defensores dos direitos animais vão continuar lutando pela proibição da caça em todo o país! Os ativistas repetem várias vezes o slogan Matar é Devastar, Ser Vegano É Conservar! e River move a câmera na direção deles. O governador se põe diante da lente, Permitam-me um esclarecimento, meus jovens, deve ter havido um grande equívoco por parte do presidente do clube, eu não tenho e não terei qualquer participação no restabelecimento dos torneios de aaaaaah!!!!, grita e sai correndo.

Foge do Hummer do deputado Harry Badcock que acaba de ressurgir, investindo contra a calçada numa manobra espetacular. River se protege atrás de um carvalho e transmite a cena. Badcock salta do veículo com uma espingarda e dá três tiros para o alto. Os seguranças do governador enfiam seu chefe no carro, apontando suas armas para o deputado. O doutor Stanley precipita-se contra eles, Estão malucos?, cuidado para não machucar o homem! Os seguranças entram em seus veículos, levando embora o governador e o estrogonofe de veado. Cheio de camaradagem, o doutor Stanley dirige-se ao deputado Badcock, sorri, Harry, por favor, baixe essa arma, vamos entrar, a polícia já vem tomar conta desses marginais. O deputado Badcock responde com outro tiro para cima.

O doutor Stanley corre para a sala de espera. Quem ainda está no estacionamento se mete em seu carro e trata de fugir. Os ativistas recolhem placas e faixa e chispam em seus veículos. Diogo, que é quem está segurando a bandeira, joga-a em seu automóvel e corre para os fundos do clube. Dentro da sala, os filiados espiam o atirador pela janela. Megan sai de um armário que lhe serve de esconderijo desde as nove e meia da manhã e pega de volta da mesa os quatro corvos de pelúcia e pena artificial. Enfia-os na mochila, escapa pela porta da cozinha e tromba com Diogo. Ele a puxa pela mão até seu carro. Ela se aflige, Mas e River?

River mantém o deputado na mira de sua lente, grita de trás da árvore, Deputado Harry Badcock, suas imagens estão sendo enviadas a telões em cinco estados, largue essa arma! O político aponta o rifle para a câmera, troveja, Este país é uma democracia, leis democráticas são criadas conforme o desejo da maioria e não sob a pressão de um punhado de terroristas pelos direitos animais, Agora desapareça, moleque! Acerta um tiro na raiz do carvalho. River se encolhe atrás do tronco, aperta o equipamento contra o peito. Outra bala voa até a base da árvore. Diogo avança de carro e Megan, no banco de trás, abre a porta para River, que pula dentro. O carro arranca num ziguezague, desafiando a pontaria de Badcock.

O deputado se vê sozinho e dispara mais uns tiros como quem se diverte com fogos de artifício. Alveja arbustos, insetos e o vento. Ouve a sirene da polícia e mira na direção do som. Assim que a viatura desponta, mete-lhe uma bala no pára-brisa e outra no pneu. Tenta atirar outra vez mas falta munição. Joga a arma na sarjeta. É detido pelos policiais quando entra em seu Hummer para pegar o rosbife.

Os ativistas se reúnem a seis quarteirões dali, no estacionamento dos fundos de um motel. Megan, River e Diogo têm os olhos esbugalhados de susto. River abraça o brasileiro, quase chora, Você salvou minha vida, thank you. Amigo é para essas coisas, responde Diogo sem retribuir o abraço. Um manifestante distribui copos d'água aos companheiros. Megan telefona a Sybil, que acompanhou o protesto em Boston, Está tudo tranqüilo sim, mãe, pode ficar sossegada, nenhum ativista se feriu e que eu saiba ninguém lá no clube também, o pessoal está todo aqui do meu lado, pode dar as notícias que eu conto para eles, O quê? O tiroteio do deputado tornou o protesto manchete nacional na televisão? Wow! E quando a arma dele mira a câmera os espectadores se identificam com os animais caçados! That's terrific, mãe! O celular de outra jovem toca, é um companheiro de Nova York que está centralizando as informações sobre todos os protestos. Ela repete o que ele diz: Filas enormes para assinar a petição pelo fim da caça e de toda exploração animal! Quinze mil folhetos educativos sobre abolição e veganismo distribuídos! Outros telefonemas são trocados para energizar ainda mais o grupo, de acordo com uma etiqueta universal não expressa, quase inconsciente, de não se criticar nem um aspecto de uma ação produtiva recém-concluída.

Os manifestantes vão deixando o local. Diogo dá a partida no carro. A seu lado, Megan se vira para trás. River se inclina à frente e beija a boca da namorada com gula. Os olhos de Diogo fulminam o espelho retrovisor, O Perfeitinho gosta de comer filtro solar, avalia com seus botões. Tenta descolar as bocas vorazes com uma pergunta, De quem foi mesmo a idéia de usar a conexão de internet sem fio do clube para transmitir tudo aos telões, hein? Não ouve resposta. Sabe que a idéia foi de River, mas precisa desengatar aquelas bocas. Critica, A idéia deu certo, mas já pensou se a conexão fosse fraca ou tivesse pifado?, quanto recurso e tempo do movimento gastos para nada, cê não acha, River? Silêncio. Diogo insiste, a voz mais alta, Que esse protesto, junto com os folhetos, deve ter educado alguém deve, mas cê não acha, River, que não precisava a Megan se arriscar daquele jeito, invadindo propriedade para assustar uma recepcionista com uns bichos de pelúcia? O tronco de Megan se verga na direção do banco de trás, por força da sucção que a boca de River opera na sua. O quadril da moça aponta para cima, ao lado do rosto de Diogo. O brasileiro se exaspera, O que vai atrapalhar um pouco é dizerem que o deputado atirou na polícia porque pirou, mas é o fim da picada, né?, acharem que caçador que atira em gente é maluco ou criminoso, mas caçador que atira em bicho é normal, quando na verdade tanto um quanto o outro são tudo farinha do mesmo saco, tô certo ou não tô, you guys? Os pés de Megan passam ao lado de seu rosto e mergulham atrás de seu banco. O retrovisor fica livre. Megan e River, conclui o motorista, estão nos maiores malhos, deitados em *seu* carro. Ele acelera sobre uma lombada, escuta Ouch! O retrovisor fragmenta o corpo do casal sentando no banco. As bocas já estão separadas.

River salta sozinho na frente de seu apartamento e Diogo segue com Megan para a casa de Sybil. A moça passa filtro solar nas áreas da pele lavadas pela saliva do namorado. Limpa as lentes dos óculos escuros. Diogo cisma. Nojo de beijar filtro solar à parte, ele tem de reconhecer que ainda ama aquela gatinha e lastima do fundo do coração não estar mais incluído em seu projeto de família adotiva. O que é pior, mesmo consciente de que Megan e todos os outros animais não são propriedade de ninguém, ele amarga a sensação machista de tê-la perdido para o rival, ou de tê-la devolvido ao verdadeiro dono, depois de dois anos de empréstimo.

Você vai morar com Sybil por muito tempo?, geme. Não pretendo, ela diz, Por mais legal que minha mãe seja, me acho muito velha para ficar debaixo de sua asa. Concordo, opina ele, e vou mais longe, acho que você deve preservar sua independência e não morar junto com River também. Megan fica em silêncio. Ele retoma a conversa, Já está tudo pronto para a chegada de sua mãe? Prontíssimo!, exclama a moça, Inclusive já adotei todos os gatos pretos do abrigo local, Aliás quero lhe agradecer de novo por ter topado assumir sozinho a guarda dos dez companheiros que recolhi da rua. Diogo requisita o olhar dela, chantageia, Eles estão sempre esperando sua visita. Ela fica quieta. Ele remenda o assunto, E as gatinhas que eu batizei de Fusa e Semifusa, também vêm com sua mãe?, eu gostaria de revê-las. Elas não vêm, responde Megan, continuam sob a guarda de Bob.

Chegam ao sobrado de Sybil, um ajuste do estilo Tudor ao vitoriano e ao neoclássico, com tijolos aparentes, passagens em arco, telhados pontudos e uma larga chaminé. Nas janelas enfeitadas com vasos de flores, toldos de lona verde lembram pálpebras maquiadas. Um caminho de cerâmica divide o jardim em duas partes até a porta. No jardim esquerdo, forrado de grama, uma magnólia, um carvalho canadense e uma palmeira-das-canárias abanam três hibiscos e uma murta. No direito, coberto de jasmim-rasteiro, duas camélias, lado a lado, ouvem uma palmeira cubana farfalhar para o poste elétrico e a caixa de correspondência.

Diogo estaciona o carro na garagem. Perto dela, no quintal, cercas vivas de ligustros e azaléias contornam um gramado onde fica um terreno para gatos, ao qual os habitués têm acesso por uma pequena passagem instalada na parte de baixo da porta da cozinha. Diogo examina a cerca de arame que envolve o terreno, pouco visível e muito resistente, sustentada por postes fininhos de metal, bem alta e meio bamba, encurvada para dentro tanto em cima quanto em baixo, sem vão, sem suporte para o impulso de um felino, e dotada de um portão à prova de fugas. Três gatos pretos se destacam na grama. Um mastiga capim; outro, um pequeno lagarto recém-caçado. Os olhos do terceiro, dois buracos por onde vaza o verdor das plantas, estão fixos em Diogo, atentos a perigos. Diogo se entusiasma, Se os gatinhos não tiverem nome, quero batizar de Fá Sustenido, Si Bemol e Mi Menor. Megan ri, River já batizou todos eles, chamam-se Byron, Einstein e Voltaire. Diogo protesta, Gimme a break, quem primeiro teve a idéia de batizar os animais com nomes de talentos listados na internet como vegetarianos fui eu! Ela muda de assunto, Vamos guardar as coisas.

Os dois colocam a bandeira e os corvos de pelúcia e pena artificial dentro de um baú na garagem. Por favor, diz Megan, não se esqueça de agradecer a Diego e ao aristocrata milanês pela doação dos corvos e da bandeira, diga que os bichos vão ser vendidos com o objetivo de angariar fundos para a causa. Diogo não a ouve, atormenta-se com outra coisa, resmunga, Como é que vai o namoro? Ela responde, O namoro de Diego com o barão milanês?, e eu lá sei?, pergunte você a seu irmão. Diogo ri, tenta abraçá-la, Não estou falando desse namoro, sua tonta. Ela escapa do abraço, dá um passo para trás. Diogo continua, Quero saber como vai seu namoro com River. Ela fixa no rosto dele os óculos escuros, Vai muito bem, e não é para menos porque eu e River temos tantas afinidades! Diogo desdenha, Na minha humilde opinião o relacionamento de um casal que combina em tudo fica chato para caralho. Megan olha com tristeza para baixo. Ele se desculpa, É só a minha opinião, bobona, não vale coisa nenhuma, na verdade um relacionamento com você nunca fica chato. Ela sussurra, Pois o único problema do meu namoro com River é justamente eu, uma paranóica incurável. Diogo segura as mãos dela, Megan, quer dizer que você anda fumando maconha de novo?, por que faz isso se fica paranóica? Ela se desvencilha das mãos dele, Eu não estou dizendo paranóia de maconha, estou dizendo aquela insegurança infantil diante da minha mãe. Diogo enruga a testa, O que isso tem a ver com River? Megan lhe vira as costas, treme, Eu a-a-acho que River é... a fim de minha mãe. Bullshit!, caçoa Diogo, como é que alguém pode sequer olhar para Sybil, tendo ao lado uma gatinha linda, legal e gostosa feito você? Cala-se. Reflete. Aperta os ombros de Megan com as mãos, força-a a virar-se para ele. Fala pausado, finório, Por outro lado não custa nada ficar esperta, honey, Where's there's smoke there's fire, Onde há fumaça há fogo, you know, No seu lugar eu não facilitaria as coisas para os dois não. Megan segue para a porta da casa, atônita, sem se despedir. Ele quase sente dó.

Grita, Se precisar de mim, é só chamar, honey. Ela geme, Pare de me chamar de honey.

No supermercado, Diogo compõe seu almoço com pão sírio integral, um pote de homus, uma bandejinha de tabule mais outra de sushi de alga pura e abacate. Escolhe uma salada de frutas. Cata a menor barra de chocolate amargo da prateleira de guloseimas. Rumo a sua casa, planeja procurar notícias na tevê e na internet sobre o bangue-bangue do deputado e depois estudar dendrologia até a hora de abrir as portas aos ativistas para a análise da ação no Clube de Caça de Weekeewawkeeville.

É abordado por uma vizinha ao chegar perto da garagem. Ela lhe dá uma carta de Marcela Gallo Sardinha Bezerra Leitão, endereçada a ele, mas com o número da casa errado. Chegou faz três dias, diz, só hoje lembrei de lhe entregar, sorry. Diogo entra na sala, festejado por Kafka, Marguerite Yourcenar e Mahatma Gandhi. Senta no sofá, acomoda Mary Shelley no colo e lê a correspondência.

Perobinha do Campo, 10 de maio

Deus te abênçoe meu querido filho Diogo

Espero que seus estudos estejam indo muito bem, só assim Deus vai lhe ajudar a vencer na carreira que escolheu. Com uma profissão bonita você vai se destacar na sociedade americana e conhecer uma moça boa que lhe mereça. Eu e seu pai esperamos que um dia você realize o nosso sonho de ter netos lindos carregando o sobrenome da família, mas eu temo que este dia seus pais não vão poder ver.

Estou lhe escrevendo da casa de sua madrinha Antonia. Eu e seu pai viemos passar uns dias em São Paulo para fazermos ezames no Hospital Albert Eistein.

341

Infelizmente minha saúde vai de mau a pior. No mês passado foi diaguinosticada uma diabetes e o médico disse que meu colesterol estava muito acıma do normal e me pôs numa dieta para emagrecer. Ele cortou as coisas que eu mais gosto, cortou a gemada com leite e wisky, cortou o rocambole de romeu-e-julieta, cortou a linguiça, o torresmo, a pururuca. Desde que comecei a dieta venho sentindo muita tristeza. Seu pai até comentou, disse assim Marcela, cê tá parecendo vaca apartada da cria. Sem poder comer nada não tenho ãnimo para coisa nenhuma, nem para receber a alta sociedade. Não quero mais que o padre va na sede porque ele é um bom garfo e não sou eu que vou ficar olhando ele comer. De forma que a sede está que é um verdadeiro cemiterio. O médico disse que meu nível de colesterol está caindo mas eu acho que ele me disse isso só para me acalmar porque sabe que vou morrer logo e não tem coragem de me dizer.

Infelizmente seu pai está pior ainda do que eu, coitado. Semana passada foi diaguinosticada uma mancha no pulmão direito e ele vai ter de ser operado para fazer biopssia. Dá um disgosto ver um homem trabalhador como ele, forte como um touro (mesmo puxando da perna) se trasformar do dia para a noite num velhinho fraco e ezausto. Não sai de casa nem para fumar. Eu um dia fiquei com tanta dó que falei que ele podia fumar na cama. Mas ele me contou que não pode mais fumar porque o médico proibiu. O médico proibiu de fazermos as coisas que mais gostamos. Isso não é vida de gente. Não sei qual a vantajem de viver feito um animal.

Mas eu estou lhe escrevendo esta carta para lhe preparar para o testamento que eu e seu pai estamos fazendo juntos com o adevogado numa corrida contra a morte. Não quero que você fique decepissionado quando ler o testamento porque ele não vai dizer aquilo que seu pai tinha lhe prometido. Eu e seu pai conversamos muito sobre tudo o que aconteceu na fazenda durante sua estada lá, analizamos as ideias que você tem sobre animais e empregados e chegamos a conclusâo que vamos vender todas as fazendas do centroeste mais os negócios pós porteira. Para usar as palavras de seu pai, o patrimõnio cultural agropecuario construido pela família Bezerra Leitão só vai ser preservado se ficar nas mãos de profissionais com verdadeira vocação para o negócio. Infelizmente nenhum de nossos filhos, nem você Diogo, nasceu com esse tino. O dinheiro da venda vai ser dividido em duas partes: metade para você e metade para seus três irmãos. Com sua herança você vai ter condições de comprar uma floresta para poder trabalhar na profissão que você vai se formar. Não sei muito bem qual seria o seu serviço mas meu palpite é que daria para você criar muitos animais selvagens em extinção, com grande possibilidade de lucro porque há uma demanda muito grande de animais em extinção nos zoológicos do mundo inteiro.

Seu pai reclamou muito de deixar tanto dinheiro para seus irmãos mas eu aproveitei que ele está fraco e teimei, falei É muita judiação com os meninos, Bezerra, se Cristo perdoou seus carrascos então você também tem de perdoar seus filhos. Seu pai chorou mas concordou. Ele também disse assim que você merece uma quantia maior porque um dia falou que ia usar bosta de vaca na adubagem da lavoura da fazenda. Esse é seu pai, um manteiga derretida, apegado as memórias que o deixam tão feliz.

Você deve estar perguntando se a Fazenda Mato Grosso ficou de fora da venda. Ficou, meu filho, porque a Fazenda Mato Grosso nós revolvemos deixar para sua prima Vanessa. Apesar de ser mulher, ela mostrou que tem pulso firme com os empregados. Também gosta de planta, conhece os nomes delas em latim e ama os animais, sabendo diferençiar aqueles que são de estimação daqueles que são de aproveitamento. Nós temos esperança que Vanessa vai saber escolher um marido bom para lhe ajudar a tocar a fazenda porque nós vamos ajudar ela a procurar. Só estamos um pouco preocupados com a saúde dela porque nós percebemos que todas as refeições depois de comer ela vomita. Fiz a Deuzicreide ficar de olho nela o dia inteiro e a Deuzicreide disse assim que ela não vomita fora das refeições. Então eu acho que o prolbema é esse monte de verdura que ela começou a comer ultimamente.

Bom filho fico por aqui que minha mão já está doendo de tanto escrever porque não estou acostumada, apesar que o médico disse que tenho artrite.

Seu pai e sua madrinha lhe mandam a bênção.

Um abraço carinhozo da sua mãe

Marcela

P.S. Seu pai mandou dizer que resolveu atender seu pedido de não usar mais Unicórnio e Trotamundos para nada e agora os dois cavalos vivem a toa pelos terrenos da fazenda. Seu pai também mandou dizer que não pôis nenhum outro animal para fazer o que eles faziam antes.

Diogo relê a carta. Quer telefonar à mãe, perguntar-lhe se está melhor, se o pai já foi operado. Quer lhe dizer que, se precisar do filho, é só avisar. Mas antes quer telefonar a Megan. Digita o número tão depressa que erra, xinga, digita outra vez.

Ela atende. Ele ofega, Honey, sou eu, olhe, preste atenção, meus pais estão vendendo as fazendas, estão tirando um peso das minhas costas. Ela pergunta, Você foi deserdado? Não, ele diz, vou receber metade da grana da venda. Ela esbraveja, Isso não muda nada, os animais vão continuar sofrendo nas mãos de outro explorador. Ele insiste, Isso muda pelo menos a minha condição, honey... Ela corta, Essa herança é um dinheiro sujo que vai ser lavado e pare de me chamar de honey. Ele continua, Megan, seja razoável, olhe, na prática a decisão dos meus pais muda minha condição de futuro proprietário de agronegócio animal para futuro filantropo! Cala-se e aguarda o efeito da notícia no ânimo da amada. Ela não responde. Filantropo, Megan, ele vibra, eu falo filantropo porque agora não me ocorre uma palavra melhor, mas o que eu quero dizer é que vou usar uma parte desse dinheiro para desenvolver agroflorestas vegânicas e a outra parte para educar o maior número de pessoas possível sobre direitos animais, abolição e veganismo! Fica em silêncio, esperando ouvir um comentário positivo. Ela demora para se manifestar. Por fim murmura, Isso é muito, muito legal, Diogo. Ele solicita, Conto com você para me ajudar, honey. Ela solta um longo suspiro e responde, Pode contar comigo sim. E não reclama de ser chamada de honey.

Semifusa

Bob acomodou a caixa de transporte com Fusa e Semifusa no assento a seu lado e retirou da valise o rascunho de seu livro de receitas. Releu a abertura, espiou o meio, testou o final. Ticou, anotou, corrigiu. Recuperou trechos que, no saguão de embarque, decidira excluir, e eliminou-os de novo com um xis. Difícil adivinhar o que sua leitora implícita acharia irresistível! Ele é o autor do livro, mas o julgamento de Sybil é quem comanda o vaivém da caneta, da espada contra as palavras, da faca nos ingredientes. Bob guardou o rascunho e a caneta na valise. Prometeu a si mesmo que não faria outra revisão antes de Sybil aceitar escrever o prefácio.

O avião decolou. Entre as grades da jaula, Bob ofereceu o dedo aos narizes de Fusa e Semifusa. Sentiu nele a esfregação dos queixos felpudos. Pediu desculpa às gatinhas por forçá-las ao pesadelo de uma viagem em que elas não tinham o menor interesse. Prometeu não lhes causar outro inconveniente. A presença delas, tentou justificar, seria uma delicada surpresa a Diogo, que lhe fornecera em segredo o endereço de Sybil. Seria também um recurso para amenizar o susto da feminista com sua visita não anunciada, amolecendo seu coração, inspirando-lhe uma disposição acolhedora. Pois o chef lhe trazia uma notícia revolucionária e uma proposta importante! Sybil precisava ouvi-lo! Precisava conhecer a recém-criada linha de produtos alimentícios econômica, ambiental e eticamente sustentáveis, desenvolvidos para concorrer com a carne de laboratório, e promovidos pela assinatura Bob Beefeater! Tinha de aprender sobre suas fórmulas, sua história, seus benefícios! Descobriria que o processo inovador inspirava-se em uma antiga técnica chinesa budista e vegana! Ficaria convencida de que o projeto significava o fim do consumo de carnes, ovos, leite e mel por parte dos humanos! E se, depois de inteirar-se dos fatos, aquela enjoada ainda se recusasse a escrever o prefácio, poderia considerar outras maneiras de endossar o livro de receitas. Poderia publicar uma resenha em um website, por exemplo, ou um simples adjetivo elogioso, com um ponto de exclamação, seguido de seu nome e atividade, na sobrecapa da capa dura. Não lhe custaria nada! O que tinha a perder? Quem ela pensava que era? Às vezes Bob sentia tanta raiva... Se pudesse, dava-lhe uns cascudos. Meteu os dedos no bolso da camisa, pescou um frasquinho de calmantes, engoliu dois comprimidos. Cobriu os olhos com a máscara de dormir e deitou a cabeça no espaldar.

Sentia-se humilhado. O que faria se, depois de todo seu esforço para reatar relações com Sybil, ela ainda se recusasse a vê-lo? O que faria se ela aceitasse encontrá-lo, mas não quisesse degustar suas amostras congeladas? Sua vontade, admitiu, era seqüestrá-la, esfregar-lhe na cara os folhetos sobre o novo projeto e gritar, Olhe aqui, sua vegana fundamentalista, feminista sectária, fanática, purista, cê-dê-efe,

É toda composta de plantas a linha especial de alimentos que, há meses, venho tentando lhe mostrar! Plantas, plantas, plantas, entendeu agora? Plantas com sabor de produtos animais e consistência semelhante a eles! Isso, agora você entendeu! Cereais, frutas, verduras, leguminosas, sementes e raízes com sabor e consistência de carne, leite, ovos e mel! Vegetais aperfeiçoados em laboratório para satisfazer ao paladar dos mais exigentes e pertinazes onívoros! Veja as fotos, leia as opiniões! Consulte as pesquisas! Por obra de nossos engenheiros, uma coxa de peru pode ser substituída por um talo de aspargo! Uma porção de caviar, pelas bolinhas do gomo de uma romã! Grossas fatias de berinjela passam por filés, bananas por lingüiças e redondos gilós por testículos de carneiro! O suco da nossa manga tem o gosto do leite da vaca e os nossos kiwis, dos ovos das galinhas! Leia estes folhetos que lhe esfrego na cara, Sybil, teste, aprove e endosse minhas receitas! Recomende estas plantas com gosto de carne! A carne, Sybil, ainda a carne! A carne, ainda que por um fiapo...

Este livro foi composto na tipologia EideticNeoRegular,
em corpo 11/15, e impresso em papel
off-white 80g/m^2 no Sistema Cameron da Divisão
Gráfica da Distribuidora Record.